ほんとによく出る

2025年版

保育士
一問一答 &
ベスト過去問

保育士試験研究会 編著

JN104043

実務教育出版

はじめに

　わが国における今後の保育の課題の一つとして「保育士配置基準の見直し」が注目されています。すべての保育現場で，質の高い細やかな保育を保育士の負担なく実施するためには，十分な保育士の確保が必要となります。

　そのためにも保育士試験にて，多くの保育士誕生が求められ，今後ますます期待されていきます。

　試験勉強の方法として，「過去問を解く」ことは，出題傾向をつかむためにも必要です。ただ，過去問を解くことのみを重視した学習方法はオススメしません。「過去問を解く→答え合わせをする→間違えた問題の解答のみを確認して覚えようとする」このような学習を進めていくと，狭い範囲に特化した学習になり，「合格点まであと一歩（１問）届かない」という悔しい結果にもつながりかねません。

　筆記試験対策としては，基礎的な内容を知る（インプット）学習をした上で，その学習内容をしっかりと理解できているかどうかの理解度を確かめるために問題を解く（アウトプット）学習が必要です。インプットだけ，アウトプットだけの学習では，バランスが悪く，確実な合格ライン超えが厳しくなります。

　本書は，最新の法改正の内容を反映させ，2025年試験に対応し，より多くの良問を解いて，効率よくアウトプットを強化できる構成で作成しております。

基本（一問一答）→応用（ベスト過去問）→仕上げ（本試験）

　この３つのステップで全科目の合格ライン超えを目指せます。多くの問題にふれ，学習した内容が多面的に出題されても解ける力をしっかりとつけておくことが，合格のためには必要です。

　保育士試験は，各科目合格ラインである６割を超えれば合格となります。100点満点をとる必要はありません。短い期間で効率よく学習を進め，インプットとアウトプットの学習をバランスよく進めておくことが合格への近道です。

　我々は，保育士試験はあきらめなければ合格できる試験と考えています。資格を手にしたいという皆さまの思いがあれば取得できる資格です。本書が保育士資格を取得しようとされる方々の一助となり，広く利用されること，そして一日でも早く資格を取得して，保育の現場で活用していただくことを心より願っております。

2024年８月

保育士試験研究会

CONTENTS

本書の構成と使い方

本書は，一問一答編，ベスト過去問編，本試験編の3編で構成されています。

一問一答編

きほんのキーワード

基本用語をまずは押さえよう。

一問一答

○×問題で基礎を固めよう。

ベスト過去問編　出題率の高い重要テーマで実力アップ

	頻出度 ★★★ よく出る　★★ 出る　★ あまり出ない
	難易度 ★★★ 難しい　★★ 標準　★ 易しい

科目名とテーマ

問題番号

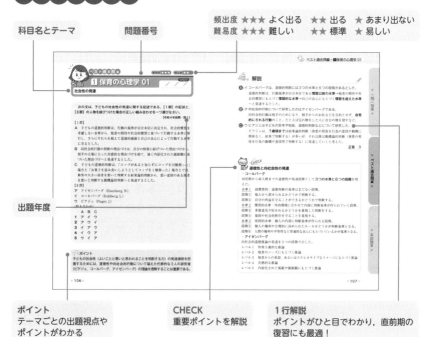

出題年度

ポイント
テーマごとの出題視点や
ポイントがわかる

CHECK
重要ポイントを解説

1行解説
ポイントがひと目でわかり，直前期の
復習にも最適！

本試験編 2024年前期（4月）試験で本番をシミュレートできる。

本試験解説
本試験編の正答と解説

過去問について

法改正や年数の経過によって問題として成立しなくなったなどの場合に，その問題で問われている趣旨を保ちつつ問題を一部改題している場合があります。

保育所保育指針について

本書は新「保育所保育指針」（2018年4月1日施行）に対応しています。

法令基準日について

保育士試験では試験実施年・回によって法令基準日が定められています。本書は2024年試験の基準から予測する2025年試験の基準に対応できるよう編集しておりますが，受験時には必ず最新の「受験申請の手引き」で確認してください。

法改正について

本書は前述「法令基準日」に則っていますが，2025年試験に関連する法改正があった場合は，下記のホームページでお知らせします（2025年試験の合格のために影響のある場合のみ）。なお，ホームページの情報及び下記の購入者特典の掲載は，2025年の試験終了時までとなります。あらかじめご了承ください。

実務教育出版ウェブサイト https://www.jitsumu.co.jp

購入者特典

2023年前期，2022年前期の本試験過去問のPDFをご用意しました。
下記リンクかQRコードよりダウンロードのうえ、お使いください。
PDFファイルを開ける環境が必要です。パソコンからのダウンロードを推奨します。
https://books.jitsumu.co.jp/news/n58057.html

保育士試験ガイダンス

受験資格と試験スケジュール

　保育士試験を受験することができるのは，大学卒業者をはじめ，短大・専門学校・高校などの学校卒業者，また保育現場の実務経験者など，多岐に渡ります。

　自分に受験資格があるかについては，「保育士試験受験申請の手引き」を参照するほか，全国保育士養成協議会（右のQRコード）の保育士試験事務センターに確認をしてみましょう。

2024年試験スケジュール

	筆記試験	実技試験
前期試験	4月20日・21日	6月30日
後期試験	10月19日・20日	12月8日

受験科目と合格ライン

● **試験の概要**

　筆記試験と実技試験が行われます。実技試験は，筆記試験で全科目合格をしなければ受けることができません。

● **筆記試験**

　筆記試験は全9科目で，マークシート方式で行われます。各科目と時間・出題数・配点は以下の通りです。合格ラインは，各科目6割以上です。「教育原理」と「社会的養護」は合計で6割以上ではなく，それぞれ6割以上で合格となります。

1日目	2日目
保育の心理学（60分／20問／100点）	教育原理（30分／10問／50点） 社会的養護（30分／10問／50点）
保育原理（60分／20問／100点）	子どもの保健（60分／20問／100点）
子ども家庭福祉（60分／20問／100点）	子どもの食と栄養（60分／20問／100点）
社会福祉（60分／20問／100点）	保育実習理論（60分／20問／100点）

・幼稚園教諭免許（臨時免許を除く）をもっている人は，「保育の心理学」と「教育原理」が免除されます。

・社会福祉士，介護福祉士，精神保健福祉士の資格をもっている場合は，福祉系3科目「社会福祉」，「子ども家庭福祉」，「社会的養護」が免除になります。

実技試験

　実技試験は，筆記試験をすべて合格した後に受験します。受験申込時（願書提出時）に**音楽に関する技術**，**造形に関する技術**，**言語に関する技術**の３分野から２分野を選択し，受験科目とします。２分野のいずれも６割以上で合格となります。
※幼稚園教諭免許（臨時免許を除く）をもっている人は，実技試験が免除されます。

科目免除について

・保育士試験の筆記試験には，受験科目の免除制度があります。全９科目を１回の試験ですべて合格する必要はなく，合格した科目については**３年間の有効期間**があります。
・児童福祉施設や認定こども園などの対象施設で，対象期間内に一定の勤務期間および勤務時間，児童等の保護に従事した場合，３年間の有効期間を最長５年まで延長することができます。

実施結果

●受験者数と合格者数

	平成31年 （前期）	令和元年 （後期）	令和2年 （後期）	令和3年 （前期）	令和3年 （後期）	令和4年 （前期）	令和4年 （後期）	令和5年 （前期）	令和5年 （後期）
受験申請者数	36,640	36,526	39,559	38,925	39,309	40,501	34,345	34,380	28,683
合格者数	5,169	12,009	9,111	7,276	8,373	12,750	10,128	9,612	7,553
合格率（%）	14.1	32.8	23.0	18.6	21.3	31.4	29.4	27.9	26.3

保育士試験に関する問合せ先

一般社団法人 全国保育士養成協議会　保育士試験事務センター

〒171-8536　東京都豊島区高田3-19-10
　　　　　　ヒューリック高田馬場ビル6F
　　　📞 0120-4194-82（フリーダイヤル）
　　　☎ 03-3590-5561（代表）

過去問もみられます！

HP https://www.hoyokyo.or.jp
E-mail shiken@hoyokyo.or.jp

TOPICS❶ 近年の改正について（児童福祉関連）

　児童福祉法等の近年の改正内容については，福祉系科目における頻出事項の一つです。しっかりと確認しておきましょう。

児童福祉法等の改正について　2022（令和4）年6月改正　2024年（令和6年）4月1日施行

新設 こども家庭センターの設置（市町村）	・子ども家庭総合支援拠点（児童福祉法）と**子育て世代包括支援センター**（母子保健法）の見直し。 ・すべての妊産婦，子育て世帯，こどもへ一体的に相談支援を行う機関。
新設 地域子育て相談機関の整備（市町村）	・妊産婦，子育て世帯等が気軽に相談できる身近な相談機関。 ・**保育所，認定こども園，地域子育て支援拠点事業を行う場所**等であって，市町村が認めるもの。
児童発達支援センターの役割・機能の強化	・地域における障害児支援の**中核的役割**を担うことを明確化。 ・児童発達支援の類型（**福祉型，医療型**）の**一元化**。
新設 家庭支援事業の整備（市町村）	・子育て世帯訪問支援事業（要支援児童，要保護児童及びその保護者，**ヤングケアラー**を含む特定妊婦等が対象。訪問による生活支援） ・児童育成支援拠点事業（養育環境等の課題を抱える主に学齢期の児童が対象。対象学校や家以外の**こどもの居場所支援**） ・親子関係形成支援事業（要支援児童，要保護児童及びその保護者等が対象。**親子関係の構築**に向けた支援） ・拡充 子育て短期支援事業（親子入所・利用が可能，利用期間の弾力化等） ・拡充 一時預かり事業（**レスパイト利用**などが可能である旨を明確化） ・養育支援訪問事業
社会的養育経験者の自立支援（都道府県等）	・拡充 児童自立生活援助事業（対象者等の**年齢要件**等の弾力化等） ・新設 社会的養護自立支援拠点事業（措置解除者等が対象。**相互交流の場**の開設，情報提供，連絡調整等を実施）
新設 都道府県等・児童相談所による支援の強化	・里親支援センター（**里親支援事業**や，里親や委託児童等に対する相談支援等を行う児童福祉施設） ・親子再統合支援事業（**親子の再統合**が必要と認められる児童とその保護者が対象。児童虐待の防止に資する情報の提供，相談，助言等を実施） ・妊産婦等生活援助事業（**特定妊婦等とそのこども**が対象。住居に入居，又は事業所等に通所，訪問により，日常生活の支援，養育相談・助言，関係機関との連絡調整，特別養子縁組の情報提供等を実施）
こどもの意見聴取等の仕組みの整備	・都道府県児童福祉審議会等による調査審議・意見具申等によりこどもの権利擁護に係る環境を整備。 ・措置等の決定時において，**こどもの意見聴取**等を行う。 ・新設 意見表明等支援事業（こどもの意見表明等を支援）
一時保護開始時の判断に関する司法審査導入	・適正性や透明性の確保のため，一時保護開始の判断に関する**司法審査**を導入。 ・一時保護について，新たに**設備・運営基準**を策定。
こども家庭福祉の実務者の専門性の向上	**こども家庭ソーシャルワーカー**（一定の実務経験のある有資格者や現任者について，研修等を経て取得する認定資格）の創設。

TOPICS❷ 人口に関する統計について

人口推計 2023（令和5）年10月1日現在

・総人口＝1億2,435万2千人（2011（平成23）年以降，13年連続で減少）

2022（令和4）年人口動態統計（確定数）※（ ）内は前年

出生数	77万759人（81万1,622人）
母の年齢別出生数	最多は30～34歳で約28万人，次いで25～29歳で約20万人
合計特殊出生率	1.26（1.30）
死亡数	156万9,050人（143万9,856人）
自然増減数	△79万8,291人（△62万8,234人）
婚姻件数	50万4,930組（50万1,138組）
離婚件数	17万9,099組（18万4,384組）

令和4年版高齢社会白書より

・65歳以上人口　3,624万人　　　　・15～64歳人口　7,421万人（59.4％）
・高齢化率　　　29.0％　　　　　　・15歳未満人口　1,450万人（11.6％）
・65～74歳人口　13.5％
・75歳以上人口　15.5％
　（令和4年10月1日現在）

子どもの貧困について（2021〈令和3〉年） 2022（令和4）年国民生活基礎調査より

相対的貧困　※貧困線に満たない世帯員の割合	15.4％
子どもの貧困率　※18歳未満で貧困線を下回る人の割合	11.5％

TOPICS❸ 「保育指針」を制する者は保育士試験を制す

　保育所保育指針は2017年に約10年ぶりに改定されました。現行の指針の内容理解は，保育現場で保育の計画を立てる際に必須です。近年では保育所などの採用試験や面接時にも問われることも多く，保育士試験での出題も増加しているため，重要ポイントを押さえて内容を理解する学習が必要となります。

　特に「保育原理」は20問中の10～12問が保育所保育指針から出題されるため同科目の合格点突破に向けて丁寧な学習が必須です。

　他科目では**福祉系科目**（子ども家庭福祉，社会福祉，社会的養護）については第4章から，**発達系科目**（保育の心理学，子どもの保健，子どもの食と栄養）については第2章，第3章から出題される場合があるのでしっかり押さえましょう。

保育所保育指針の構成

第1章 総則	保育所保育が幼児教育の重要な一翼を担っている等も踏まえ，「4．幼児教育を行う施設として共有すべき項目」を定めるなど，保育所保育の基本となる考え方について記載。
第2章 保育の内容	乳児，3歳未満児，3歳以上児の保育について，それぞれ，ねらい及び内容を記載。特に，3歳以上児の保育については，幼稚園，認定こども園との整合性を確保する。
第3章 健康及び安全	子どもの育ちをめぐる環境の変化を踏まえ，食育の推進，安全な保育環境の確保等について記載。
第4章 子育て支援	保護者と連携して「子どもの育ち」を支えることを基本として，保育所が行う子育て支援の役割等について記載。
第5章 職員の資質向上	職員の資質・専門性の向上について，キャリアパスを見据えた研修機会の充実について記載。

一問一答編

本編の特徴と使い方

　一問一答編では，過去の保育士試験問題を分析し，近年の出題傾向もふまえ，特に重要な頻出テーマやそのポイントに重点をおいて問題を作成しました。

　本編は，保育士試験を受験するうえで，学習しておかなければならない基礎的事項を確実に理解するために，本試験形式の問題学習をする前に活用いただきたい内容です。

　各科目の学習において，まずは**キーワード**を確認し，その後，**一問一答**の問題を解き，解説で理解を深めていく流れで基礎的な知識が得られます。

　本編の問題は，過去出題された問題の重要な選択肢を分解し，基本事項を習得しやすくしています。

　また，近年の法改正を反映させた新しい内容にしているので，最新情報が気になる方も安心して学習していただけます。

　基本的な知識をしっかりと身につけることができるのが本編の特徴です。

保育の心理学

1　発達に関する研究者や理論

ピアジェ	子どもの思考や問題解決などの認知発達について研究した。認知発達の変化を感覚運動期，前操作期，具体的操作期，形成期，操作期に分類した。
自己中心性	ピアジェが提唱した用語。子どもが周囲を理解するときに，他者の視点や考えに立つことができず，自分の視点や体験をもとに考えたり捉えたりすること。
保存の概念	ピアジェの用語。ものの見た目や形，様子が変化しても，もともとの数や量は変化しないと理解できること。幼児期は保存の概念が理解できていない。
愛着 （アタッチメント）	ボウルビィは「人間または動物が特定の個体（人間または動物）に対してもつ情愛の絆」と定義。特定の個体に対して愛情や信頼関係が形成されていることである。
エリクソン	人間の一生涯の発達（ライフサイクル）について研究した。人間の人生を8つの段階に分け，各時期に発達課題と心理社会的危機があると考えた。
発達の最近接領域	今はできないが，いずれその人が一人でできるようになる発達領域のこと。ヴィゴツキーは発達の最近接領域への働きかけを重視した。
生態学的発達理論	環境は複数のレベルが入れ子になった多層的なシステムであると考える理論。ブロンフェンブレンナーが提唱した。
学習理論	心理学における学習は，経験によって生じる比較的永続的な行動変化の背後にある心的過程のこと。この学習を説明する理論に，古典的条件づけや道具的条件づけや観察学習などがある。

2　乳幼児期の発達

クーイング	赤ちゃんが機嫌のいいときに，舌や唇を使わずに発する声。生後2～3か月の頃によくみられ，その後に喃語（バブリング）に移行していく。
社会的参照	なじみのない物や状況に対して，信頼できる身近な人の表情などを手がかりとして，自分のとる行動を決めること。生後1歳くらいからみられる。

エントレインメント	エントレインメントは同調という意味。赤ちゃんの発声に対して大人が声がけをし，その声がけに赤ちゃんが応答する，などの相互作用の様子である。
心の理論	自分や他者の考えや情動，意図といった心の働きについて理解したり，推論したりする能力のこと。
パーテン	遊び場での子どもの様子を観察し，「周りに他の子がいても一人で遊ぶ」や「一緒に遊ぶ」など，他の子どもとの関わり方から遊びを分類した。

3 学童期以降の発達

ギャング集団	小学校中・高学年の頃の仲間集団で，メンバー以外には排他性，閉鎖性を示す。この仲間関係の経験は子どもの社会性の発達へとつながる。
メタ認知	自己の認知状態について認知していること。自分の記憶の有無を認知するメタ記憶，ある事柄についての自分の知識の有無の認識などのこと。
アイデンティティ（自我同一性）	エリクソン理論の青年期の発達課題。「自分は何者なのか？」「自分の存在する意味は？」などの問いに対する答えである。
バルテス	生涯発達心理学の研究者。高齢者の研究から，補償を伴う選択的最適化（SOC理論）を提唱した。

4 保育場面で気になること

発達障害（神経発達症）	脳の機能障害により，認知や社会性などに遅れや偏りが生じる。自閉スペクトラム症，注意欠如多動性障害，限局性学習症などがある。
反応性愛着障害	子どもの愛着行動にみられる特異な傾向や様々な障害の総称。診診断基準にはDSM-5（アメリカ精神医学会）やICD-10（WHO）がある。
保育所保育指針	保育所保育の基本となる考え方や保育のねらいを定めたもの。保育の心理学では，「第2章保育の内容」と「第4章子育て支援」が特に関連が深い。

一問一答編

ベスト過去問編

本試験編

1 保育の心理学

1 発達に関する研究者や理論

1 子どもが世界を認識していく過程には，量的に異なる４つの段階がある。

2 前操作期の子どもの前におもちゃを置き，そのおもちゃに布をかけて見えなくすると，おもちゃに対する関心は失われる。

3 幼児がかくれんぼをしていて，「自分からオニが見えないから，オニからも自分は見えていない」と思うのは，自己中心性によるものである。

4 ボウルビィ（Bowlby, J.）によれば，アタッチメント（愛着）の発達には４つの段階があり，分離不安や人見知りがみられるのは最終段階である。

5 エインズワースが開発した選好注視法は，保護者と子どもの愛着の質について調べるものである。

6 エインズワースの実験では，親との分離に際し，泣くなどの混乱を示すということがほとんどないCタイプ（アンビバレント型）がみられた。

7 ヴィゴツキー（Vygotsky, L. S.）は，子どもの発達には，他者の援助がなくても独力で解決できる水準と，他者の援助があれば達成できる水準の２つがあり，他者との関わり合いの中で発達は促されていくと指摘した。

8 ブロンフェンブレンナー（Bronfenbrenner, U.）は，子どもを取り巻く社会的環境のうち，父親と母親との関係（夫婦関係）や親と学校の先生との関係など，相互の影響関係をエクソシステムとした。

9 相互作用説によれば，遺伝要因と環境要因が寄り集まり，足し合わされて，発達が進んでいくとみる。

10 ワトソン（Watson, J. B）は，生育初期に与えられたある種の経験が，後年の生理的・心理的な発達に消しがたい行動を形成させる期間として，臨界期の存在を明らかにした。

解説

① ✕ ピアジェは，すでに獲得しているシェマを環境に合わせて変えて新しいシェマを獲得するなど，質的に異なる4つの段階があるとした。

② ✕ 見えていたものが見えなくなっても，ものはそこに存在していることを理解できる物の永続性は，ピアジェの実験では生後8か月くらい以降（感覚運動期）に獲得することが示された。

③ 〇 ピアジェのいう自己中心性は，他者の立場や視点に立つことが難しく，自分の立場や視点からしか物事をとらえることができない様子である。

④ ✕ アタッチメント（愛着）は特定の人との間に形成される情緒的な絆のこと。ボウルビィは愛着の発達段階を4段階に分類したが，人見知りなどが見られるのは第3段階（生後6か月～2，3歳頃）である。

⑤ ✕ エインズワースが開発した実験はストレンジ・シチュエーション法（新奇場面法）である。選好注視法は乳児が好んで見る図形パターンを調べるためのもので，ファンツが実験した。

⑥ ✕ 分離時にほとんど泣かないのはAタイプ（回避型）。Cタイプ（アンビバレント型）は分離時は激しく泣くが，再会時には愛着対象者に反抗的な態度で接触維持を求める。

⑦ 〇 ヴィゴツキーは一人で解決できる水準（現在の発達水準）と，他者の援助があれば解決できる水準（明日の発達水準）の間にある発達の最近接領域への働きかけを重視した。

⑧ ✕ ブロンフェンブレンナーは，環境は入れ子構造になった多層モデルである生態学的発達理論を提唱した。

⑨ ✕ 遺伝要因と環境要因は足し算の関係で発達すると考えるのは輻輳説である。相互作用説では，遺伝と環境はかけ算の関係にあり，どちらかがゼロだと生まれ持つ特性が発現しないと考える。

⑩ ✕ 臨界期は，ローレンツが鳥類の刷り込み（インプリンティング）から提唱。ワトソンは観察可能な行動を研究対象とする行動主義の主唱者。

2 乳幼児期の発達

1 出生体重が1500グラム未満の児を低出生体重児と呼び，そのなかでも，1,000グラム未満の児を極低出生体重児，700グラム未満の児を超低出生体重児と呼ぶ。

2 新生児は，周囲の刺激とは関係なく微笑む。これはあやされることによって生ずるのではなく，身体の生理的な状況によって生起する。

3 2か月頃から，機嫌のよい時に，喉の奥からやわらかい発声をすることをクーイングという。

4 スピッツ（Spitz, R. A）は，見慣れた人と見知らぬ人を区別し，見知らぬ人があやそうとすると視線をそらしたり，泣き叫ぶなど不安を示す乳児の行動を「6か月不安」と呼んだ。

5 乳児期前半に自分の手を目の前にかざし，その手をじっと見つめるというショーイングと呼ばれる行動がみられる。

6 生後1歳前後になると，初めて見るおもちゃを触ってよいかわからない時，そばにいる養育者の表情などから自分の行動を決める。

7 養育者からの声がけに対して子どもが反応し，それに対して養育者が応答するなどのエントレインメントは幼児期以降からみられるものである。

8 ピアジェ理論の前操作期では，太いコップに入っていた水を細長いコップに入れ替えて水位が前より高くなっても，水の量は変わらないと判断する。

9 他の子どもたちとの様々なやりとりを通して，状況を理解して相手の気持ちを考えることは，心の理論の獲得につながる。

10 5歳になると，遊びの目的を共有し，自分たちで工夫してルールのある遊びを楽しむ姿，より面白くなるようにルールを作り替える姿がみられるようになる。

解説

① ✕ 一般的な出生体重は約3,000グラム，身長は約50センチである。出生体重が2,500グラム未満を**低出生体重児**，1,500グラム未満を極低出生体重児，1,000グラム未満を超低出生体重児と呼ぶ。

② ◯ 新生児が保護者の声がけなどの周囲の刺激とは無関係に微笑むことを，**生理的微笑**という。

③ ◯ 生後2か月頃から**クーイング**の発声がみられ，その後，子音から母音への移行がゆっくりとした不完全な喃語→子音と母音で構成された規準喃語→違う音を重ねて発する非重複喃語となる。

④ ✕ スピッツは人見知り反応のことを**8か月不安**と呼んだ。生後2～3か月頃にみられる養育者があやすなどしたときの応答としての社会的微笑を，**3か月微笑**と名づけたのもスピッツである。

⑤ ✕ 乳児が自分の手を注視することは，**ハンド・リガード**という。ショーイングは，子どもがおもちゃを持って大人に見せるなど，物をかざして関わってくれる相手に見せることである。

⑥ ◯ 自分にとって未知で不確定な状況で，その場を共有している他者の表情などを自分の行動の手がかりにすることを**社会的参照**という。

⑦ ✕ 子どもと養育者の間にみられる同調的な相互作用である**エントレインメント**は，新生児と養育者の間でもみられる。

⑧ ✕ 形が違うコップに水を入れ替えても水の量は変わらないことがわかるのは，**具体的操作期**。前操作期は，まだ保存の概念を獲得，理解できておらず，コップの形が変わって水位が変わると水量も変化したと捉える。

⑨ ◯ 心の理論とは，自分や他者の心について推測するための推論システムである。心の理論について調べる実験には**誤信念課題**がある。

⑩ ◯ パーテンは子どもの遊びを他者との関わりの観点から分類し，傍観，一人遊び，平行遊び，連合遊び，協同遊びとした。協同遊びは他者と遊ぶ目的を共有し，役割分担をしたりする遊びで5歳ごろから見られる。

3　学童期以降の発達

1 小学校の中・高学年になると，特定の仲間と排他的ではない集団を作って行動することが増える。また，同時に仲間よりも大人からの承認を求めるという特徴がみられる。

2 ピアジェによると，子どもの道徳判断は，8〜9歳頃を境に，行為の結果による判断から行為の動機による判断へと移行する。

3 自分の認知状態や認知過程についての認知であるメタ認知は，授業や家庭学習に関係するものの一つである。

4 中学生の頃にみられるチャム・グループは，身体発達などの個人差があることに気がつき他者尊重ができる仲間関係である。

5 マーシア（Marcia. J. E）のアイデンティティ・ステイタスによると，親や年長者などの価値観を吟味することなく無批判に自分のものとして受け入れている状態を早期完了という。

6 エリクソンの理論において，学童期から青年期にあたる第4段階と5段階では，「自主性対罪悪感」，「同一性対同一性の混乱」の危機がある。

7 バルテス（Baltes, P. B）によると，高齢期は決して何かを失うばかりではなく，喪失することで失ったものの重要さを実感し，状況へ適応することを模索しながら，新たなものを得ようとまた挑戦していく過程であるとされている。

8 中年期の親子関係においては，親は，子どもの自立にともなう親役割の喪失感，すなわち「心理的離乳」と呼ばれる不安定感が存在する。

9 流動性知能は，語彙や社会的知識に代表されるもので，学習経験の影響を相対的に受けやすいとされる知能であり，高齢期に至るまで，緩やかに増加する。

🎱 解説

1　✕　小学校の中・高学年頃の仲間集団である**ギャング集団（ギャングエイジ）**は，メンバー以外には閉鎖性，排他性を示し，大人の管理下から外れて自分たちだけで活動したいと思うグループである。

2　○　ピアジェは，7歳頃までは**結果論的判断**が多いが，それ以降は**動機論的判断**に移行するとした。

3　○　**メタ認知**は，自分の思考過程を自覚する（自分は算数が苦手だから，早めにテスト対策をしよう），結果を予想する（このペースだと最後まで終わらない）などに関係する。

4　✕　中学生の頃にみられる**チャム・グループ**は興味関心や行動が「同じ」というのが特徴のグループである。お互いの価値観を認め，他者尊重ができる関係は**ピア・グループ**（高校生以降）である。

5　○　**マーシア**は，青年の自我関与と危機の有無に着目して，アイデンティティ確立，早期完了（権威受容），**モラトリアム**，アイデンティティ拡散の4つの自我同一性地位を提唱した。

6　✕　**エリクソン**の理論では各段階に発達課題対心理社会的危機があるとした。第4段階（学童期）は勤勉性対劣等感，第5段階（青年期）は同一性対同一性の混乱（拡散）である。自主性対罪悪感は第3段階（幼児後期）。

7　○　高齢期となり体力低下などの喪失に対して，以前は週2回1時間水泳をしていたが，それを週1回にする，もしくは1回30分にするなど現状況に適応しようとすることを，**バルテスは選択的最適化**と呼んだ。

8　✕　子どもの自立にともなう親役割の喪失や生活設計の再編に適応できず，抑うつ感や虚脱感を感じることを**空の巣症候群**という。**心理的離乳**は，青年が保護者から精神的に自立するプロセスを表すものである。

9　✕　**流動性知能**は新しい場面への適応や，情報処理の速度や能力に関係する知能。ピークは30歳前後くらいといわれており，高齢期まで増加はしない。一方，**結晶性知能**は高齢期まで緩やかに増加する。

4　保育場面で気になること

1　自閉スペクトラム症については，心の理論説，実行機能説，中枢性統合説などによって説明されてきたが，どれか一つのみの理論では説明することは難しいとされている。

2　発達障害は，虐待を受ける危険因子の一つである。

3　注意欠如・多動性障害の特徴は「不注意」および「多動性」「衝動性」であり，これらは行動面での特徴なので神経性発達症とは別カテゴリーとなる。

4　遠城寺式・乳幼児分析的発達検査は，神経発達症の診断を目的として開発された検査である。

5　選択性緘黙症(かんもく)の子どもの多くは，学業上の問題やコミュニケーション上の問題を持っていない。

6　反応性アタッチメント（愛着）障害は，心理的環境要因が主な原因と考えられている。

7　夫婦間暴力の目撃は，乳幼児にとって心的外傷になりうる。

8　家庭を取り巻く問題に不安を感じている保護者は，その悩みを他者に伝えることができず，問題を抱え込む場合もあるが，家庭の状況や問題の把握はできないので，対応する必要はない。

9　外国籍家庭に対しては，状況に応じて個別の支援を行うよう努めることが，保育所保育指針に明記されている。

10　虐待が疑われる場合でも保育士は守秘義務があり，子どものプライバシー保護の観点からも，保護者が虐待を認めるまでは通告しない。

解説

1 ◯ 自閉スペクトラム症だけでなく，他の発達障害でも原因を特定することは難しいが，生まれつきの**生得的な障害**である。

2 ◯ 他者とのコミュニケーションの困難さ，こだわりの強さがみられる**自閉スペクトラム症**などの発達障害の特徴は養育の難しさとなり，そのストレスが虐待へとつながってしまう可能性がある。

3 ✕ 注意欠如多動性障害も神経性発達症のグループに含まれる。診断基準の一つであるDSM-5では「**不注意，または多動-衝動性**の症状の幾つかが**12歳以前に存在していた**」ことを診断基準の一つとしている。

4 ✕ **発達検査**は子どもの心身の発達状態や程度を測定するためのもので，神経発達障害の診断のために開発された検査ではない。遠城寺式・乳幼児分析的発達検査や新版K式発達検査などがある。

5 ✕ **選択性緘黙**は，家族の前や安心できる状況では話せるが，それ以外では話せなくなるので，コミュニケーション上の問題を抱えている。

6 ◯ **反応性愛着障害**は，不適切な養育により特定の人と愛着関係を築くことができず，対人関係に困難を抱えるものである。

7 ◯ 死や暴力に直面したり，非常に強いストレスを受けるような体験後に発症する精神的な疾患を**心的外傷後ストレス障害（PTSD）**という。

8 ✕ 保護者の中には悩みや不安を他者に伝えることに抵抗感を持つ場合もあるが，その気持ちを受け止めつつ，子どもの日々の様子を伝えることを通して信頼関係を築いていくことが求められる。

9 ◯ **保育所保育指針第4章「子育て支援」**では，外国籍家庭だけでなく子どもに障害や発達上の課題がみられる場合など，保護者の状況に配慮した個別の支援を行うよう努めることが記されている。

10 ✕ 保育所保育指針第4章「子育て支援」では「**虐待が疑われる場合には，速やかに市町村又は児童相談所に通告する**」とある。また「子どもの利益に反しない限り，**秘密を保持すること**」と記されている。

保育原理

CHECK!!

1 保育の思想と歴史

保育所と幼稚園	保育所は，こども家庭庁所管の児童福祉施設であり，幼稚園は，文部科学省所管の学校教育施設である。
東京女子師範学校附属幼稚園	1876（明治9）年に日本初の幼稚園として開設。主な関連人物は，初代監事（園長）関信三，主席保姆松野クララ，後に主事となる倉橋惣三である。
保育所保育指針	保育所における保育の内容に関する事項や，これに関連する運営に関する事項を定めたガイドラインである。
誘導保育	倉橋惣三により提唱された。大人が誘導するのではなく，子どもの「自らの内に育つ力」を大切にし，子どもが自発的に自由に遊ぶ中で「自己充実」を目指すという教育方針である。
幼児学校（イギリス）	1816年イギリスでオーエンにより設立された。オーエンは，自身の経営する工場内に設けた「幼児学校」にて無料で幼児教育を受けられるようにした。
頌栄幼稚園	1889（明治22）年に神戸にアメリカ人宣教師A・L・ハウにより設立された。フレーベルの教育思想にもとづいた保育を行う。

2 保育所と保育の現状・課題

幼保連携型認定こども園	認可幼稚園と認可保育所が連携して一体的に運営を行う施設。保護者の就労等に関わらずすべての子どもが利用できる。
家庭的保育事業	家庭的保育者（保育ママ）の居宅等で乳幼児の保育を行う。1人の家庭的保育者が預かることができるのは3人以内であるが，補助者を雇用した場合，5人まで預かることができる。
児童福祉施設の設備及び運営に関する基準（設備運営基準）	保育所などの児童福祉施設に求められる設備や配置する専門職員などの具体的な基準に関する標準型が定められている省令。
幼児教育・保育の無償化	2019（令和元）年より開始されている。対象施設は，保育所，幼稚園，認定こども園，地域型保育事業，企業主導型保育事業などであり，対象は，3〜5歳児クラスの子どもとなる。
医療的ケア児	人工呼吸器を使用した呼吸管理，たんの吸引，経管栄養などの医療的ケアが日常的に必要な児童のことをいう。

3　保育士の姿勢や専門性と保育の計画

保育士	「保育士とは，専門的知識や技術をもつて，児童の保育や児童の保護者に対する保育に関する指導を行うことを業とする者」と児童福祉法に示されている。
保育士の登録	資格取得者が保育士として働くためには，都道府県に備える保育士登録簿に，氏名，生年月日などの登録を受けなければならない。
障害児保育	障害児と障害をもっていない子どもを一緒に保育する「統合保育」が行われている。保育士は，障害児が他の子どもとの生活を通してともに成長できるような保育を心がける必要がある。
保育士の自己評価	保育士は，自らの保育実践を振り返り，その専門性の向上や保育実践の改善に努めなければならない。
乳児保育	乳児とは０歳児のことをいう。乳児期は，特定の大人との情緒的な絆が形成される時期であるため，特定の保育士が，乳児と応答的に関わることが求められる。
異年齢児保育	違う年齢の子どもたちでクラス編成をしたり，保育が行われたりすることを意味し，「縦割り保育」ともいわれる。
保育の計画	保育所では，長期的見通しをもって全体的な計画を作成する。その全体的な計画にもとづき，指導計画，保健計画，食育計画を作成する。

4　保育所保育指針（指針）関連

保育所の社会的責任	保育所が，地域の身近な児童福祉施設として，保育の知識や技術を生かしながら役割を果たすために，特に遵守しなければならない事項として，保育所保育指針第１章に規定されている。
養護と教育の一体性	子どもが安全に過ごせる環境に配慮しながら（養護的側面），人との関係，達成感，自我の育ち，言葉の覚えなどを育むこと（教育的側面）を支える保育を意味し，求められている。
指針における年齢区分	保育所保育指針では，「乳児」「１歳以上３歳未満児」「３歳以上児」に区分されて，ねらいや内容が示されている。

1 保育の思想と歴史

1 1948（昭和23）年，文部省は「保育要領」を刊行したが，これは，幼稚園のみならず保育所や家庭にも共通する手引きとして作成された。

2 日本において最も早く設立された公立の幼稚園は，東京女子師範学校附属幼稚園であった。そこでは設立当初から，子どもの自由で自主的な活動が保育の中心であった。

3 1947（昭和22）年に「児童福祉法」が成立するまで，保育所は国の制度として規定されていなかった。

4 幼稚園教育要領と保育所保育指針は，同年に告示化された。

5 家なき幼稚園は，園舎を持たない幼稚園で，1922（大正11）年に橋詰良一によってはじめられた。

6 『育ての心』『系統的保育案の実際』の著者であり，子どもの生活と文化に根ざした保育を目指し，誘導保育を提唱したのは，城戸幡太郎である。

7 経営する工場の労働者とその家族のために教育施設を開設し，そこに「幼児学校」を置いたのは「デューイ」である。

8 イタリアの医師で，「子どもの家」を創設し，環境を整え，子どもをよく観察したうえでその自由な自己活動を尊重し援助することを重視した教育法を実践したのは，ルソーである。

9 ハウは，アメリカの婦人宣教師として，1889（明治22）年に頌栄幼稚園を開設し，頌栄保姆伝習所の初代所長に就任した。

10 著書『隠者の夕暮れ』において，人間の平等性を説いたのはフレーベルである。

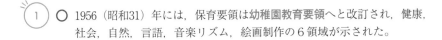

🎱 解説

1 ○ 1956（昭和31）年には，保育要領は**幼稚園教育要領**へと改訂され，健康，社会，自然，言語，音楽リズム，絵画制作の**6領域**が示された。

2 ✕ 設立当初は，**フレーベルの教育観**が導入されたものの，子どもの自由で自主的な活動とはかけ離れた社会的なマナーなどを身につけていくことなどを重視した教育方針であった。

3 ○ 1947（昭和22）年に，児童福祉法と同時に教育基本法，学校教育法が制定され，「**幼稚園は学校**」「保育所は**児童福祉施設**」として定められた。

4 ✕ 幼稚園教育要領は，1964（昭和39）年に，保育所保育指針は，2008（平成20）年にそれぞれ**告示化**されている。

5 ○ 橋詰良一は大阪の池田市に，園舎をもたず屋外で自然に親しみながら幼児教育を行う「**家なき幼稚園**」を設立。「子ども同士の世界をつくるのに最もよい所は，**大自然の世界**」と唱えた。

6 ✕ 問題文は**倉橋惣三**の説明である。児童中心主義の保育を提唱し，東京女子師範学校附属幼稚園の主事であった。

7 ✕ **幼児学校**を設立したのはデューイではなく**オーエン**である。デューイは，児童中心主義の新教育を提唱。著書に『**学校と社会**』がある。

8 ✕ 問題文は**モンテッソーリ**の説明である。ルソーは「子どもの発見者」と呼ばれ，著書『**エミール**』にて自然主義の教育（消極的教育）を提唱した。

9 ○ **頌栄幼稚園**は，フレーベルの教育思想にもとづいた保育を実践している。

10 ✕ 問題文は**ペスタロッチ**の説明である。著書『**白鳥の歌**』において，心・頭・手の調和的な発展が日常生活を通して行われることの重要性を説いた。

一問一答編

ベスト過去問編

本試験編

2 保育所と保育の現状・課題

1 幼保連携型認定こども園は，国，地方公共団体，学校法人，社会福祉法人および株式会社のみが設置することができる。

2 家庭的保育事業者は，利用乳幼児の国籍，信条，社会的身分または利用に要する費用を負担するか否かによって，差別的取扱いをしてはならないことが，家庭的保育事業等の設備及び運営に関する基準に規定されている。

3 保育所などでの保育を希望する場合の保育認定にあたって考慮される「保育を必要とする事由」として「起業準備」と「妊娠」は含まれる。

4 「設備運営基準」において，保育所の職員として「事務員」は位置づけられている。

5 「設備運営基準」6条では，児童福祉施設において，非常災害に対する具体的計画を立てるとともに，避難および消火に対する訓練は，少なくとも毎月2回は行わなければならないとされている。

6 2019（令和元）年10月1日から日本において実施された「幼児教育・保育の無償化」の対象となる施設は，幼稚園，保育所，認定こども園のみである。

7 「子ども・子育て支援新制度」において，幼保連携型認定こども園の認可・指導監督の一本化と「学校教育法」および「少年法」の施設としての法的位置づけがなされた。

8 「発達障害者支援法」は，保育所での保育において他の児童と別に生活することを通じて，発達障害児の健全な発達が図られるよう適切な配慮をするものと規定している。

9 痰の吸引や人工呼吸器など日常的な医療的ケアを必要とする「医療的ケア児」は，保育所で受け入れられている。

10 保育所には，地域の保護者に対して，保育所保育の専門性を生かした子育て支援を積極的に行うことが義務づけられている。

解説

(1) × 幼保連携型認定こども園の設置主体として，株式会社は認められていないことが認定こども園法12条にて示されている。

(2) ○ 家庭的保育事業等の設備及び運営に関する基準11条に，利用乳幼児を平等に取り扱う原則として記載されている。

(3) ○ その他認められる事由として，出産，保護者の疾病や障害，同居等の親族の介護や看護，災害復旧，就学，虐待やDVのおそれがある場合も含まれる。

(4) × 「設備運営基準」にて，保育所の職員として配置が義務づけられているのは，保育士，嘱託医および調理員であり，事務員は含まれていない。

(5) × 児童福祉施設においては，避難及び消火に対する訓練は，少なくとも**毎月1回**は，これを行わなければならないと定められている。

(6) × その他，幼稚園の預かり保育，認可外保育施設，一時預かり事業，病児保育事業，ファミリー・サポート・センター事業等が対象に含まれる。

(7) × 新制度では，幼保連携型認定こども園について認可・指導監督を**内閣府**に一本化し，学校および児童福祉施設として法的に位置づけられた。

(8) × 他の児童とともに生活することを通じて，発達障害児の健全な発達が図られるよう適切な配慮をすることが，**発達障害者支援法7条**に定められている。

(9) ○ 令和3（2021）年に**医療的ケア児支援法**が施行され，それ以降，保育所での受け入れは行われてきたが，医療的ケア児の地域生活支援の向上を図るために，今後よりいっそう受け入れ体制整備が求められている。

(10) × 保育所保育指針4章3において，保育所は，その行う保育に**支障がない**限りにおいて，地域の保護者等に対して，保育所保育の**専門性**を生かした子育て支援を積極的に行うよう努めることと示されている。

一問一答編

② 保育原理

3　保育士の姿勢や専門性と保育の計画

1 保育士は，正当な理由がなく，その業務に関して知り得た人の秘密を漏らしてはならない。ただし，保育士でなくなった後においてはその限りではない。

2 都道府県知事は，保育士の登録をしたときは，申請者に保育士登録証を交付する。

3 前日と同じ汚れた服を着てきたことを気にしている5歳児に，保育所が用意した清潔な服に着替えることを保育士が提案する。

4 長時間にわたる保育において子どもに心身の負担が生じることがないように，家庭的でゆったりとくつろげる環境を整えるよう保育士が留意する。

5 児童福祉法において，保育士とは，登録を受け，保育士の名称を用いて，専門的知識及び技術をもつて，児童の養護及び教育を行うことを業とする者をいう，と示されている。

6 保育所では，障害のある子どもに対して，一人一人ていねいな保育を行うために，クラス等の指導計画とは切り離して，個別の指導計画を作成する方がよい，と保育所保育指針に示されている。

7 「保育所保育指針」に基づき，指導計画を作成した際に，予想した子どもの姿とは異なる姿が見られたときは，必ずしも計画通りの展開に戻すことを優先するのではなく豊かな体験を得られるよう援助することが重要である。

8 乳児保育の指導計画は，一人一人の子どもの生育歴，心身の発達，活動の実態等に即して作成されるが，個別的な計画は必要に応じて作成すると保育所保育指針に記載されている。

9 異年齢保育の指導計画を作成する際は，集団としての子どもの生活や経験，発達過程などを把握し，適切な援助や環境構成ができるよう配慮する。

10 保育士は，自らの保育実践を振り返り，自己評価することを通して，その専門性の向上や保育実践の改善に努めなければならない。

解説

1 ✕ 保育士の守秘義務は，保育士でなくなった後においても同様に課されていることが，児童福祉法18条の22に規定されている。また，「その限りではない」とは，「例外である」ということを意味している。

2 ◯ 児童福祉法18条の18において，保育士となる資格を有する者が保育士となるには，**都道府県に備えられている保育士登録簿への登録が必要である**ことが定められている。

3 ◯ 気にしている５歳児に着替えるよう提案をし，５歳児の気持ちを**尊重**する保育士の対応は，５歳児の気持ちに**寄り添った**適切な対応である。

4 ◯ 長時間にわたる保育については，子どもの発達過程，生活のリズムおよび心身の状態に十分配慮して**指導計画**を作成することが，指針１章に示されている。

5 ✕ 児童福祉法18条の４には，「児童の保育及び**児童の保護者に対する保育に関する指導を行うこと**」を業とする者と定められている。

6 ✕ 保育所保育指針には，**障害のある子どもが他の子どもとの生活を通して共に成長できる**よう，指導計画の中に位置付けることが記載されている。

7 ◯ 子どもの活動や要望を優先して**柔軟に保育を変更する姿勢**が必要である。保育所保育指針１章「指導計画の展開」には，指導計画にもとづく保育の内容の見直しを行い，改善を図ることが記載されている。

8 ✕ 乳児を含めた３歳未満児については，必要に応じてではなく**個別的な計画を作成する必要がある**ことが，保育所保育指針１章３「保育の計画及び評価」に記載されている。

9 ✕ **異年齢保育**は，年齢の違う子ども達を保育するため，一人一人の生活や経験，**発達過程**などを把握して，計画を立てることが必要である。

10 ◯ 保育士による自己評価は，子どもの活動内容やその結果だけでなく，子どもの心の育ちや意欲，取り組む過程などにも十分配慮するよう留意すること。

一問一答 編

2 保育原理

学習日 / / /

4 保育所保育指針（指針）関連

1 指針第3章「健康及び安全」4「災害への備え」には，市町村の支援の下に，地域の関係機関との日常的な連携を図り，必要な協力が得られるよう努めること，と記載されている。

2 小規模保育や家庭的保育等の地域型保育事業においても，「保育所保育指針」の内容に準じて保育を行うこととされている。

3 障害や発達上の課題のある子どもとその保護者に関するプライバシーの保護が何よりも大切であるため，他の子どもの保護者に対しては，障害等についての個人情報を一切提供してはいけない，と指針に示されている。

4 指針第2章「保育の実施に関して留意すべき事項」には，自ら周囲に働きかけ，試行錯誤しつつ自分の力で行う活動を見守るだけでなく，子どもに対して，保育士等が積極的に援助を行うことと記載されている。

5 保育所の社会的責任として，地域社会との交流や連携を図り，保護者や地域社会に保育所が行う保育の内容を適切に説明する努力義務が課せられている。

6 指針第1章には，全体的な計画は，子どもの保育時間や在籍期間の長短に合わせた個別の計画を集約して作成することに意義があると記載されている。

7 「親しみをもって日常の挨拶をする」は，指針第2章「3歳以上児の保育に関するねらい及び内容」の「人間関係」の「内容」である。

8 指針第4章「子育て支援」に基づき，保護者とのコミュニケーションは，送迎時における対話や連絡帳，電話，面接など様々な機会をとらえて行う。

9 保育における「教育」とは，子どもの生命の保持及び情緒の安定を図るために保育士等が行う援助や関わりであり，「養護」とは，子どもが健やかに成長し，その活動がより豊かに展開されるための発達の援助である。

10 保育所は，地域の子どもを巡る諸課題に対し，要保護児童対策地域協議会など関係機関等と連携及び協力して取り組むよう努めること。

⬤ 解説

① 〇 指針には，災害の発生時に，保護者への連絡および子どもの引渡しを円滑に行うため，日頃から保護者との**密接な連携**に努め，連絡体制や引渡し方法等について確認をしておくことが記載されている。

② 〇 認可保育所だけでなく，地域型保育事業および認可外保育施設も，**保育所保育指針**の内容に準じて保育を行う。

③ ✕ 他の子どもの保護者に対しても，**プライバシーの保護**を留意しつつ，子どもが互いに育ち合う姿を通し，**障害等の理解**が深まるようにする。

④ ✕ 指針には，「試行錯誤しつつ自分の力で行う活動を見守りながら，適切に援助すること」と記載され，子どもの年齢や発達，その場の様子に合わせた「**見守る保育**」の必要性が示されている。

⑤ 〇 その他の社会的責任として，保育所は入所する子ども等の**個人情報**を適切に取り扱うとともに，**保護者の苦情**などに対し，その解決を図るよう努めなければならないことも定められている。

⑥ ✕ 全体的な計画とは，個別の計画を集約して作成するものではなく，保育の目標を達成するために，子どもの**発達過程**を踏まえて，保育所の生活の全体を通して，**総合的**に展開されるように作成される計画である。

⑦ ✕ 「人間関係」ではなく「言葉」である。また「自分の思ったことを相手に伝え，相手の思っていることに**気付く**」は，一見「言葉」の内容のようにも思えるが，「人間関係」の内容である。

⑧ 〇 指針には，「日常の保育に関連した様々な機会を活用し子どもの日々の様子の伝達や収集，保育所保育の**意図の説明**などを通じて，保護者との**相互理解を図るよう努めること**」と記載されている。

⑨ ✕ 「教育」と「養護」の説明が逆である。指針には，養護と教育が**一体**となって展開されることに留意する必要があると示されている。

⑩ 〇 **要保護児童対策地域協議会**とは，適切な保護，支援等を行うための関係機関等により構成された子どもを守る**地域ネットワーク**である。

③ 子ども家庭福祉

1 児童福祉施設

児童福祉施設	児童福祉法7条に基づく施設で，全部で13施設が規定される。
障害児入所施設	障害児を入所させ，保護，日常生活における基本的な動作および独立自活に必要な知識技能の習得のための支援を行うことを目的とする児童福祉施設。福祉型と医療型があり，その違いは治療行為の有無である。
里親支援センター	里親支援事業を行うほか，里親およびファミリーホームに従事する者，その里親に養育される児童並びに里親になろうとする者について相談その他の援助を行うことを目的とする児童福祉施設。
児童福祉施設の設備及び運営に関する基準（設備運営基準）	各児童福祉施設に求められる設備や配置職員等の具体的基準に関して定められる内閣府令である。設備運営基準にもとづき，各都道府県が施設の最低基準を条例で定める。
家庭支援専門相談員（ファミリーソーシャルワーカー）	施設入所児童やその保護者等に対し，早期家庭復帰に向けた相談援助等を行い，親子関係の再構築を図ったり，里親委託等を可能とするための相談援助等を行う。乳児院，児童養護施設，児童心理治療施設，児童自立支援施設に配置される。
児童自立支援専門員	児童自立支援施設において児童の自立支援を行う者である。児童自立支援施設のみに配置が義務づけられている。

2 少子化と次世代育成施策

合計特殊出生率	一人の女性が一生のうちに平均して何人の子どもを産むかを示す推計値。15歳から49歳までの年齢別出生率をもとに算出。
少子化社会対策基本法	少子化に対処するための施策を総合的に進めるために，2003（平成15）年に制定。7条にもとづき少子化社会対策大綱を作成することが規定されている。
次世代育成支援対策推進法	急速な少子化の中，次の社会を担う子どもたちが健やかに生まれ，安心安全な環境で育っていけるよう，環境整備に努めるために2003年制定（2005年に施行）の時限立法である。
ニッポン一億総活躍プラン	2016（平成28）年閣議決定。希望出生率1.8の実現に向けて，多様な保育サービスの充実や働き方改革の推進等を掲げたプラン。

3　児童福祉法及び子ども・子育て支援法における事業

地域子育て支援拠点事業	乳幼児と保護者の相互交流の場所を提供し，子育て相談や情報提供，助言等を行う。
子育て援助活動支援事業（ファミリー・サポート・センター事業）	乳幼児や小学生等の児童を有する子育て中の労働者や主婦等を会員として，子育ての「援助を受けたい人（依頼会員）」と「援助を行いたい人（提供会員）」が，地域で相互援助を行う事業。
子育て短期支援事業	保護者の疾病やその他の家庭の事情により養育が困難な児童を児童養護施設等で一時的に養護する。児童福祉法改正により，2024（令和6）年4月から保護者の利用も可能となった。
家庭的保育事業	家庭的保育者の居宅などで少人数（定員5人以下）を対象にきめ細かな保育を行う。家庭的保育者1人につき3人まで保育可。
保育所等訪問支援事業	障害児通所支援事業の一つ。保育所等に通う障害児または乳児院等に入所する障害児を対象とし，集団生活への適応のための専門的支援その他の援助を行う事業。
企業主導型保育事業	事業主拠出金（国が子育て支援策を進めるため徴収している企業の負担金）を財源として，従業員の多様な働き方に応じた保育を提供する企業等を支援する事業。

4　子ども家庭福祉関連の実施機関や民間人

保健所	地域保健法に基づく地域住民の健康や衛生を支える公的機関。都道府県，政令指定都市，中核市，その他の政令で定める市，特別区に設置が義務づけられている。
都道府県児童福祉審議会	都道府県に設置されている児童福祉審議会。児童福祉審議会とは，児童福祉法に基づき児童や妊産婦等の福祉に関する事項の調査や審議する諮問機関である。
児童委員	児童福祉法を根拠とする民間の奉仕者。担当する区域において，住民の生活上のさまざまな相談に応じ，行政やサービスへの「つなぎ役」としての役割を果たす。民生委員と兼任する。
保護司	犯罪をした人や非行少年の立ち直りを地域で支える法務大臣から委嘱された非常勤の国家公務員。保護観察官と協働して地域社会における犯罪の予防活動等を行う。給与の支給はない。

一問一答編

ベスト過去問編

本試験編

1 児童福祉施設

1 福祉型障害児入所施設は，保護並びに日常生活における基本的な動作および独立自活に必要な知識技能の習得のための支援を行うことを目的とする。

2 児童養護施設の目的には，退所した者に対する相談やその他の自立のための援助が含まれる。

3 母子生活支援施設は，父子も入所することができる。

4 自立援助ホームは，「児童福祉法」7条に規定される児童福祉施設の一つである。

5 里親支援センターは，里親支援事業を行うほか，里親および里親に養育される児童並びに里親になろうとする者について相談その他の援助を行うことを目的とする施設である。

6 児童館には，児童の遊びを指導する者を置かなければならない。

7 「児童福祉施設の設備及び運営に関する基準」に示された児童指導員の資格要件として，子育て支援員の資格を有する者が含まれる。

8 児童自立支援専門員は，児童養護施設に配置される。

9 家庭支援専門相談員は，母子生活支援施設に配置される職員である。

10 児童発達支援管理責任者は，障害児入所施設と児童発達支援センターに配置される職員である。

🎱 解説

(1) ○ 障害児入所施設（福祉型・医療型）については，2024（令和6）年4月より養護内容が改正された。福祉型と医療型の違いは，治療行為の有無である。

(2) ○ 児童福祉法41条では，児童養護施設の目的として「退所した者に対する相談その他の自立のための援助を行うこと」が規定されている。

(3) ✕ 母子生活支援施設の対象は，「配偶者のない女子又はこれに準ずる事情にある女子及びその者の監護すべき児童」とされ，父子は入所することができない。

(4) ✕ 自立援助ホームは，児童自立生活援助事業の実施場所の一つであり，児童福祉法7条に規定される児童福祉施設ではない。

(5) ○ 里親支援センターは，2022（令和4）年児童福祉法改正によって法定化された児童福祉施設である（施行は2024〈令和6〉年）。

(6) ○ 児童館は児童厚生施設の一つであり，児童の遊びを指導する者を置くことが，「児童福祉施設の設備及び運営に関する基準」に規定されている。

(7) ✕ 児童指導員の資格要件として，社会福祉士や精神保健福祉士を有する者などが含まれるが，子育て支援員の資格を有する者は含まれない。

(8) ✕ 児童自立支援専門員は，児童自立支援施設のみに配置される職員であり，児童養護施設に配置されない。

(9) ✕ 家庭支援専門相談員は，乳児院，児童養護施設，児童心理治療施設，児童自立支援施設に配置される職員であり，母子生活支援施設には配置されない。

(10) ○ 児童発達支援管理責任者は，障害児通所支援または障害児入所支援の提供の管理を行う者として，配置が義務づけられている。

一問一答 編

3 子ども家庭福祉

2 少子化と次世代育成施策

1 「令和2年（2020）人口動態統計（確定数）の概況」（2022〈令和4〉年厚生労働省）によると，2006（平成18）年以降，合計特殊出生率は常に前年より増加している。

2 1989（平成元）年の合計特殊出生率は，1966（昭和41）年（丙午：ひのえうま）を下回る1.57を記録した。

3 2000（平成12）年にはすでに「雇用者の共働き世帯」の数が「男性雇用者と無業の妻から成る世帯」の数を上回っていた。

4 令和4年度の育児休業取得率は，男性が約10％，女性が約60％である。

5 「2022（令和4）年 国民生活基礎調査の概況」によれば，世帯構造について「夫婦のみの世帯」が最多で，次いで「単独世帯」となっている。

6 エンゼルプランは，平成6年に策定された少子化対策のための最初の国の具体的な計画で，「今後の子育て支援のための施策の基本的方向について」のことを指す。

7 「少子化社会対策基本法」は，2003（平成15）年に2015（平成27）年までの時限立法として制定されたが，後に2025（令和7）年度末までに期限が延長された。

8 「次世代育成支援対策推進法」では，労働者が101人以上の企業に対して，一般事業主行動計画の策定・届出を義務づけている。

9 「ニッポン一億総活躍プラン」では，「希望出生率1.8」の実現に向け，多様な保育サービスの充実，働き方改革の推進等の対応策を掲げている。

10 「新・子育て安心プラン」では，令和6年末までに約14万人分の保育の受け皿を整備することをその目標に掲げている。

解説

1 ✕ 合計特殊出生率は，2006（平成18）年以降は増加傾向で，2015（平成27）年は1.45であったが，翌年から徐々に減少し，2022（令和4）年は1.26で，2005（平成17）と並ぶ過去最低値となった。

2 ◯ 1989（平成元）年の合計特殊出生率は，ひのえうまの迷信によって一時的に低下した1966（昭和41）年の1.58を下回る1.57となったことから，翌年の1990（平成2）年に「1.57ショック」と名付けられた。

3 ◯ 「令和4年版男女共同参画白書」によると，2021（令和3）年は，「雇用者の共働き世帯」数が1,177万世帯，「男性雇用者と無業の妻から成る世帯」は458万世帯となっており，その差は広がっている。

4 ✕ 令和4年度の育児休業取得率は，女性は80.2％，男性は17.13％である。

5 ✕ 調査によると，「単独世帯」が1,785万2千世帯（全世帯の32.9％）で最も多く，次いで「夫婦と未婚の子のみの世帯」が1,402万2千世帯（同25.8％）という結果となっている。

6 ◯ エンゼルプランは，「1.57ショック」を契機に，仕事と子育ての両立支援など子どもを生み育てやすい環境づくりに向けて，策定された。

7 ✕ 2003（平成15）年制定の時限立法は，**次世代育成支援対策推進法**。同年制定の少子化社会対策基本法は時限立法ではなく，総合的かつ長期的な少子化に対処するため大綱を策定することが明記されている。

8 ◯ **次世代育成支援対策推進法**において，労働者が100人以下の企業は一般事業主行動計画の策定・届出について，努力義務とされている。

9 ◯ 「ニッポン一億総活躍プラン」は，新たな三本の矢（「希望を生み出す強い経済」，「夢をつむぐ子育て支援」，「安心につながる社会保障」）の実現を目的とするプランである。

10 ◯ 2020（令和2）年公表の「新・子育て安心プラン」では，待機児童の解消を目指し，女性の就業率アップを踏まえた保育の受け皿整備，地域の子育て資源の活用のために取りまとめられた。

3 子ども家庭福祉

3 児童福祉法および子ども・子育て支援法における事業

1 地域子育て支援拠点事業は，乳幼児およびその保護者が相互の交流を行う場所を開設し，子育てについての相談，情報の提供，助言その他の援助を行う事業である。

2 「放課後児童健全育成事業の設備及び運営に関する基準」10条3項によると，放課後児童支援員は保育士か社会福祉士でなければならないとされている。

3 子育て援助活動支援事業（ファミリー・サポート・センター事業）において，子どもを預かる場所は，原則として会員間の合意により決定する。

4 病児保育事業は乳児・幼児が対象であり，小学校に就学している児童は対象にならない。

5 子育て短期支援事業では，保護者と子どもが一緒に入所・利用することができる。

6 家庭的保育事業では，家庭的保育者と家庭的保育補助者がいる場合，4名までの子どもの保育を行うことができる。

7 保育所等訪問支援では，幼稚園や認定こども園などの教育施設は対象外である。

8 企業主導型保育事業は，企業が従業員の働き方に応じた柔軟な保育サービスを提供するために設置する保育施設であり，全企業に設置義務が課されている。

9 小規模保育事業は，A型，B型，C型の類型がある。

10 居宅訪問型保育事業の利用について，満3歳以上の幼児は対象外である。

🎱 解説

(1) ○ 地域子育て支援拠点事業は，地域の子育て中の親子の交流促進や育児相談等を行う事業で，**一般型**と**連携型**がある。

(2) ✕ **放課後児童支援員**になるための要件については，保育士や社会福祉士の資格が含まれるが，その他にも様々な要件が定められている。

(3) ○ ファミリー・サポート・センターは，援助会員と利用会員の紹介・調整を行うもので，**預かり場所等の内容は個々の会員間の合意で決定する。**

(4) ✕ 病児保育事業の対象には，乳児・幼児のほか，家庭での保育が困難な**小学校就学児童**も含まれている。

(5) ○ 児童福祉法改正により，2024（令和6）年4月1日から**子育て短期支援事業**において，保護者が子どもと共に入所・利用できることになった。

(6) ✕ 家庭的保育事業において，家庭的保育者と家庭的保育補助者がいる場合，**5名**までの子どもの保育を行うことが可能である。

(7) ✕ 保育所等訪問支援は，障害児の通う保育所等を援助者が訪問して支援を行う障害児支援の一種であり，その対象には**教育施設**も含まれている。

(8) ✕ 企業主導型保育事業は，子ども・子育て支援法にもとづき進めている助成制度であり，企業に設置義務が課されているわけではない。

(9) ○ 小規模保育事業は，原則満3歳未満児で，**6人以上19人以下**を対象とし保育支援を行うもので，職員の配置基準によりA型，B型，C型の3類型に分類される。

(10) ✕ 居宅訪問型保育事業は，原則として満3歳未満児が対象ではあるが，必要に応じて保育が必要と認められる満3歳以上児についてもその支援を行う。

3 子ども家庭福祉

4 子ども家庭福祉関連の実施機関や民間人

1 2019（令和元）年児童福祉法改正において，都道府県（児童相談所）の業務として，児童の安全確保が明文化された。

2 「児童福祉法等の一部を改正する法律」（平成28年法律第63号）において，新たに中核市と特別区において児童相談所を設置できることとなった。

3 2021（令和3年）度中の児童相談所における相談内容のうち，最多は育成相談である。

4 被措置児童等虐待を受けた被措置児童等がその旨を届け出ることができる先として，都道府県児童福祉審議会は含まれない。

5 保健所は「地域保健法」に基づき市町村が設置し，母子保健のほか，栄養の改善，感染症の予防，環境衛生，精神衛生などを担う。

6 児童委員は，その職務に関し，市町村長の指揮監督を受ける。

7 保護司は，法務大臣から委嘱された非常勤の国家公務員である。

8 主任児童委員は，関係機関と児童委員との連絡調整や児童委員の活動に対する援助と協力を行っている。

9 2021（令和3）年度末現在の児童委員数は，20万人以上である。

10 児童委員の任期は5年である。

解説

1 ○ 都道府県（児童相談所）の業務として，一時保護の解除後の家庭その他の環境の調整，当該児童の状況の把握等により当該児童の**安全**を確保する旨が2019（令和元）年児童福祉法改正で明記された。

2 × 2016（平成28）年児童福祉法改正で任意設置が規定されたのは，**特別区**である。**中核市**は，2004（平成16）年児童福祉法改正で，任意設置となった。

3 × 児童相談所における相談内容のうち，最多は**養護相談**で49.5%を占める。次いで，障害相談が35.6%，**育成相談**が7.3%という結果であった。（令和3年度福祉行政報告例の概況）。

4 × 被措置児童等虐待の通告先には，市町村，児童相談所等のほか，**都道府県児童福祉審議会**を含む都道府県の機関が多く含まれている。

5 × 保健所は，**地域保健法**に基づき，都道府県，政令指定都市，中核市その他の政令で定める市，特別区に設置義務がある。

6 × 児童委員は，その職務に関して，市町村長ではなく**都道府県知事**の指揮監督を受ける。

7 ○ 保護司は**保護司法**に基づき，犯罪や非行をした人の立ち直りを地域で支える非常勤の国家公務員で，給与は支給されない。

8 ○ 児童委員のなかから**厚生労働大臣**が主任児童委員を指名し，主任児童委員は，担当区域で活動を行う児童委員との連絡調整や活動に関する援助，協力等を行っている。

9 ○ 「令和3年度福祉行政報告例の概況」によれば，2021（令和3）年度末現在の児童委員の数は，約23万人である。ちなみに，児童委員は民生委員法に基づく**民生委員**と兼任している。

10 × 児童委員の任期は，**3年**である（ただし再任もあり）。民生委員も同様である。

きほんのキーワード

社会福祉

CHECK!!

1　社会福祉の理念

ノーマライゼーション	障害の有無に関わらず，共に生活できる社会を目指す概念。デンマークのバンク・ミケルセンが提唱した。
ソーシャル・インクルージョン	社会から誰もが排除されることなく，すべての人を包みこむ概念。社会的包摂ともいう。
ソーシャル・ウェル・ビーイング	身体的，精神的，そして社会的に満たされた状態を意味する。従来の救貧的なウェルフェアから，「人権尊重」「自己実現の保障」を目指した新たな社会福祉の理念である。
ナショナルミニマム	国が国民に対して生活の最低限度を保障すること。イギリスのウェッブ夫妻が提唱した概念である。
第一義的責任	第一義的とは，「最も」「一番の」という意味。わが国では，子の責任については，保護者等が第一義的責任をもつとされている。

2　社会福祉法

福祉に関する事務所	社会福祉法14条を根拠とする福祉事務所のこと。都道府県および市・特別区に設置義務がある。
社会福祉協議会	民間の社会福祉活動を推進することを目的とした営利を目的としない民間組織。1951（昭和26）年に制定された社会福祉事業法（現「社会福祉法」）に基づき設置された。
運営適正化委員会	福祉サービス利用者の苦情などを適切に解決したり利用者の権利を擁護したりすることを目的とし都道府県社会福祉協議会に設置。
第一種社会福祉事業	入所施設など利用者の生活や人権に大きくかかわる事業で，国，地方公共団体，社会福祉法人の経営が原則とされる。
第二種社会福祉事業	設置や運営主体に制限はなく，都道府県知事への届出により設置が可能。主に在宅福祉サービスが多い。

3　ソーシャルワーク

4つのP	ケースワークに必要な4つの要素で，人（Person／問題を持つ人），問題（Problem／解決したい問題），場所（Place／援助を行う機関等）過程（Process／解決に向けた取り組み）のこと。
インテーク	最初の段階でニーズや問題の趣旨を聞き取る面接過程。クライエントと援助者が信頼関係を構築するうえで重要な段階。
リッチモンド	ケースワークを最初に体系化した人物で，「ケースワークの母」といわれている。
コノプカ	グループワークの定義を提唱し，その治療的傾向を認めた。また，グループワークにおける14の原則も提唱した。
スーパービジョン	経験豊富な援助者による，経験の浅い援助者への支援で，学生に対しても行われる。指導する人はスーパーバイザー，指導を受ける者はスーパーバイジーである。

4　社会福祉の歴史

恤救規則	日本初の公的救済制度。ただ，あくまでも親族や地縁による支援が優先され，無告の窮民（身寄りがない貧しい者）のみが支援の対象とされた。
国民皆保険・皆年金	1958（昭和33）年に新国民健康保険法が，1959（昭和34）年に国民年金法が制定され，全国民を対象とした保険・年金制度が整備された。
措置制度	行政庁が職権で支援の必要性を判断し，施設入所または処遇を行う等を決定する仕組みのこと。
エリザベス救貧法	世界初の国家による救貧制度である。貧民について労働力がある有能貧民とそれ以外の無能貧民に分類し，支援を行った。
ベヴァリッジ報告	正式名称は「社会保険及び関連サービス」。「ゆりかごから墓場まで」を理念とし，すべての人を対象とした社会保障制度の実現を目指した。

4 社会福祉

学習日　／　／　／

1　社会福祉の理念

1 ノーマライゼーションの理念とは，北欧の国から提唱された，障害者を施設から健常者が暮らす「ノーマル」な社会に戻すことである。

2 ソーシャル・インクルージョンとは，国民に対して最低限度の生活を保障すること（最低生活保障）である。

3 ウェルビーイングとは，個人の権利や自己実現が保障され，その個人が身体的・精神的・社会的により良い状態にあることを意味する。

4 エンパワメントアプローチは 社会的に無力状態に置かれている利用者の潜在的能力に気づき対処することで問題解決することを目的としたアプローチである。

5 問題を抱えた者の援助において，その個人に関わる人間関係構築力は，ストレングスとして評価する。

6 日本国憲法25条では，すべての国民に健康で文化的な最低限度の生活を営む権利を認め，それを実現するために，国は，社会福祉，社会保障および公衆衛生の向上および増進に努めなければならないとされる。

7 児童福祉法 1 条（児童福祉の理念）では，「全て児童は，児童憲章の精神にのつとり，適切に養育されること」が，定められている。

8 障害者基本法 1 条には，「全ての国民が，障害の有無によって分け隔てられることなく，相互に人格と個性を尊重し合いながら共生する社会を実現する」とある。

9 子ども・子育て支援法 2 条では，国が子育てについての第一義的責任を有するという基本的認識について規定されている。

10 こども基本法 1 条では，日本国憲法及び児童の権利に関する条約の精神にのつとり，こども施策を総合的に推進することが規定されている。

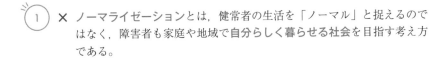

解説

① × ノーマライゼーションとは，健常者の生活を「ノーマル」と捉えるのではなく，障害者も家庭や地域で**自分らしく暮らせる社会**を目指す考え方である。

② × 国民に対する最低限度の生活保障は，ナショナルミニマムである。ソーシャル・インクルージョンは，すべての人を社会の構成員として包み支え合うことを目指す理念である。

③ ○ ウェルビーイングとは，身体的，精神的，社会的に良好な状態にあることを意味し，現在の「福祉」に該当する概念である。

④ ○ エンパワメントアプローチとは，社会的に無力な状態（パワーレス）の利用者の潜在能力に気づき，対処することで無力状態からの解放（主体的に回復すること）を目指すアプローチである

⑤ ○ ストレングスとは，援助を必要とする者がもっている**長所や強み**のこと。ストレングスを生かした援助は，問題解決に向けて有効である。

⑥ ○ 日本国憲法25条１項の「すべて国民は，健康で文化的な最低限度の生活を営む権利を有する。」という規定が「ナショナルミニマム」（国民に対する最低生活保障）の視点そのものである。

⑦ × 児童福祉法１条では，「全て児童は，**児童の権利に関する条約**の精神にのっとり，適切に養育されること」が定められている。

⑧ ○ 障害者基本法１条では，障害の有無に関わらず共生する「ノーマライゼーション」の理念が示されている。

⑨ × 子ども・子育て支援法２条では，**父母その他の保護者が子育てについての第一義的責任を有する**という基本的認識について示されている。

⑩ ○ こども**基本法**は，「全てのこどもが将来にわたって幸福な生活を送ることができる社会の実現を目指し」こども政策を総合的に推進することを目的として2023（令和５）年４月に施行された。

2 社会福祉法

1 「社会福祉法」において，都道府県，市および福祉に関する事務所を設置する町村に，社会福祉主事を置く，と規定されている。

2 福祉事務所には，精神保健福祉士その他これに準ずる者を配置しなければならない。

3 母子・父子自立支援員は，社会福祉法に基づき福祉事務所に配置される職員である。

4 「社会福祉法」では，市町村の区域内において，運営適正化委員会を市町村社会福祉協議会に置くことが定められている。

5 社会福祉協議会は，その活動に要する財源のすべてが国および都道府県の補助金によって賄われている。

6 都道府県社会福祉協議会の主な取り組みの一つに，社会福祉を目的とする事業の経営に関する指導および助言があげられている。

7 第一種社会福祉事業は，国，地方公共団体または社会福祉法人が経営することを原則とする。

8 株式会社は，第二種社会福祉事業を経営できない。

9 障害者支援施設は，第二種社会福祉事業である。

10 更生保護事業は，社会福祉事業に含まれない。

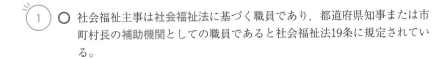

🎱 解説

① ○ 社会福祉主事は社会福祉法に基づく職員であり，都道府県知事または市町村長の補助機関としての職員であると社会福祉法19条に規定されている。

② ✕ 福祉事務所には，社会福祉主事等の配置義務があるが，国家資格である精神保健福祉士の配置義務はない。

③ ✕ 母子・父子自立支援員は，母子及び父子並びに寡婦福祉法を根拠とし，福祉事務所に配置される職員である。

④ ✕ 運営適正化委員会は，苦情トラブルなどの公正な解決を図る機関であり，市町村ではなく都道府県社会福祉協議会に設置されている。

⑤ ✕ 社会福祉協議会の財源は，補助金のほか，共同募金の配分金や事業の受託金などから構成されている。

⑥ ○ 都道府県社会福祉協議会の取り組みとして，ほかに「社会福祉を目的とする事業に従事する者の養成及び研修」「市町村社会福祉協議会の相互の連絡及び事業の調整」などがある。

⑦ ○ 第一種社会福祉事業は，国，地方公共団体または社会福祉法人が経営することが原則であり，他の主体が経営する場合は，都道府県知事の許可が必要である。

⑧ ✕ 第二種社会福祉事業は，経営主体に制限がないため，株式会社も経営可能である。

⑨ ✕ 障害者支援施設は，障害者総合支援法に基づく施設であり，社会福祉法2条2項に基づき第一種社会福祉事業とされている。

⑩ ○ 更生保護事業は犯罪をした人や非行少年などの改善更生を目的とした事業で，社会福祉事業には含まれない。

4 社会福祉

学習日

/　　/　　/

3　ソーシャルワーク

1 パールマンは，ケースワークの構成要素として「4つのP（人，問題，場所，過程)」をあげている。

2 インテークでは，相談者から発せられた非言語的表現に左右されることなく，相談者の発言から困っていることを明らかにする。

3 エバリュエーションとは，支援計画やそれに基づく支援の最終的な評価を行う段階である。

4 リッチモンドは，ソーシャル・ケースワークを「人間とその社会的環境との間を個別に，意識的に調整することを通してパーソナリティを発達させる諸過程からなり立っている」と定義している。

5 グループワーク（集団援助技術）では，メンバー間の相互作用が生まれるようにワーカーは意図的に支援する。

6 コノプカは，グループワークを「意図的なグループ経験を通じて，個人の社会的に機能する力を高め，また個人，集団，地域社会の諸問題に，より効果的に対処し得るよう，人びとを援助するものである」と定義している。

7 ソーシャルアクションとは，支援の必要な状況であるにもかかわらず，それを認識していない，あるいは支援につながっていない利用者に対して，ソーシャルワーカーから援助につなげるためのはたらきかけを行うことである。

8 スーパービジョンの主な機能には，「教育的機能」と「支持的機能」と「管理的機能」がある。

9 ネットワーク（ネットワーキング）とは，サービスを必要とする人が，地域の社会資源を活用するために，有効な組織化を推進していく方法である。

10 ケアマネジメントとは，社会福祉サービスが効果的に機能するために，社会福祉施設や機関の合理的・効果的な管理運営方法やサービス提供方法の開発を行うことをいう。

解説

1. ○ ケースワークの構成要素として４つのP（人，問題，場所，過程）をあげた**パールマン**は，**問題解決アプローチ**を提唱した。

2. × インテークとは相談援助における受理面接。インテークでは，利用者が発する**言語的表現**と合わせて，表情やしぐさ，態度といった**非言語的表現**にも留意することが大切である。

3. ○ エバリュエーションとは，支援の後に行う**事後評価**のことである。また，支援を行う前に本人の能力や活用できる資源を事前に評価するのはアセスメントである。

4. ○ **リッチモンド**は，ソーシャル・ケースワークを理論的に体系化し，『社会診断』など多くの著書を出版した。

5. ○ グループワークの原則の一つである「ワーカーとメンバーの援助関係の構築」である。グループワークにおいては，援助者とメンバーとの間に意図的な援助関係を構築することが大切である。

6. ○ **コノプカ**は，グループワークによる**治療的効果**を認め，集団での活動や会話を通じ，参加した個人の社会的機能の向上等を目指すものとした。

7. × **ソーシャルアクション**とは，**社会活動法**ともいい，制度やサービスの改善や充実に向けて住民や支援当事者等が行政に働きかける方法である。記述はアウトリーチである。

8. ○ スーパービジョンとは，熟練の援助者による経験の浅い援助者への教育的・支持的支援であり，「**教育的機能**」，「**支持的機能**」，「**管理的機能**」の３つの機能がある。

9. ○ ネットワーク（ネットワーキング）は，地域の関係機関・施設や関係者等が相互に**連携・組織化**するネットワークづくりを行う方法である。

10. × **ケアマネジメント**は，問題を抱えている人に対し，効果的・継続的に必要な**サービスを組み合わせて援助**していくこと。記述はソーシャル・アドミニストレーション（社会福祉運営管理）である。

4 社会福祉の歴史

1 「恤救規則」（1874〈明治7〉年）では，血縁や地縁などのない窮民に対してのみ公的救済を行ったが，救済の責任は，本来血縁や地縁などの人民相互の情誼によって行うべきであるとした。

2 「救護法」（1929〈昭和4〉年）では，保護の対象を13歳以下の幼者のみと規定した。

3 1961（昭和36）年の国民年金の創設によって，自営業者なども年金制度の対象に加えられ，国民皆年金が整えられた。

4 1970（昭和45）年代に高度経済成長が終わると，いわゆる「福祉見直し」が進められ，老人医療費支給制度は廃止された。

5 「社会福祉事業法」を「社会福祉法」に改正することによって，ホームヘルプサービス，ショートステイ，デイサービス等の在宅福祉サービスの法定化が行われた。

6 2000（平成12）年の「社会福祉法」の改正で，行政が利用者の処遇を決定する「措置制度」が廃止された。

7 少子高齢化が進む中，最初の子育て支援施策の計画であるエンゼルプランが策定された翌年に，高齢者プランであるゴールドプランが策定された。

8 ベヴァリッジ報告では，貧困を生みだす5つの要因に対して，新たな社会保障システムを打ち出した。

9 1601年のエリザベス救貧法は世界で最初の救貧法であり，その救済は教区を単位として行った。

10 1834年の新救貧法では，院外救済を原則としていた。

解説

1 ○ わが国で初めての救貧法である**恤救規則**は，その救済について血縁や地縁等によって行うべきであるとし，それが不可能な窮民に対して救済を行う**制限主義の救済**であった。

2 × **救護法**における保護の対象は13歳以下の幼者のほか，65歳以上の老衰者，妊産婦，障害者等も対象であった。

3 ○ 原則として国民が公的医療保険に加入，さらに20歳以上60歳未満のすべての国民は公的年金に加入する**国民皆保険・皆年金制度**が1961（昭和36）年よりスタートした。

4 ○ **福祉元年**といわれた1973（昭和48）年に創設された老人医療費支給制度は，後の福祉見直し期の中で，1983（昭和58）年に廃止となった。

5 × **在宅福祉の法定化**は2000（平成12）年「社会福祉事業法」から「社会福祉法」改正の時ではなく，1990（平成2）年の「社会福祉関係八法改正」において行われた。

6 × **措置制度**は，現在も**児童養護施設**や**乳児院**といった社会的養護関係施設への入所において継続している。

7 × **ゴールドプラン**は，エンゼルプランよりも早く，**1989（平成元）**年に策定された。エンゼルプランは1994（平成6）年策定である。

8 ○ **ベヴァリッジ報告**は，社会保険と公的扶助に関する抜本的改革を目指し，5つの悪（欠乏・疾病・無知・不潔・怠惰）を克服するべきとした。

9 ○ 1601年制定の**エリザベス救貧法**は，**教区**（各地の教会の場所ごとにエリアに分けて行政的な管理を行うための区）を単位とし，**救貧税**を財源にその支援を実施した。

10 × 1834年の新救貧法では，「**院内保護の原則**」（救済は貧困者施設のワークハウスで実施）の他，「**全国的統一の原則**」（貧困者への処遇を教区単位から全国一律にする）「**劣等処遇の原則**」（救済の水準が最低階層を上回ってはいけない）の3原則が導入された。

教育原理

1　法令（教育基本法・学校教育法）

教育基本法	旧法は1947（昭和22）年に公布・施行され，新法は，2006（平成18）年に公布施行された。現代日本の「教育の基本」を定めた法律で前文と18か条からなる。
学校教育法	旧教育基本法と同じ1947（昭和22）年に公布・施行した学校教育制度の根幹を定める法律である。
生涯学習	年齢，場所，その人の立場に関わらず，生涯にわたって学習や教育の機会が備えられるべきだとする学習スタイルである。
1条校	学校教育法1条に定められている学校のこと。すなわち，幼稚園，小学校，中学校，義務教育学校，高等学校，中等教育学校，特別支援学校，大学および高等専門学校を指す。

2　法令（幼稚園教育要領・日本国憲法・いじめ防止対策推進法）

日本国憲法	国民の権利・自由を守るために，国の責務について定めた最上位の法令である。保育士試験では，12条〜15条，25条，26条などが重要。
幼稚園教育要領	幼児期における教育基準を具体的に示したもの。1956（昭和31）年に「保育要領」から「幼稚園教育要領」へ改訂された。
いじめ防止対策推進法	大津市中2いじめ自殺事件が2012（平成24）年に発覚したことがきっかけで，いじめへの対応と防止について学校や行政等の責務を規定した法律として，2013（平成25）年成立，施行。

3　教育の発展に貢献した人物とその功績

空海	綜芸種智院（しゅげいしゅちいん）を創設し，庶民にも教育の門戸を開いた人物である。
中江藤樹	陽明学の祖。近江聖人といわれ，「知行合一説」（もっている知識は行動が伴うべき）と「姑息の愛」（苦労させることなく，子どもの願いのまま育てること〈が良くない〉）を示した。
澤柳政太郎	自由主義教育を実践し，成城小学校を設立。その教育にドルトン・プランを取り入れた。著書に『教育問題研究』がある。

佐藤信淵	『垂統秘録』の著者。この中で乳幼児施設である慈育館と昼間託児施設である遊児館を構想。これらを公費で運営すべきと提唱。
フレーベル	ドイツの教育者。世界初の幼稚園「キンダーガルテン」を創設。幼児期における「遊び」の重要性を提示し、「恩物」を考案した。
スキナー	アメリカの心理学者。学習者が自主的に自学自習する個別学習法「プログラム学習」を提唱。その教材としてティーチング・マシーンを考案した。
デューイ	新教育運動（子ども中心の教育）を展開した。問題解決学習（子ども自らが自主的に疑問点を解き明かしていく学習法）を提唱。『学校と社会』『民主主義と教育』を著した。
形成的評価	教師のための教育評価の一つ。形成的評価は指導の過程で行われる評価。診断的評価は指導の前に実施される評価。総括的評価は指導後に行う評価。

4 教育関連の資料・答申，計画等・調査

持続可能な開発目標（SDGs）	今の社会問題や環境問題等を乗り越え，2030年までに「持続可能（暮らし続けることができる）でよりよい世界を目指す国際目標」のこと。その目標は教育を含めた17分野が掲げられている。
カリキュラム	教育の目的に沿って体系化された教育内容，教育課程のこと。
教育振興基本計画	教育基本法に示された理念の実現と，わが国の教育振興に関する施策の総合的・計画的な推進を図るため，策定する計画。
中央教育審議会	文部科学省に設置された有識者による会議。大臣の諮問に応じて，教育に関する様々な議題を調査・審議し大臣または関係機関の長へ答申を行う。
カリキュラム・マネジメント	教育課程（カリキュラム）にもとづき，組織的かつ計画的に各学校の教育活動の質の向上を図っていくこと。

一問一答編

ベスト過去問編

本試験編

一問一答編

5 教育原理

1　法令（教育基本法・学校教育法）

1 教育基本法では，「幼稚園は，義務教育及びその後の教育の基礎を培うものとして，幼児を保育し，幼児の健やかな成長のために適当な環境を与えて，その心身の発達を助長することを目的とする。」と規定されている。

2 教育基本法9条では「法律に定める学校の教員は，自己の崇高な使命を深く自覚し，絶えず研究と修養に励み，その職責の遂行に努めなければならない。」と規定している。

3 教育基本法3条では，「国民一人一人が，自己の人格を磨き，豊かな人生を送ることができるよう，その生涯にわたって，あらゆる機会に，あらゆる場所において学習することができ，その成果を適切に生かすことのできる社会の実現が図られなければならない。」と規定されている。

4 1947（昭和22）年に制定の「教育基本法」は，2006（平成18）年に改正されるまでの約60年間，一度も改正されることがなかった。

5 学校教育法では校長及び教員は，教育上必要があると認めるときは，文部科学大臣の定めるところにより，児童，生徒及び学生に懲戒を加えることができる。ただし，体罰を加えることはできないことが規定されている。

6 学校教育法23条では，「生活を明るく豊かにする音楽，美術，文芸その他の芸術について基礎的な理解と技能を養うこと。」が規定されている。

7 学校教育法29条では，「小学校は，心身の発達に応じて，義務教育として行われる普通教育のうち基礎的なものを施すことを目的とする。」と規定されている。

8 学校教育法1条では，学校について「幼稚園，幼保連携型認定こども園，小学校，中学校，義務教育学校，高等学校，中等教育学校，特別支援学校，大学及び高等専門学校」と規定されている。

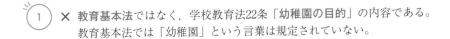

解説

① × **教育基本法**ではなく，**学校教育法22条「幼稚園の目的」**の内容である。教育基本法では「幼稚園」という言葉は規定されていない。

② ○ 教育基本法９条では，**教員**について，記述のことが規定されている。

③ ○ 教育基本法３条では，**生涯学習**について，記述のことが規定されている

④ ○ 2006（平成18）年の教育基本法改正は，制定以来の初めての改正で，新たに，**生涯学習の理念や家庭教育，教育振興基本計画**等が盛り込まれた。

⑤ ○ 体罰は，**学校教育法11条**において禁止されており，校長及び教員は，児童生徒への指導に当たり，いかなる場合も**体罰**を行ってはならないと規定されている。

⑥ × 「生活を明るく豊かにする**音楽，美術**，文芸その他の芸術について基礎的な理解と技能を養うこと」は，21条の**義務教育**として行われる普通教育の目標である。

⑦ ○ 学校教育法では，29条に**小学校の目的**，22条では**幼稚園の目的**が規定されている（幼稚園の目的は ① 参照）。

⑧ × 幼保連携型認定こども園は，**学校教育法１条**に基づく学校ではなく，**教育基本法６条１項**に基づく学校である。

5 教育原理

2 法令（幼稚園教育要領・日本国憲法・いじめ防止対策推進法）

1 幼児期は直接的な体験が重要であることを踏まえ，視聴覚教材やコンピュータなど情報機器を使用しないようにする。

2 幼児期の教育は，生涯にわたる人格形成の基礎を培う重要なものであり，幼稚園教育は，学校教育法に規定する目的および目標を達成するため，幼児期の特性を踏まえ，環境を通して行うものであることを基本とする。

3 言語に関する能力の発達と思考力等の発達が関連していることを踏まえ，幼稚園生活全体を通して，より高度な言語環境を整え，小学校教育との円滑な接続を見据えた言語活動の促進を図る。

4 障害のある幼児などへの指導に当たっては，長期的な視点で幼児への教育的支援を行うための個別の教育支援計画と，個別の指導計画を作成し活用する。

5 すべて国民は，個人として尊重される。生命，自由および幸福追求に対する国民の権利については，公共の福祉に反しない限り，立法その他の国政のうえで，最大の尊重を必要とする。

6 日本国憲法では，すべて国民は，法律の定めるところにより，その保護する子女に普通教育を受けさせる義務を負うことが規定されている。

7 いじめの防止等のための対策は，いじめがすべての児童等に関係する問題であることに鑑み，児童等が安心して学習その他の活動に取り組むことができるよう，学校内ではいじめが行われなくなるようにすることを旨として行われなければならない。

8 「いじめ」とは，児童等に対して，当該児童等と一定の人的関係にある他の児童等が行う心理的または物理的な影響を与える行為であって，校長または教員が認めた行為である。

解説

1 × 教師には，情報機器を使用する**目的**や**必要性**を自覚したうえで，情報機器の活用を図ることが求められる（幼稚園教育要領）。

2 ○ 幼稚園教育は，学校教育法22条の幼稚園の**目的**や23条の**目標**を達成するため，幼児期の特性を踏まえ，**環境**を通して行うものであることを基本とする（幼稚園教育要領）。

3 × 「より高度な言語環境を整える」のではなく，「**幼児の発達を踏まえた言語環境を整え，言語活動の充実を図ること**」が正しい（幼稚園教育要領）。

4 ○ 特別な配慮を必要とする幼児への指導については，「**障害のある幼児**」と「海外から帰国した幼児や生活に必要な**日本語の習得**に困難のある幼児」について示されている（幼稚園教育要領）。

5 ○ 日本国憲法13条では，個人の尊厳と，生命，自由および**幸福追求**に対する国民の権利について規定している。

6 ○ 日本国憲法26条2項では義務教育について規定され，問題文に加えて「義務教育は，これを無償とする」ことも定められている。

7 × いじめの防止等のための対策は，「学校内」だけではなく「**学校内外**」にていじめが行われなくなるようにすることを旨として行われなければならない。

8 × いじめとは，「校長または教員が認めた行為」ではなく「当該行為の対象となった**児童等が心身の苦痛を感じているもの**」をいう。

3 教育の発展に貢献した人物とその功績

1 緒方洪庵は，江戸時代初期の儒学者。日本における陽明学の祖とされ，「近江聖人」と呼ばれた。『翁問答』を著した。

2 空海は，階級や僧俗を問わず，一般庶民の子弟にも門戸を開いた「綜芸種智院」を創設した。

3 羽仁もと子は玉川学園の創始者で，『全人教育論』を著し，労作教育をとり入れた。

4 澤柳政太郎は，機関紙『教育問題研究』の中で，実践例等を紹介し，成城小学校を創設した。

5 佐藤信淵は，『垂統秘録』を著し，日本で初めての公責による保育施設の設立を提唱した。

6 モンテッソーリの教育思想は，日本で最初の幼稚園である「東京女子師範学校附属幼稚園」にも，その影響を及ぼした。

7 スキナーは，行動主義心理学の立場で，刺激を与えれば反応が生起するという理論（S–R理論）をもとにプログラム学習を構想した。

8 デューイ（Dewey, J.）は，シカゴ大学に実験学校をつくった。

9 ブルーナー（Bruner, J.S.）は，形成的評価を組み込んだ完全習得学習（マスタリー・ラーニング）という授業モデルを提唱した。

10 オーズベルは，機械的に知識を覚えさせるのではなく，新しい学習内容を学習者の既有知識と関連づけることで新しい知識の定着がよくなるとした教育方法を提唱した。

🎨 解説

① ✕ 「近江聖人」と呼ばれ，『翁問答』を著したのは，**中江藤樹**である。緒方洪庵は日本の近代医学の祖といわれ，**適塾**を創設した人物である。

② ◯ 空海は，**綜芸種智院**を創設し，貴族等の上流階級の者しか受けられなかった教育について，庶民にも門戸を開いた。

③ ✕ 玉川学園の創始者で，『全人教育論』を著し，労作教育をとり入れたのは，**小原国芳**である。羽仁もと子は，**自由学園**の創始者である。

④ ◯ 澤柳政太郎は，自身が創設した成城小学校で，ヘレン・パーカーストが考案したドルトン・プランを実践した。

⑤ ◯ **佐藤信淵**は，『垂統秘録』のなかで，乳幼児保護施設の慈育館と昼間託児施設の遊児館の構想を示した。

⑥ ✕ 日本で最初の幼稚園である「東京女子師範学校附属幼稚園」では，フレーベルの教育思想にもとづく幼児教育が行われた。

⑦ ◯ スモールステップを原理とする**プログラム学習**を提唱したスキナーは，ティーチング・マシーンの考案を行い，学習の個別化をねらった。

⑧ ◯ デューイは，「なすことによって学ぶ」という経験主義にもとづく**問題解決学習**の理論を提唱した。

⑨ ✕ 形成的評価を組み込んだ**完全習得学習**を提唱したのは，**ブルーム**である。**ブルーナー**は**発見学習**を提唱し，発見のプロセスに関わることで発見的に学ぶ学習方法を提唱した。

⑩ ◯ オーズベルは，新しい学習内容を学習者がすでに所有している知識と関連づけて，その意味や重要性を理解し，新たな知識の定着を目指した有意味受容学習を提唱した。

5 教育原理

4 教育関連の資料・中央審議会答申，計画等・調査

1 「持続可能な開発目標（SDGs）と日本の取組」（外務省）として，すべての人に包摂的かつ公正な質の高い教育を確保し，初等教育レベルの学力を獲得することが掲げられている。

2 「幼児期の教育と小学校教育の円滑な接続の在り方について（報告）」（平成22年）において，幼児期の教育について述べられている事項として，「経験カリキュラムに基づき展開される。」がある。

3 教育振興基本計画（令和5年6月16日決定）における5つの基本的な方針の一つに，「グローバル化する社会の持続的な発展に向けて学び続ける人材の育成」が掲げられている。

4 特別な支援が必要と考えられる幼児児童生徒については，担任一人が責任をもって保護者の理解を得ることができるよう慎重に説明を行い，学校や家庭で必要な支援や配慮について，保護者と連携して検討を進める。

5 「予測困難な時代」のなか，目の前の事象から解決すべき課題を見いだし，主体的に考え，多様な立場の者が協働的に議論し，納得解を生み出すなどの資質・能力が求められている。

6 「みんなと同じことができる」「言われたことを言われたとおりにできる」というように，均質な労働者の育成が現代社会の要請として学校教育に求められている。

7 教育課程を実施・評価し改善していくことが求められる。これが，いわゆる「カリキュラム・マネジメント」である。

8 「令和4年度児童生徒の問題行動・不登校等生徒指導上の諸課題に関する調査結果」によると，小・中・高・特別支援学校におけるいじめの認知件数は60万件以上である。

解説

1 ✕ SDGsにおける教育の目標は，「すべての人に包括的かつ公正な質の高い教育を確保し，**生涯学習の機会を促進する**」である。

2 ◯ 幼児期の教育が幼児の生活や経験を重視する**経験カリキュラム**に基づき展開されるのに対し，児童期の教育は**教科カリキュラム**を中心に展開される。

3 ◯ 教育振興基本計画は，教育基本法17条にもとづく国の教育計画である。

4 ✕ 特別な支援が必要と考えられる幼児児童生徒については，**特別支援教育コーディネーター**等と検討を行ったうえで保護者と連携して検討を進める。

5 ◯ 現代は「予測困難な時代」であり，パンデミック等により不透明となるなか，目の前の事象から解決すべき課題を見いだし，**主体的に考え，多様な立場の者が協働的に議論し，納得解を生み出す**ことなどの資質・能力が一層強く求められる。

6 ✕ 「みんなと同じことができる」「言われたとおりにできる」ではなく，「**自ら課題を見つけ，それを解決する力**」を育成するため，他者と協働し，自ら考え抜く学びが求められている。

7 ◯ **カリキュラム・マネジメント**とは，教育課程の編成，実施，評価，改善を図る一連のサイクルを計画かつ組織的に進めていくことを意味する。

8 ◯ 同調査によると，小・中・高・特別支援学校におけるいじめの認知件数は681,948件。発見のきっかけは，「**アンケート調査など学校の取組により発見**」が約５割で最多であった。

社会的養護

CHECK!!

1　調査結果・報告書など

児童養護施設入所児童等調査	児童福祉法に基づいて，里親等に委託されている児童，児童養護施設等に措置されている児童等の実態を明らかにして，要保護児童の福祉増進のための基礎資料を得ることを目的として，おおむね5年ごとに実施している調査。
できる限り良好な家庭的環境	児童養護施設，乳児院等の施設支援のうち，小規模かつ地域分散化された家庭的な養育環境のスタイルで，具体的には「地域小規模児童養護施設」や「小規模グループケア」がある。
家庭における養育環境と同様の養育環境	養育者の家庭に子どもを迎え入れて養育を行う「里親」や「ファミリーホーム」「養子縁組（特別養子縁組含む）」のことをいう。

2　児童の権利擁護・自立支援

ファミリーホーム	児童福祉法に基づく「小規模住居型児童養育事業」のこと。要保護児童を養育者の居宅で養育を行う事業である。
自立援助ホーム	義務教育終了後の児童や措置解除後の児童等に対し，その他の場所において，日常生活上の支援や生活指導，就業支援等を行う場所の一つである。
子どもの権利ノート	子ども自身が自分の尊重されるべき権利を理解できるように各都道府県が施設関係者等と協力し作成されたもの。施設での生活等についての事前説明のツールとしても活用されている。
意見表明等支援事業	子どもの福祉に関し知識または経験を有する者（意見表明等支援員）が，意見聴取等により意見または意向を把握し，それを勘案して児童相談所等との連絡調整等を行う。
自立支援計画	入所中の個々の児童について，児童やその家庭の状況等を考慮したうえで，その自立を支援するための計画であり，乳児院，母子生活支援施設，児童養護施設，児童心理治療施設，児童自立支援施設の長に作成が義務付けられている。
社会的養護自立支援拠点事業	措置解除者等や自立支援を必要とする者を対象とし，相互の交流を行う場所を開設し，対象者に対する情報の提供，相談・助言，関係機関との連絡調整等を行う。

3　児童虐待防止施策

児童相談所	児童福祉法を根拠とし，主に子ども家庭福祉に関する都道府県の業務を行う専門機関。都道府県と政令指定都市に設置義務，中核市と特別区は任意設置である。
一時保護	児童虐待など子どもの権利の利益が脅かされ，明らかに見逃せない状況にあると判断される場合に，子どもを一時的に保護する児童相談所の権限の一つ。
親権喪失と親権停止	父母による親権の行使が困難または不適当であり，子どもの利益を著しく害するときに，関係者または本人の請求により親権を失わせる制度が親権喪失制度。また2年以内の期間に限って親権を制限するのが親権停止制度である。
児童虐待の防止等に関する法律	2000（平成12）年に児童虐待の防止を目的として制定・施行された法律である。

4　施設等運営指針

運営指針	施設等における養育・支援の内容と運営に関する指針を示したもの。運営の理念や方法，手順などを社会に開示し，質の確保と向上に資するとともに，説明責任を果たすことにもつながる。
児童養護施設	保護者のない児童や虐待されている児童等を入所させて，養護し，退所後の支援や自立援助を行うことを目的とする施設。
母子生活支援施設	配偶者のない女子やその児童を入所させて保護するとともに，生活支援や就業支援，または退所後の支援などを行う施設。
児童自立支援施設	不良行為をなし，またはなすおそれのある児童等を入所または通所させ，必要な指導や自立支援，退所後支援を行う施設。
児童心理治療施設	社会生活への適応が困難となった児童を，短期間入所または通所させて，社会生活に適応するために必要な心理に関する治療および生活指導を主として行い，退所後支援も行う施設。
里親	様々な事情で家族と離れて暮らすこどもを，里親の家庭に迎え入れ，温かい愛情と正しい理解を持って養育する児童福祉法にもとづく家庭養護の一つ。

一問一答編

ベスト過去問編

本試験編

一問一答 編

6 社会的養護

1 調査結果・報告書など

1 児童養護施設入所児童等調査（令和5年2月1日現在）によると，児童養護施設入所児童のうち，被虐待経験のある子どもは7割を超える。

2 児童養護施設入所児童等調査（令和5年2月1日現在）によると，児童養護施設入所児童の，入所時の年齢で最も多いのは2歳であった。

3 児童養護施設入所児童等調査（令和5年2月1日現在）によると，母子生活支援施設への入所理由では，「配偶者からの暴力」が最も多い。

4 児童養護施設入所児童等調査日（令和5年2月1日現在）における乳児院の平均年齢は，約3歳である。

5 児童養護施設入所児童等調査（令和5年2月1日現在）によると，児童の就学状況について，児童養護施設では「小学校」が最も多い。

6 親子関係再構築等の家庭環境の調整は，措置の決定・解除を行う市区町村および施設の役割である。

7 里親等委託率（児童養護施設，乳児院，里親，ファミリーホームの委託・措置児童数の合計に占める，里親およびファミリーホームの委託児童数の割合）は，約40％である。

8 ファミリーホームの委託児童数は3千人に満たない。

9 2011年から2021年の過去10年で，里親等委託児童数は約1.6倍となった。

10 家庭における養育が適当でない場合，児童が「できる限り良好な家庭的環境」において継続的に養育されるよう，必要な措置を行う。

解説

1 ○ 児童養護施設入所児童で被虐待経験のある子どもは71.7％であり，その
うち最も多い虐待類型は，ネグレクトで，約**6**割を占める。

2 ○ 児童養護施設の入所時の年齢で最多は**2**歳である。ほかに**里親委託児童**
も同様で，入所時の年齢は，**2**歳が最多である。

3 ○ 母子生活支援施設への入所理由は，「**配偶者からの暴力**」が最多で，約
5割を占める。

4 × 児童福祉施設入所児童等調査日（令和**5**年**2**月**1**日現在）における乳児
院の平均年齢は，1.6歳である。

5 ○ 児童養護施設の児童の就学について，**小学校**に就学する児童の割合は，
36.9％で最多となっている。

6 × **親子関係の再構築**等の家庭環境の調整は，措置の決定・解除を行う児童
相談所と実際に親子と関わる施設の役割である。そのため施設は，児童
相談所と連携しながら行う必要がある。

7 × 里親等委託率は，2022（令和**4**）年**3**月末で23.5％となっている。

8 ○ ファミリーホーム委託児童数は，2022（令和**4**）年**3**月末で，1,718人
である。

9 ○ 2011（平成23）年～2021（令和**3**）年の過去10年間で，里親等委託児童
数は約1.6倍となったが，児童養護施設と乳児院入所児童数は，過去10
年で**2**割減となった。

10 × 国・地方公共団体（都道府県・市町村等）の責務として，家庭における
養育が適当でない場合，児童が「**家庭における養育環境と同様の養育環
境**」において継続的に養育されるよう，必要な措置を行う。

一問一答編

ベスト過去問編

本試験編

6 社会的養護

学習日　　／　　／　　／

2　児童の権利擁護・自立支援

1 児童福祉法では「全て国民は，児童の権利に関する条約の精神にのっとり，児童が適切に養育され，その生活を保障し，愛され保護されるよう努めなければならない」と規定されている。

2 児童養護施設等の入所児童に対し，権利について正しく理解できるよう，「子どもの権利ノート」等を用い，わかりやすく説明することが求められている。

3 すべての児童福祉施設では，苦情の公正な解決を図るために，苦情の解決にあたり当該児童福祉施設の職員以外の者を関与させなければならない。

4 「新しい社会的養育ビジョン」（平成29年　新たな社会的養育の在り方に関する検討会）では，永続的解決（パーマネンシーの保障）として特別養子縁組を推進していくことが示された。

5 2022（令和4）年児童福祉法改正において，都道府県の事業として「意見表明等支援事業」が新たに創設された。

6 施設において自立を支援する第一は，「枠のある生活」とも言うべき施設の規則を遵守させ，次に心の安心感と生活の安定につながる環境の保障を位置づけている。

7 自立支援計画の策定にあたっては，児童相談所の援助方針を踏まえながら，担当職員，家庭支援専門相談員，心理担当職員，基幹的職員，施設長等がいろいろな角度からその子どもの支援内容・方法を総合的に判断する必要がある。

8 社会的養護自立支援拠点事業は，施設等を退所した者が対象であり，施設入所中の者は利用できない。

9 里親は，児童相談所長があらかじめ作成する自立支援計画に従って，委託児童を養育しなければならない。

🎱 解説

① ✗ 児童の権利に関する条約の精神にのっとり，児童が適切に養育され，その生活を保障し，愛され保護されることは，すべての子どもの権利であり，国民の責務ではない。

② ○ 「子どもの権利ノート」は意見表明権や知る権利，守られる権利等，さまざまな子どもの権利についてわかりやすく示されている。

③ ✗ すべての児童福祉施設ではなく，乳児院，児童養護施設，障害児入所施設，児童発達支援センター，児童心理治療施設および児童自立支援施設に対して，苦情の解決にあたり当該児童福祉施設の職員以外の者を関与させる義務が求められている。

④ ○ 永続的解決としての特別養子縁組は有効な選択肢として考えるべきとされ，児童相談所と民間機関が連携した強固な養親・養子支援体制を構築していくことが重要である。

⑤ ○ 「意見表明等支援事業」は，意見表明等支援員が，児童に対する意見聴取等によりその意見または意向を把握するとともに，児童相談所，都道府県その他関係機関との連絡調整等を行う事業である。

⑥ ✗ 施設における自立支援においては，決して規則優先の生活環境であってはならず，まず心の安心感と生活の安定につながる環境を保障しなければならない。

⑦ ○ 策定された自立支援計画は職員会議等で周知され，共通認識のもと施設全体で子どもの支援を行っていくことが求められる。

⑧ ✗ 2024（令和6）年児童福祉法改正にて新たに創設された事業で，交流の場の開設，情報の提供，相談・助言，連絡調整等を実施する。支援対象は措置解除者等だが，施設入所中の児童も対象である。

⑨ ○ 里親委託児童の自立支援計画は，児童相談所長が作成する。ファミリーホーム委託児童についても同様である。

3　児童虐待防止施策

1 児童相談所において，児童の保護者の同意なしに一時保護することはできない。

2 一時保護所における一時保護期間は，上限が2週間と定められている。

3 家庭裁判所は，「父又は母による親権の行使が困難又は不適当であることにより子の利益を害するとき」に，2年以内の期間を定めて親権停止の審判をすることができる。

4 「令和3年度福祉行政報告例の概況」（2021〈令和3〉年厚生労働省）によると，令和3年度の全国の児童相談所の児童虐待相談における主な虐待者別構成割合では，実父による虐待が最も高かった。

5 児童虐待の疑いがある保護者に対しては，再出頭要求を経ずとも，裁判所の許可状により，児童相談所による臨検・捜索を実施できる。

6 児童虐待の通告の対象は，「児童虐待を受けた児童」である。

7 「児童福祉法」において，被措置児童等への虐待行為には経済的虐待が含まれる。

8 施設職員による被措置児童等虐待については，市町村において，子ども本人からの届出や周囲の者からの通告を受け付け，調査等の対応をすることが「児童虐待の防止等に関する法律」で法定化されている。

9 児童養護施設の長は，児童を現に監護する者として保護者となることから，被措置児童への虐待行為を行った場合，それは「児童虐待の防止等に関する法律」に規定する児童虐待であるとともに，被措置児童等虐待に該当する。

10 「令和3年度における被措置児童等虐待届出等制度の実施状況」によると，届出・通告者について，一番多かったのが児童本人であった。

解説

(1) × 子どもの安全確保のため必要と認められる場合には，子どもや保護者の同意を得なくても**一時保護を行う**ことが，「一時保護ガイドライン」に記載されている。

(2) × 一時保護期間は，上限が**2か月**とされ，さらに保護が2か月を超える場合は，家庭裁判所の承認が必要である。

(3) ○ 2011（平成23）年民法改正によって，従来からの**親権喪失制度**に加え，**親権停止制度**が新たに創設された。

(4) × 「令和3年度福祉行政報告例の概況」によると，主な虐待者別構成割合は，「**実母**」が47.5%と最も多く，次いで「**実父**」が41.5%となっている。

(5) ○ 児童の安全を迅速に確認・確保することを目的として，2016（平成28）年児童福祉法改正により，裁判所の許可状を得た上で，再出頭要求なしで臨検・捜索が可能となった。

(6) × 児童虐待の防止等に関する法律6条1項にもとづき，児童虐待の通告対象は「**児童虐待を受けたと思われる児童**」である。

(7) × 被措置児童等への虐待行為は，児童虐待の防止等に関する法律における虐待と同様に，**身体的虐待**，**性的虐待**，**ネグレクト**，**心理的虐待**である。経済的虐待は高齢者虐待および障害者虐待に含まれる。

(8) × 職員による**被措置児童等虐待**に関する対応は，「児童虐待の防止等に関する法律」ではなく**児童福祉法**に定められている。

(9) ○ 児童虐待の防止等に関する法律の児童虐待は，「保護者による虐待」で，被措置児童等虐待は「施設職員等による虐待」である。入所児の保護者かつ施設職員等である施設長による虐待は，「**被措置児童等虐待**」と「**児童虐待防止等に関する法律における虐待**」のいずれにも該当する。

(10) × 調査結果によると，届出・通告者については，「当該施設・事業所等職員，受託里親」が34.9%で最多，次いで「児童本人」が26.7%であった。

4 児童養護施設などの施設等運営指針

1 退所にあたっては，保護者の申し出を優先し，児童相談所と協議したうえで決定し，子どもに提示する。(児童養護施設運営指針)

2 子どもが孤独を感じることがないよう，できるだけ中学生以上においても2人以上の相部屋とする。(児童養護施設運営指針)

3 心理的ケアが必要な子どもは，自立支援計画にもとづき，その解決に向けた心理支援プログラムを策定する。(児童養護施設運営指針)

4 子どもの自立に向けた生きる力の獲得は，集団生活における協調性が基盤となり可能となる。(児童養護施設運営指針)

5 児童自立支援施設では，行動上の問題の再発防止に向けては，厳しい規則のもと，行動に一定の制限を設けて指導を行う。(児童自立支援施設運営指針)

6 母子生活支援施設では，入所初期に生活用具や家財道具等の貸し出しをすることは，母親の施設に対する依存を助長するため，自立に向けて各家庭で購入するように指導する。(母子生活支援施設運営指針)

7 心理治療施設における心理療法は，個人療法，集団療法など様々な技法から保護者の意向に合わせて組み合わされるほか，心理教育や性教育プログラムなど特別なプログラムも必要に応じて行われる。(情緒障害児短期治療施設〈児童心理治療施設〉運営指針)

8 乳児院における日常の養育においては「担当養育制」を行い，特別な配慮が必要な場合を除いて，基本的に入所から退所まで一貫した担当制とする。(乳児院運営指針)

9 里親及びファミリーホームは，社会的養護を必要とする子どもを，養育者の家庭に迎え入れて養育する「家庭養護」である。(里親及びファミリーホーム運営指針)

🎱 解説

① × 施設退所にあたっては，子ども本人や保護者の意向を踏まえて，**児童相談所**や関係機関等と協議のうえ，適切な退所時期や退所後の生活を検討する。

② × 中学生以上は個室が望ましいが，相部屋であっても**個人の空間**を確保する。

③ ○ その他，施設における他の専門職種との**多職種連携**を強化し，心理的支援に施設全体で有効に取り組むことや治療的な援助の方法について施設内で研修を実施することが運営指針に記載されている。

④ × 子どもの自立に向けた**生きる力**の獲得は，**愛着関係**や基本的な信頼関係が基盤となる。

⑤ × 児童自立支援施設における行動上の問題の再発防止に向けては，自ら行った加害行為などと向き合う取組を通じて自身の加害性，被害性の改善や被害者への責任を果たす**人間性を育成**する指導を行う。

⑥ × **母子生活支援施設**においては，必要に応じて，生活用具や家財道具等の貸し出しを行うことが運営指針に記載されている。

⑦ × 心理療法は，治療目標に合わせて組み合わされるほか，心理教育や性教育プログラムなど特別なプログラムも必要に応じて行われる。「保護者の意向に合わせて」が誤りである。

⑧ ○ 乳児院では，**特定のおとな**との愛着関係を築くために，保護者や担当養育者等との個別のかかわりを持つことができる体制を整備する。

⑨ ○ 家庭養護は「家庭と同様の養育環境」であり，里親，ファミリーホームのほか，養子縁組（特別養子縁組を含む）も含まれる。

子どもの保健

1　小児の発達・発育

発育の原則	発育には「連続的に進む」「一定の順序で進む」「速度は一定ではない」「臨界期がある」「一定の方向性がある」「相互作用による」という6つの原則がある。
生命徴候 （バイタルサイン）	生命徴候はバイタルサインとも呼ばれ，脈拍，呼吸，血圧，体温等のことを意味する。
免疫グロブリン	体内に異物が入った時に排除する働きをする抗体の機能を持つタンパク質のことであり，IgGやIgAなどがある。
カウプ指数	乳幼児期の栄養状態を知るための数値。計算式は，BMIと同じで，「体重（kg）／身長（m）^{2}」である。

2　子どもの疾病と対処法および予防接種

保育所における感染症対策ガイドライン	保育所における感染症対策の基本を示すものであり，各保育所はこのガイドラインにそって具体的な対策や対応を行う。
感染症	病原体が体内に侵入し，その結果，何らかの症状があらわれた状態をいう。病原体には，ウイルス，細菌などがある。
糖尿病	血液中のブドウ糖の量（血糖値）をコントロールするインスリンの分泌や働きに障害が起こり発症する。1型と2型がある。
川崎病	全身の血管に炎症を起こす病気。4歳以下の乳幼児にみられる原因不明の難病である。主な症状は，発熱，リンパ節が腫れる，目の充血，苺舌さらに心臓に重大な合併症を起こすことがある。
けいれん	筋肉が急に強く縮まったり，引きつったりすること。乳幼児期には，高熱を発症する際に起こる熱性けいれんが多い。
予防接種	病気に罹る前にワクチンを接種することで感染に似た状態を起こさせ，病気に対して免疫をつけさせること。

3 子どもの命と健康を守る取組みと対応

保育所における消毒	乳幼児が生活をする場において室内環境や遊具などを消毒して衛生管理をする。具体的な方法などについては、「保育所における感染症対策ガイドライン」に記載されている。
消毒液	場所やものにより消毒液を選択し、適切な希釈濃度にて使用する。主なものに、次亜塩素酸ナトリウムや消毒用エタノールなどがある。
熱中症	体温が上がり、体内の水分と塩分のバランスが崩れたり、体温の調節機能が働かなくなったりして、さまざまな症状を起こす病気。
誤飲と誤嚥	誤飲とは、本来飲み込まないものを誤って飲んでしまうこと。誤嚥とは、食べ物が空気の通り道（気道）に入ってしまうことをいう。小児は誤嚥による窒息を起こすことがある。
エピペン®	食物や薬物などによるアナフィラキシーの症状を緩和するために自己注射する補助治療剤（アドレナリン）。
アレルギー	体を異物などから守るための免疫の働きが、様々な要因により異常を起こし、くしゃみ、発疹、呼吸困難などの症状を起こしてしまう状態をいう。

4 精神保健・保育関連の取組みと課題

発達障害 （神経発達症）	生まれつき脳機能の発達にアンバランスさがあり、日常生活に困難さを生じる障害。代表的なものとして自閉スペクトラム症、注意欠如多動性障害などがある。
自閉スペクトラム症 （ASD）	自閉症やアスペルガー症候群などが統合されてできた診断名である。特徴として、人とのコミュニケーションの困難さや特徴的なこだわりがあるなどがある。
心的外傷後 ストレス障害 （PTSD）	心的外傷体験（トラウマ）という非常に強いストレスとなる出来事に巻き込まれたことにより生じるさまざまな精神障害。
保健計画	保育所における子どもの健康を支えるために身体測定、内科健診、歯科健診などを実施する計画をいう。

一問一答編

ベスト過去問編

本試験編

7 子どもの保健

学習日 / / /

1 小児の発達・発育

1 乳歯の多くは妊娠後期に形成を開始し，続いて石灰化が行われる。

2 乳幼児期の発育の原則の一つに「一定の方向性」がある。主なものとして，「遠近方向（身体の末梢部から中心部へ）」や「頭尾方向（頭部から尾部へ）」があげられる。

3 成長ホルモンは，入眠時，ノンレム睡眠の最も深い時に比較的多く分泌される。

4 胎児期の血液の流れ，すなわち胎児循環との違いとして，生後の血液の循環には，肺循環がある。

5 子どもの血管壁は薄く硬化が少ないため，血圧は大人より高めである。

6 免疫グロブリン（IgG）は母乳を介して胎児に移行して，生後約6か月間は種々の感染症を防止する。

7 頭囲の計測として，計測者は一方の手で巻き尺の0点を持ち，他方の手で後頭結節を確認して，そこに巻き尺をあてながら前に回す。眉の間に巻き尺を合わせてその周径を1mmまで読む。

8 体温は睡眠中の早朝が最も低く，夕方が最も高い。

9 乳幼児の微細運動機能（手指の機能）の発達は，小指側の手のひらでつまむ→親指と人差し指でつまむ→親指以外の4本の指と手のひらでつかむというように進む。

10 カウプ指数は身長と腹囲の相対的な関係を示す指標である。

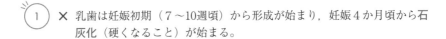

🖊 解説

① ✕ 乳歯は妊娠初期（7〜10週頃）から形成が始まり，妊娠4か月頃から**石灰化**（硬くなること）が始まる。

② ✕ 発育の6つの原則の一つである「一定の方向性」として，**頭尾方向**の他，「**近遠方向**（体の中心部から末梢部へ）」と**粗大→微細方向**（粗大な動きから微細な動きへ）」等がある。

③ ◯ **ノンレム睡眠**は，体も脳も眠っている深い睡眠状態である。成長ホルモンは，脳の下垂体から分泌されるホルモンであり，免疫力の強化や筋肉を増やす働きなどがある。小児に限らず**大人にも**必要なホルモンである。

④ ◯ 胎児期の血液循環を「**胎児循環**」といい，胎盤が母体の血液とガス交換や栄養分・老廃物交換の働きをする。出生後，成人と同じ**肺循環**となる。

⑤ ✕ 子どもの血管は，柔らかく弾力があり血管壁が薄いため，血圧は大人より**低い**。大人と比べて脈拍数や呼吸数は多く，体温は高めである。

⑥ ✕ 免疫グロブリン（IgG）は**胎盤**を介して胎児に移行する。**母乳**を介した移行は，免疫グロブリン（IgA）である。

⑦ ◯ 後頭結節とは，後頭部の最も**突出**しているところをいう。計測時，前方は最も突出しているところではなく，**眉の直上**（眉の間）を巻き尺で通すことに注意が必要。

⑧ ◯ 人間の体には，24時間単位の体温リズム（概日リズム）があり，体温は，安静時である睡眠中の早朝が最も**低く**，活動している夕方が最も高い。

⑨ ✕ 手指の機能の発達は，**小指側**の手のひらでつかんで持つ→親指以外の4本の指と手のひらでつかむ→親指，人差し指，中指の3本の指でつまむ→**親指と人差し指でつまむ**，という流れで発達が進む。

⑩ ✕ カウプ指数は，「身長と体重」の相対的な関係を評価するための指標であり，BMI（Body Mass Index）と同じ算出式を用いる。

一問一答編 ● ● ベスト過去問編 ● ● 本試験編 ●

7 子どもの保健

学習日

／　／　／

2　子どもの疾病と対処法および予防接種

1　「保育所における感染症対策ガイドライン（2018年改訂版）」（厚生労働省）における子どもが登園を控えるべき状況として「今朝の体温が37.2℃でいつもより高めであるが，食欲があり機嫌も良い。」があげられている。

2　麻しんは，インフルエンザ菌によって起こる感染症であり，発しんが顔や頭部に出現し，全身へと拡大する。発しんは，3日程度で消失する。

3　溶連菌感染症の症状は，発熱があり，のどの痛みを訴える。手足，顔に発しんがみられ，舌がイチゴのように赤く腫れる。

4　糖が尿中に出る病気を糖尿病といい，尿検査によって診断される。

5　胆道閉鎖症は，1歳前後の子どもに多く，発熱や発しん，口唇発赤，眼球結膜の充血などの症状がみられる。最も注意すべきことは，冠動脈に病的な変化を起こすことであり，後遺症が残る場合には長期の管理が必要となる。

6　乳幼児への薬の飲ませ方の工夫として，コップ一杯のスポーツドリンクやお茶などの飲料に溶かして飲ませる。

7　嘔吐，下痢がある場合，水分補給をすると嘔吐や下痢の症状が悪化するため，水分補給は控えるほうがよい。

8　けいれんの発作時は，舌を噛まないように口の中に清潔なタオルなどを入れ，側臥位（体ごと横向き）にして様子をみる。

9　予防接種前の体温は，接種場所の医療機関で測定し，37.5℃以上では明らかな発熱者として接種を中止する。

10　予防接種はワクチンの種類に関わらず，一定の間隔をあける制限はない。

解説

① **×** 登園を控えるかどうかは，子どもの体温のみで判断せず，その他の様子（食欲，機嫌，元気があるか等の**全身的な様子**）を確認して判断する。

② **×** 麻しんは「麻しんウイルス」による感染症である。感染時にみられる症状として，高熱，咳，鼻水，口腔内の**コプリック斑**などがある。発しんが３日程度で消失するのは「風しん」の症状である。

③ **○** 溶連菌感染症では，そのほかの症状として，中耳炎，肺炎，髄膜炎などがみられる。また，発しんが治まった後，指の皮がむけることがある。

④ **×** 糖尿病は，血液中を流れる**ブドウ糖**という糖（血糖）が増えてしまい，高血糖が慢性的に続く病気である。血液検査によって診断される。

⑤ **×** 問題文は川崎病の説明である。「胆道閉鎖症」とは，新生児期から乳児早期に出現する黄疸と白色便がみられる疾患である。早期発見のため母子健康手帳にカラー印刷の**便色カード**が挿入されている。

⑥ **×** 粉薬を溶かす場合は，水や白湯が望ましいが，スポーツドリンクやお茶でも構わない。ただし，薬を飲み残さないように10ml程度の少量に溶かすようにする。スポーツドリンクは薬の種類によっては苦くなることがあるので注意する。

⑦ **×** 嘔吐や下痢により**脱水症**を起こす可能性があるため，吐き気が治まっていれば，経口補水液などの水分を少量ずつ摂らせるようにする。

⑧ **×** けいれんの発作時は，気道（空気の通り道）をふさぐ可能性があるため，口の中には何も入れない。嘔吐物などで窒息しないよう**側臥位**（横向き）にさせる。

⑨ **○** 予防接種は，37.5℃以上の発熱がある場合は，ほかの疾患に罹っている可能性があるため，接種ができない。

⑩ **×** 注射生ワクチン同士の接種の場合は，27日以上の間隔をあけなければならない。ただし，そのほかのワクチンの接種については間隔の制限はない。

7 子どもの保健

学習日　／　／　／

3　子どもの命と健康を守る取組みと対応

1　「保育所における感染症対策ガイドライン（2018年改訂版）」には，「嘔吐物や排泄物の処理等は，塩素系消毒薬を用いる」と記載されている。

2　低年齢児が簡易ミニプール（ビニールプール等）で遊びをする際は，口に水を入れてしまう可能性があるため，塩素の消毒液は入れてはいけない。

3　保育室内のドアノブや手すりの消毒は，0.02%（200ppm）の次亜塩素酸ナトリウムか，濃度70%〜80%の消毒用エタノールを状況に応じて使用する。

4　子どもが，頭を打った後に嘔吐をしたり，意識がぼんやりしているときは，横向きに寝かせてしばらく様子をみる。

5　熱中症は，プール遊びや水遊びをしているときには起こらない。

6　保育所における事故の応急処置として，子どもの鼻に豆が入ってしまったので，ピンセットでつまんで引っ張り出そうとした。

7　誤飲や誤嚥により「のどづまり」を起こした際は，年齢に関わらず「背部叩打法（背中を強く叩く）」にて対応する。

8　食物アレルギーのある子どもには，必ずエピペン®が処方されている。

9　アレルギー性結膜炎において，角結膜炎があるときは，プールの水質管理のための消毒に用いる塩素が，その悪化要因となる。

10　卵を食べるとアレルギー症状がみられたため保育所で除去をしていたが，完全解除してよいと医師の指示があったので翌日から卵が食べられますと保護者が保育士に口頭で伝えたため，翌日から食べさせることとした。

解説

① ○ 嘔吐物等の処理の際は，**次亜塩素酸ナトリウムの希釈液**を含ませた雑巾で覆い，嘔吐物を拭き取った後，嘔吐場所の消毒をする。

② ✕ 低年齢児が簡易ミニプールを利用する場合も**塩素消毒**が必要である。また排泄が自立していない乳幼児には，個別のタライ等を用いて水遊びを行い，他者と水を共有しないよう配慮をする必要がある。

③ ○ 頻繁に手を触れるドアや手すりの消毒は，**次亜塩素酸ナトリウムや消毒用エタノール**を使ってこまめに消毒をして，感染対策を行うことが大切である。

④ ✕ 頭部打撲後，嘔吐したり，泣かずにいたり，**意識レベルが下がっている場合**は，安静に保ちながら速やかに救急通報をする。

⑤ ✕ 水を使った遊びであっても**気温や湿度**などの状況によっては熱中症に罹ることがある。そのため学校や保育所等では，熱中症予防のためにプール遊びや水遊びを中止することがある。

⑥ ✕ ピンセットで鼻の粘膜を傷つけてしまう恐れがあるため，**無理に取ろう**とせず，医療機関を受診するようにする。

⑦ ✕ 身体の大きさにあった処置方法で適切に対応する。乳児は背部叩打法と**胸部突き上げ法**，幼児以降は背部叩打法と**腹部突き上げ法**を実施する。

⑧ ✕ エピペン®は，アナフィラキシー症状の進行を一時的に緩和するための補助治療剤である。アレルギーのある子どもが必ず処方されているわけではない。

⑨ ○ プールの水に含まれる**塩素**は，結膜や角膜に強い刺激を与え，結膜炎が悪化することがある。目を守るためゴーグルが有効であるといわれている。

⑩ ✕ 解除の指示は口頭のやりとりのみで済ますことはせず，必ず保護者と保育所の間で，所定の書類を作成して対応することが必要であることが，「保育所におけるアレルギー対応ガイドライン」に記載されている。

7 子どもの保健

4 精神保健・保育関連の取組みと課題

1 自閉スペクトラム症（ASD）では，「こだわり」の対象に選択的に没頭する。

2 2歳の子どもは心的外傷的出来事を体験しても，まだ心的外傷後ストレス障害を発症することはない。

3 限局的学習障害は，「字を読む」「字を書く」「算数の計算をする」「話を聞く」などの能力に問題があり，全般的に知的発達の遅れがみられる。

4 生後4か月までの乳児家庭全戸訪問事業は，育児不安への相談，養育環境の把握等のために行われている児童福祉法による事業であり，保育士も訪問ができる。

5 母子保健法では，新生児訪問指導，予防接種，健康診査，保健指導，母子健康手帳の交付について定められている。

6 保育所等では，登録認定を受けた保育士等が，医師の指示のもとに特定の医療的ケアを実施することができる。

7 「保育所保育指針」では，保健計画の策定が義務づけられている。

8 保育中に体調不良や傷害が発生した場合には，その子どもの状態等に応じて，保護者に連絡するとともに，適宜，嘱託医等と相談し，適切な処置を行う。

9 児童虐待の発生予防のためには，産前産後の心身の不調などに対応できるサービスが重要である。

10 児童虐待を受けたと思われる児童を発見した者は，速やかに，これを市町村や児童相談所等に通告するよう努めなければならない。

解説

1. ○ 自閉スペクトラム症の特徴として，興味や関心が狭く，特徴的なこだわりがあることや，他人との**コミュニケーションの困難さ**があげられる。

2. × 自然災害や事故，暴力や虐待など非常に強いストレス体験をした場合は，2歳でも**心的外傷後ストレス障害（心的外傷）**となることがある。

3. × 全般的な知的発達の遅れはないが，主に学習するときに**特異的な困難**が生じる発達障害である。

4. ○ 訪問者については，保健師，助産師，看護師のほか，**保育士**，母子保健推進員，児童委員等から幅広く人材を発掘し，訪問者として登用して差し支えないことが，乳児家庭全戸訪問事業ガイドラインに示されている。

5. × 予防接種について定められているのは**予防接種法**である。予防接種の種類である定期接種（勧奨接種）は，予防接種法により規定されている。

6. ○ 医師の指示，看護師等との連携の下において，喀痰（かくたん）吸引等研修を修了した保育士等が，**医療的ケア児への対応**を行うことができる。

7. ○ 保育所保育指針第1章3保育の計画及び評価において，全体的な計画にもとづき，**保健計画の作成**することが記載されている。

8. ○ 保育所保育指針第3章健康及び安全(3)疾病等への対応に示されている。また，感染症やその他の疾病の発生予防に努め，その発生や疑いがある場合は，必要に応じて嘱託医，市町村，**保健所等**に連絡することも記載されている。

9. ○ 産前産後は，育児や家事の過重な**負担**や**不安感**から心身の不調に陥りやすいため，産前産後の家庭を継続してサポートできるサービスが重要である。

10. × 児童虐待の防止等に関する法律には，児童虐待を受けたと思われる児童を発見した者は，「**通告しなければならない**」と定められている。「努める」ではない。

子どもの食と栄養

CHECK!!

1 五大栄養素

五大栄養素	炭水化物，たんぱく質，脂質，ビタミン，ミネラル（無機質）を五大栄養素という。人間の生命維持に欠かせない成分であり，それぞれに特徴的な働きがある。
三大栄養素	炭水化物，たんぱく質，脂質を三大栄養素という。三大栄養素は，身体の構成成分やエネルギー源になる。
ビタミン・ミネラル（無機質）	ビタミン，ミネラル（無機質）は，体の機能を正常に保つために必要不可欠な栄養素。エネルギー源にはならない。
糖質と食物繊維	炭水化物は，糖質と食物繊維に分類される。糖質は，体の構成成分やエネルギーになる。食物繊維は，便通を整える，血糖値の上昇を抑制するなど様々な働きをもつ。
欠乏症	特定のビタミンやミネラルが不足することによって起こる機能障害。有名なものに，脚気（ビタミンB_1の欠乏症），夜盲症（ビタミンAの欠乏症），貧血（鉄の欠乏症）などがある。

2 乳児・幼児・学童期の栄養の特徴

母乳栄養	母乳で赤ちゃんを育てること。母乳は最も理想的な栄養源といわれ，赤ちゃんの成長に必要な栄養素がバランスよく含まれているだけでなく，感染から守る免疫物質も含まれている。
人工栄養	母乳に代わる栄養源（育児用ミルク）で赤ちゃんを育てること。人工栄養には母乳の代替品である乳児用調製粉乳（粉ミルク）や乳児用調製液状乳（液体ミルク）が用いられる。
乳児用調製粉乳（粉ミルク）	母乳の代わりに赤ちゃんが飲む粉ミルク。原料の牛乳の成分を加工，調整し，母乳に近づけている。
フォローアップミルク	牛乳を加工，調整した粉乳で，離乳食で不足しがちな栄養素を補う目的で飲む。母乳や育児用ミルクの代替品ではない。
幼児の間食（おやつ）	幼児の間食は，大人とは違い，食事の一部である。幼児の胃は小さく，消化機能が未熟なわりに，必要なエネルギー，栄養量が多い。1回の食事で摂りきれないエネルギーや栄養素を間食で補う必要がある。

3　授乳・離乳の支援ガイド・食生活指針

離乳	離乳とは，母乳やミルクなどの乳汁栄養から幼児食に移行する過程をいう。離乳の時期は生後5～6か月頃が適当である。
離乳の進め方	離乳食には離乳初期，離乳中期，離乳後期，離乳完了期の4段階がある。月齢や発達の度合いに合わせて無理なく進める。
「主食」「副菜」「主菜」	主食は，ごはんなどの穀類（エネルギー源）。副菜は野菜，海藻，きのこ料理などのおかず（ビタミン，ミネラル供給源）。主菜は魚，肉，卵料理などのメインのおかず（たんぱく源）。
妊娠前からはじめる妊産婦のための食生活指針	妊産婦と赤ちゃんの健康のために，妊娠前から望ましい食生活を実践するための10項目の指針が示されている。食生活だけでなく，体や心の健康にも配慮した10項目となっている。
葉酸	葉酸は，妊娠前から妊娠中に特に摂取が必要な栄養素。胎児の先天異常である神経管閉鎖障害の予防のため，妊娠前から栄養機能食品（サプリメント）などで充分に摂取することが大切。
食生活指針	「食生活指針」は，国民一人ひとりが，自らの食生活を見つめなおし，その改善に取り組むことを目的として策定された。10項目の指針とその具体的な取り組み内容が示されている。

4　食事摂取基準と健康や食生活に関する知識

日本人の食事摂取基準（2020年版）	国民の健康の維持，増進のために，1日あたりのエネルギーや栄養素の摂取量の規準を示したもの。目的別に推定平均必要量，推奨量，目安量，上限量，目標量の5つの指標がある。
う蝕（むし歯）	う蝕（むし歯）は，むし歯菌（ミュータンス菌など）が作り出した酸によって歯が溶かされる病気。乳歯は永久歯よりも歯質が弱いため，う蝕（むし歯）になりやすい。
「こ食」	現代は，食をめぐる環境の変化に伴い，孤食，個食，子食，小食，固食，粉食，濃食などの様々な「こ食」が問題となっている。
食物アレルギー	食物が体内に入り，アレルギー反応を引き起こすものを食物アレルギーという。食物に含まれる原因物質をアレルゲンという。
特定原材料（表示義務）	食物アレルギーの症例数や重篤度が高い8品目（えび，かに，くるみ，小麦，そば，卵，乳，落花生〈ピーナッツ〉）は「特定原材料」と呼ばれ，食品表示法で表示が義務づけられている。
旬	特定の食材において，収穫量が多く，新鮮においしく食べられる時期のこと。旬の食べ物は，安価で，栄養価も高い。

1 五大栄養素

1 二糖類の一つであるガラクトースは，脳神経組織を構成する重要な成分である。

2 糖質は主要なエネルギー源で，1g当たり9kcalのエネルギーを供給する。

3 たんぱく質は，炭素，酸素，水素，窒素を含む。

4 たんぱく質は，アミノ酸が鎖状に多数結合した高分子化合物である。

5 リノール酸は1価不飽和脂肪酸であり，オリーブ油に多く含まれている。

6 ビタミンは，水溶性と脂溶性の2種類に分類される。

7 ビタミンDは，網膜で光を受容する物質の主成分であり，欠乏すると夜盲症を発症する。

8 カリウムは，ヘモグロビンの主成分である。

9 ビタミンKは，納豆や小松菜などの緑黄色野菜に多く含まれる脂溶性ビタミンである。

10 カルシウムは，「日本人の食事摂取基準（2020年版）」では，20歳以下の耐容上限量は設定されていない。

解説

1 ✗ ガラクトースは，二糖類ではなく**単糖類**であり，脳組織を構成する重要な成分である。

2 ✗ 糖質は主要なエネルギー源で，1g当たり**4kcal**のエネルギーを供給する。脂質は1g当たり**9kcal**，たんぱく質は1g当たり**4kcal**のエネルギーを供給する。

3 ○ たんぱく質は，**炭素，酸素，水素，窒素**を含む。炭水化物と脂質は，炭素，酸素，水素を含む。

4 ○ たんぱく質は，20種類のアミノ酸が鎖状に多数結合した高分子化合物である。この20種類のうち，体内で合成できない**9種類を必須アミノ酸（不可欠アミノ酸）**という。

5 ✗ オリーブ油に多く含まれているのは，**オレイン酸**（1価不飽和脂肪酸）である。リノール酸は，多価不飽和脂肪酸であり，大豆油などに多く含まれている。

6 ○ ビタミンは，**水溶性と脂溶性**に分類され，水溶性はビタミンB_1，B_2，ナイアシン，B_6，葉酸，ビオチン，パントテン酸，B_{12}，Cである。脂溶性は，ビタミンA，D，E，Kである。

7 ✗ **夜盲症**は，ビタミンAの欠乏症である。ビタミンDの欠乏症には，**くる病**などがある。

8 ✗ ヘモグロビンの主成分となるミネラルは，**鉄**である。カリウムは，神経の興奮や伝達に関与するミネラルである。

9 ○ ビタミンKは，**納豆や小松菜などの緑黄色野菜に多く含まれ**，血液の凝固を促進する脂溶性ビタミンであり，腸内細菌からも作られる。

10 ○ **カルシウム**は，17歳以下の年齢区分で，**耐容上限量が設定されていない。**しかし，これは，十分な報告がないため設定されていないだけで，多量摂取を推奨するものではない。

8 子どもの食と栄養

2　乳幼児・学童期の栄養の特徴

1　乳児用調製粉乳は，月齢により，与える調乳濃度が異なる。

2　母乳育児の利点の一つに，母子関係の良好な形成があげられる。

3　母乳栄養児は，感染症の感染率や重症度が人工栄養児に比べて高いことが知られている。

4　母乳の分泌に関与するホルモンには，プロラクチンやラクトフェリンがある。

5　幼児期の間食には，1日の摂取エネルギーの40％程度を1日1回与える。

6　幼児期の肥満への対応は，成長期であるため，極端な食事制限は行わないほうがよい。

7　下痢のときには，食物繊維を多く含む料理を与える。

8　「幼児向け食事バランスガイド」は，1歳から5歳を対象に1日に「何を」「どれだけ」食べたらよいか，コマの形のイラストでわかりやすく示したものである。

9　就寝時刻が遅くなると，朝食欠食になりやすい。

10　思春期の過度な食事制限により，カルシウムの摂取不足が起こると，将来の骨粗しょう症の原因となる場合がある。

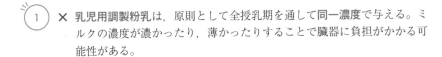

解説

1 ✗ **乳児用調製粉乳**は，原則として全授乳期を通して**同一濃度**で与える。ミルクの濃度が濃かったり，薄かったりすることで臓器に負担がかかる可能性がある。

2 ○ 母乳を赤ちゃんに飲ませることは，肌と肌が直接触れ合うスキンシップであり**愛着形成**をうながす。

3 ✗ **母乳**には，IgAなどの免疫物質が多く含まれているため，母乳栄養児は，感染症の感染率や**重症度**が人工栄養児より低いことが知られている。

4 ✗ 母乳の分泌には，**プロラクチン**（催乳ホルモン）と**オキシトシン**（射乳ホルモン）というホルモンが関与している。ラクトフェリンは，母乳に含まれる感染防御物質の一つ。

5 ✗ 間食は，1日の摂取エネルギーの10〜20%程度が望ましい。1〜2歳児は100〜150kcal，3歳以上児は約200kcalである。たとえば牛乳100mℓで約65kcal，りんご100gで約50kcal，合わせて約115kcalになる。

6 ○ 幼児期の成長は著しく，身長も体重も大きく増加するため，**食事制限**はできる限り**行わず**，体を動かしてカロリーを消費するようにする。

7 ✗ **食物繊維**は下痢のときには与えないようにする。食物繊維は，腸の蠕動運動を促進したり，便のかさを増やす働きがあるため，**便秘解消**によい。

8 ✗ 「幼児向け食事バランスガイド」は，3歳から5歳を対象に作成されたものである。「主食」「主菜」「副菜」「牛乳・乳製品」「果物」の5つのグループの食品をバランスよく摂れるよう，わかりやすく示している。

9 ○ 就寝時刻が遅い子どもは，夕食の時間が遅かったり，夜食を食べることにより，朝，お腹がすかなかったり，起床時間が遅くなるため**朝食欠食**になりやすい。

10 ○ **骨粗しょう症**は，**カルシウム**の欠乏症である。骨量が大きく増加する思春期にカルシウムの摂取不足が起きると将来，骨粗しょう症の原因となる場合がある。

一問一答編

ベスト過去問編

本試験編

3 授乳・離乳の支援ガイド・食生活指針

1　「授乳・離乳の支援ガイド」（2019年：厚生労働省）では，「フォローアップミルクは母乳代替品ではなく，離乳が順調に進んでいる場合は，摂取する必要はない」としている。

2　「授乳・離乳の支援ガイド」（2019年：厚生労働省）では，離乳初期は，生後5～6か月頃とされている。

3　「授乳・離乳の支援ガイド」（2019年：厚生労働省）では，子ども（1歳）の1日の食事量の目安について，主食，副菜，主菜はそれぞれ成人と同じ程度としている。

4　「授乳・離乳の支援ガイド」（2019年：厚生労働省）では，離乳が進むにつれ，魚は白身魚から青皮魚，赤身魚へ，卵は全卵から卵黄へと進めていくと記載されている。

5　「妊娠前からはじめる妊産婦のための食生活指針」では，特に妊娠を計画していたり，妊娠初期の人には，神経管閉鎖障害発症リスク低減のために，ビタミンKの栄養機能食品を利用することもすすめられている。

6　「妊娠前からはじめる妊産婦のための食生活指針」には，「無理なくからだを動かしましょう。」と記載されている。

7　「妊娠前からはじめる妊産婦のための食生活指針」には，「「主菜」を中心にエネルギーをしっかりと。」と記載されている。

8　「食生活指針」には，「食塩は控えめに，動物性脂肪を中心に摂取を。」と記載されている。

9　「食生活指針」には，「日本の風土に適している米などの穀類を利用しましょう。」と記載されている。

10　「食生活指針」には，食品ロスの削減について記載されている。

🎱 解説 ✏️

① ⭕ フォローアップミルクは，母乳代替品ではない。**鉄やビタミンなどの欠乏のリスクが高い場合**や，**体重増加がみられない場合**に必要に応じて使用する。

② ⭕ 「授乳・離乳の支援ガイド」では，離乳初期は生後**5～6か月**頃，離乳中期は生後**7～8か月**頃，離乳後期は生後**9～11か月**頃，離乳完了期は生後**12～18か月**頃とされている。

③ ❌ 子ども（1歳）は胃が小さく，消化機能も未熟であるため，1日の食事量の目安について主食，副食，主菜は，それぞれ**成人よりも少ない**。

④ ❌ 離乳が進むにつれ，魚は脂肪の少ない**白身魚**から**赤身魚**，**青皮魚**へ，卵はアレルギー性の低い**卵黄**から**全卵**へと進めていく。

⑤ ❌ 本問の指針では，妊娠前後の女性に，**神経管閉鎖障害発症リスク低減**のために，**葉酸**の栄養機能食品の利用を推奨している。

⑥ ⭕ 適度な運動は，病気の予防や健康の維持に必要であるが，妊娠中は医師や医療機関に相談の上，無理なく体を動かすことをこころがける。

⑦ ❌ 「主菜」ではなく，「**主食**」が正しい。妊娠中は必要なエネルギー量が増加する。「**主食（炭水化物）**」を中心とした食事で十分なエネルギーを摂取することが求められる。

⑧ ❌ 「**食塩は控えめに，脂肪は量と質を考えて。**」が正しい。**食塩の摂りすぎ**は生活習慣病を起こしやすくする。脂肪は動物，植物，魚類で異なるので脂肪の質に配慮する。

⑨ ⭕ 穀類の中でも米は，**日本の気候・風土に適しており**，**自給可能な作物**である。日本の国土から生産される米を食べることは食料の安定供給面からみても重要である。

⑩ ⭕ 「**まだ食べられるのに廃棄されている食品ロスを減らしましょう**」と記載されている。日本は食品ロスが多いため，買いすぎや作りすぎに注意する。

8 子どもの食と栄養

4 食事摂取基準と健康や食生活に関する知識

1 「日本人の食事摂取基準（2020年版）」では，乳児期の推定エネルギー必要量は，0～5（月）と6～11（月）の2区分で設定されている。

2 「日本人の食事摂取基準（2020年版）」では，12～14歳におけるカルシウムの推奨量は，男女ともにほかの年齢に比べて最も低い。

3 「日本人の食事摂取基準（2020年版）」では，脂質の目標量は，1歳以上の年齢区分において20～30％となっている。

4 せんべいやクラッカーは，市販菓子のなかでう蝕誘発性が特に高い。

5 「粉食」は，パン，麺など粉から作られたものばかり食べることをいう。

6 「食品表示法」にもとづき，「卵，乳，小麦，そば，大豆，えび，かに，落花生（ピーナッツ）」の8品目のアレルギー表示が義務づけられている。

7 牛乳アレルギーの場合，飲用乳の代替には，豆乳を用いることができるが，豆乳は牛乳と比較してカルシウムの含有量が少ないことに留意する。

8 きな粉の原料は，小麦である。

9 七夕の節句に食べる一般的な料理にはそうめんがある。

10 大根の旬は春である。

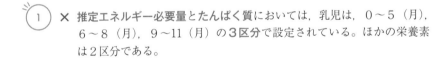

解説

(1) × **推定エネルギー必要量とたんぱく質**においては，乳児は，0～5（月），6～8（月），9～11（月）の**3区分**で設定されている。ほかの栄養素は**2区分**である。

(2) × 成長期である**12～14歳**におけるカルシウムの推奨量は，男性1,000mg/日，女性800mg/日であり，男女ともにほかの年齢に比べて**最も高い**。

(3) ○ 脂質の食事摂取基準は，1歳以上は**目標量**だが，乳児は**目安量**で示されており，0～5（月）は50%，6～11（月）は40%となっている。

(4) × 糖分が少なめで，歯につきにくいせんべいやクラッカーはう蝕（むし歯）になりにくい。あめやキャラメルなどは，糖分が多く歯につきやすいので，う蝕になりやすい。

(5) ○ パン，麺などの「**粉食**」は，米食中心に比べて，肉類や乳製品と一緒に食べられることが多く高脂肪の食事になりやすいといわれている。「こ食」には，「孤食」「個食」「固食」「粉食」「子食」「小食」「濃食」などがある。

(6) × 食品表示法にもとづき**特定原材料**として表示が義務づけられているのは，「えび・かに・くるみ・小麦・そば・卵・乳・落花生（ピーナッツ）」の**8品目**である。くるみが入り大豆は入らない。

(7) ○ **カルシウム含有量**は，100mlのうち，豆乳は約15mg，牛乳は約110mgであり，**牛乳のほうが圧倒的に多いため**，注意が必要である。

(8) × **きな粉の原料**は，**大豆**である。きな粉は，大豆を煎って粉砕したものである。

(9) ○ **七夕にそうめんを食べる理由**には，天の川をそうめんに見立てたり，機織り（芸事）が上手になるようにそうめんを糸に見立てる，など，さまざまな説がある。

(10) × **大根の旬は冬**である。大根はほぼ一年を通して出回っているが，旬である冬は，実が柔らかく，甘みが強い。

⑨ きほんのキーワード
保育実習理論

CHECK!!

1　音楽理論

音楽用語	強弱記号，速度記号，発想用語がある。例えば，強弱記号の「cresc.」は，「クレッシェンド」と読み，だんだん強くという意味である。
調号	曲のはじめに，シャープ（♯）やフラット（♭）を書いて，何調かを示す記号である。例えば，ト長調はファに♯がつき，ヘ長調はシに♭がつく。
拍子	童謡には4拍子，3拍子，2拍子がある。一小節に四分音符が，4つ入ると四分の四拍子，3つ入ると四分の三拍子，2つ入ると四分の二拍子になる。
和音（コード）	和音には明るく楽しい響きがする長三和音と，暗く悲しい響きがする短三和音がある。長三和音はメジャーコード，短三和音はマイナーコードという。
移調	曲全体をほかの調に移して，曲の高さを変えて演奏することをいう。移調した後の調が何調になったのか，音程ではどれくらい高くなったのか，低くなったのか，鍵盤をみながら確認する。

2　絵画理論

幼児画の発達区分	知能や心身の発達に伴って年齢別に絵の表現が変わっていく。なぐりがき期（1歳～2歳半），象徴期（2歳半～3歳），前図式期（3歳～5歳），図式期（5歳～8歳）に区分される。
補色	補色の関係にある色どうしを並べて置くと，より色の鮮やかさが強調される。例えば，「青緑」色のシソの葉の横にあるマグロは，マグロの「赤み」が強調されて彩度が高く感じられる。
明度・彩度・色相	色の明るさの度合いを明度，色みの強さや鮮やかさの度合いを彩度，赤・黄・青のように色を特徴づける色みのことを色相という。
色の混合	赤に白を混ぜるとピンク色ができる。青に白を混ぜると水色ができる。白を混ぜるとその色は明るくなり，「明度」は上がるが，「彩度」は低くなる。

| モダンテクニック | 絵の具・クレヨン・パスなどを使って，子どもが自由な発想で新しい色や形などをつくりだす表現技法に，バチック，デカルコマニー，フロッタージュ，スクラッチなどがある。 |

3　保育教材の実演と実習記録・計画

絵本の読み聞かせの準備や注意事項	年齢や発達にあった題材を選ぶ，下読みを必ずする，読み聞かせをする環境を整える，子どもの様子に合わせて読み進めるなどがあげられる。
紙芝居の特徴	紙芝居は，表に絵，裏に文字が書かれた複数枚の紙でできている。その絵を一枚ずつ出して見せながら演じ手(読み手)がお話を語る。演じ手と観客(子ども)が向かい合うかたちで進める。
保育教材	保育現場では，絵本や紙芝居以外にも，パネルシアターやエプロンシアター，ペープサートなどの保育教材を使用する。
指導計画	「全体的な計画」にもとづいて保育を実施する際のより具体的な方向性を示すもの。「長期的な計画」と「短期的な計画」がある。
全国保育士会倫理綱領	2003（平成15）年に策定された「全国保育士会」の活動の根本となるものであり，行動規範として示されたものである。

4　保育所保育指針・児童福祉施設

保育所保育指針（保育の内容）	第2章は，「乳児」「1・2歳児」「3歳以上児」と区分され，各段階において「保育のねらいと内容」が示されている。
保育所保育指針（言葉）の領域	5領域の一つであり，言葉の獲得や伝え合いに関する領域である。言葉は身近な人との関わりや絵本や物語に親しむなかで，様々な言葉や表現を身に付け，育まれていくことが示されている。
保育所保育指針（表現）の領域	5領域の一つであり，感性と表現に関する領域である。豊かな感性と表現は，様々な場面で美しいものや心を動かす出来事に触れイメージを豊かにすることで育まれていくことが示されている。
乳児院	児童福祉施設の一つであり，乳児（特に必要な場合は幼児）を入所させて養護する施設である。
児童養護施設	児童福祉施設の一つであり，保護者のない児童や虐待されている児童などを入所させて養護する施設である。

9 保育実習理論

1　音楽理論　①音楽用語

1 音楽用語「decrec」は，「dim」と同じ意味である。

---

2 音楽用語「dolce」は，「ゆるやかに」という意味である。

---

3 イ長調の調号は，シャープが2つである。

---

4 変ホ長調の調号は，フラットが3つである。

---

5 ニ長調の階名「ソ」は，音名「ト」である。

---

6 童謡「七つの子」は，3拍子である。

---

7 「夕やけ小やけ」の作詞者は，北原白秋である。

---

8 和音「レ，ファ，ラ」は，長三和音（メジャーコード）である。

---

9 童謡の伴奏部分にD，G，A₇というコードが使われていた。4歳児が歌いやすいように長2度下げて演奏すると，伴奏のコードは，C，F，G₇になる。

---

10 ト長調を完全4度上に移調するとハ長調になる。

解説

① ○ 「decrec」（デクレッシェンド）と「dim」（ディミヌエンド）は，どちらもだんだん弱くという意味である。

② ✕ 「dolce」（ドルチェ）は，柔和に，柔らかくという意味である。

③ ✕ イ長調の調号は，ファ，ド，ソにそれぞれシャープ（♯）がつく。♯の数は3つである。

④ ○ 変ホ長調の調号は，シ，ミ，ラにそれぞれフラット（♭）がつく。♭の数は3つである。

⑤ ✕ ニ長調の階名が，ド，レ，ミ，ファ，ソ，ラ，シ，ドに対し，音名はニ，ホ，ヘ，ト，イ，ロ，ハ，ニであるので，階名の「ソ」は，音名「イ」になる。

⑥ ✕ 童謡「七つの子」を歌ってみると，1小節の中に四分音符の拍が4つあるので，四分の四拍子である。

⑦ ✕ 「夕やけ小やけ」は，中村雨紅の作詞に草川信が作曲した。北原白秋の代表作には，「赤い鳥小鳥」「ゆりかごのうた」「あめふり」「この道」などがある。

⑧ ✕ 「レ，ファ，ラ」は，根音レから第3音ファまでの音程が短3度であるのでマイナーコードである。根音から第3音までの音程が長3度の「レ，ファ♯，ラ」がメジャーコードである。

⑨ ○ 長2度下に移調するということは，伴奏のコードも長2度下（半音2つ下げる，すなわち，鍵盤の枚数で3枚下）に移すことになる。Dの長2度下はC，Gの長2度下はF，A長2度下はGである。

⑩ ○ ト長調の主音はソである。「ソ」から完全4度上の音はドである。「ド」を主音とする調は，ハ長調である。

一問一答 編

9 保育実習理論

1 音楽理論 ②鍵盤図，五線譜等

1 ●のドとミの音程は長3度で，△のラとドの音程は短3度である。

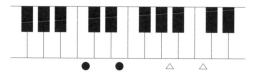

2 コードネームのDにあてはまる鍵盤の場所は③⑧⑪である。

3 コードネーム F m にあてはまる鍵盤の場所は②⑥⑪である。

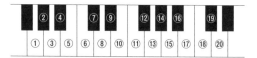

4 次の楽譜の中でメジャーコードは①②④である。

5 次の音階を短3度下に移すと変ホ長調の音階になる。

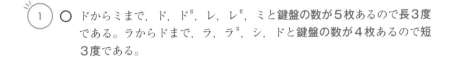

解説

(1) ○ ドからミまで，ド，ド♯，レ，レ♯，ミと鍵盤の数が5枚あるので長3度である。ラからドまで，ラ，ラ♯，シ，ドと鍵盤の数が4枚あるので短3度である。

(2) × コードネームDは，レ，ファ♯，ラで構成される。③ラ，⑧レ，⑪ファは，コードネームDm　レ，ファ，ラの転回形である。

(3) ○ コードネームFmは，ファ，ラ♭，ドで構成される。②ラ♭，⑥ド，⑪ファはコードネームFmファ，ラ♭，ドの転回形である。

(4) × メジャーコードとは長三和音（根音から第3音までの音程が長3度）のことである。転回形は基本形にもどしてメジャーコードを判別する。
①のコードは，長三和音ではない…シ，レ，ファ（基本形）で出題。根音シと第3音レの音程が短3度なのでメジャーコードではない。
②のコードは，長三和音D…基本形は，レ，ファ♯，ラである。
根音レと第3音ファ♯の音程が長3度なのでメジャーコードである。
④のコードは，長三和音F…基本形は，ファ，ラ，ドである。
根音ファと第3音ラの音程が長3度なのでメジャーコードである。

(5) × ヘ長調の主音はファ（ヘ），これを短3度下に移調する。短3度下（鍵盤の枚数で4枚下）の音は，ファ，ミ，ミ♭，レで，レ（ニ）になる。主音がレの調はニ長調である。

2　絵画理論

1 丸や渦巻のような形を描いていた幼児が，丸に手足のように見えるものを描いている。これは「頭足人」と呼ばれる特徴的な表現である。

2 自分の中にある経験を再現させて，覚えがきのような絵記号で表現したり，空や地面を表す基底線を描いたりする時期を「前図式期」という。

3 色相環の赤と青緑はお互い反対に位置する色で，「反対色」という。

4 白や灰色，黒といった色味のない色のことを「無彩色」という。特徴として色相と彩度と明度がない。

5 看板の地の色を緑に塗って，文字の色を青で塗ってみると，文字が読みにくかった。文字の色を黄色に変えたら，読みやすくなった。

6 絵の具の赤に白を混ぜると，桃色のパステルカラーができた。もとの赤より，明度も彩度も高くなった。

7 「バチック」でひまわりを描く場合，力を入れてクレヨンを濃く塗り，多めの水で薄めた水彩絵の具を上から塗るとよい。

8 紙を用いた「デカルコマニー」の制作工程は，紙を切り抜いて組み合わせ，張り合わせる。偶発的にいろいろなイメージが生まれる。

9 「フロッタージュ」は，ケント紙や段ボールなどの厚い紙を使用する。

10 明るい色のクレヨンで塗ったその上に黒いクレヨンを重ね塗りし，その後，釘の頭などでひっかいて下の色を出す技法を「スクラッチ」という。

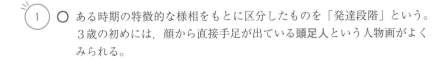

解説

1 ○ ある時期の特徴的な様相をもとに区分したものを「**発達段階**」という。3歳の初めには，顔から直接手足が出ている**頭足人**という人物画がよくみられる。

2 × 5～8歳頃の図式期の説明である。家，花，太陽などを絵記号で表現する。空と地面を分ける**基底線**は，空間意識が獲得されたことを意味する。

3 × 色相環の**反対**に位置する色を**補色**という。赤と青緑，青と黄みの橙，黄と青紫は補色関係にあり，隣接させると彩度が高くなる。

4 × 無彩色（白，黒，灰色）には，**色味**がないので，色の鮮やかさを表す「**彩度**」はないが，色の明るさを表す**明度**はある。

5 ○ 黄色は，明度が高く明るい色である。青，緑などは明度が**低く暗い色**である。明度差の大きい色を組み合わせると文字が目立って読みやすくなる。

6 × 赤い絵の具に白い絵の具を混ぜると，明るい桃色になる。白を加えた桃色は，赤より**明度**は高くなるが，**彩度**は低くなる。

7 ○ バチックは「**はじき絵**」ともいう。クレヨンやパスなどの**油分**と水彩絵の具の**水分**がはじき合う性質を生かした技法である。

8 × 問題文は**コラージュ**の説明である。**デカルコマニー**は，画用紙などを2つ折りにし，片面に絵の具を置き，上から押さえてから紙を開くと**左右対称**の模様ができる。

9 × フロッタージュに使う紙は薄く軟らかい紙がよい。**凹凸のある**ざらついたものに紙をあて，鉛筆などでこすると模様が浮き出てくる。

10 ○ スクラッチは「**ひっかき絵**」ともいう。明るい様々な色を下地にし，その上を黒いクレヨンで塗りつぶした画面を釘などでひっかいて，下のカラフルな色を出す技法である。

9 保育実習理論

学習日 ／ ／ ／

3 保育教材の実演と実習記録・計画

1 絵本を読み終えたら，子どもが絵本の内容を正確に記憶できているかが重要であるため，直ちに質問して確認する。

2 絵本は，表紙や裏表紙にも物語が含まれることがあることを理解しておく。

3 エプロンシアターは，子どもに見せるときに腕を伸ばし左右の子どもにもしっかりと見えるようにする。自分の手の可動範囲を考えて，ポケットやマジックテープの位置が適切かどうかを確認する。

4 紙芝居は乳児でも楽しめるものがあるが，絵本と違い子どもをひざに座らせて直接的なスキンシップを取りながら読み聞かせをすることはできない。

5 ブラックシアターとは，原色の絵の具を塗った不織布の人形などをブラックライトで照らし，絵を浮かび上がらせながらお話を楽しむ保育教材である。

6 「保育所保育指針」には，「教育課程」という用語の記載はない。

7 保育所における指導計画を立案する際の留意点として，園行事のねらいと内容を設定した上で，それに子どもの活動や生活の流れを合わせるようにする。

8 小学校との連携の一環として，交流の機会を増やせるように，小学校と保育所の年間行事の内容を情報交換し，担当者間で話し合いを行うようにした。

9 ４歳児クラスでの絵本の読み聞かせについて指導計画を作成する際に，保育所保育指針の「言葉の内容」として記載されている「絵本や紙芝居を楽しみ，簡単な言葉を繰り返したり，模倣をしたりして遊ぶ」にそって作成した。

10 保育士の責務と倫理が示されている全国保育士会倫理綱領には，子どもの最善の利益の尊重やプライバシーの保護について記載されているが，保育所に通っていない家庭への子育て支援については示されていない。

① 解説

① ✕ 絵本を読んだ後は，子どもが**自由**に想像を楽しんだり**余韻に浸る**時間も必要なので，読んだ直後に質問したり確認することは適切ではない。

② ○ 絵本によっては表紙と裏表紙の絵が続いていたり，裏表紙の絵が**ストーリー**の続きになっているものがあることを保育士として知っておく必要がある。

③ ○ **演じ手**はしっかりと前を向いて立つようにし，子どもにお話がきちんと伝わるようにすることを心掛ける。

④ ○ 紙芝居は絵本と違い，演じ手（読み手）と観客（聞き手）という立場でお話を楽しむため，直接的な**スキンシップ**はとりづらい。

⑤ ✕ ブラック（パネル）シアターは，原色（混ざっていない色）ではなく，**蛍光色（発光色）**の絵の具を使用することで，**ブラックライト**に当たると絵が幻想的に光る面白さがある。

⑥ ○ 教育課程について記されているのは**幼稚園教育要領**である。幼稚園教育の目的，目標に向かってどのような道筋をたどっていくかを明らかにするために編成する全体計画が「教育課程（カリキュラム）」である。

⑦ ✕ 子どもの**発達過程**を見通し，生活の連続性，季節の変化などを考慮し，子どもの**実態**に即したねらいおよび内容を設定するため，園行事のねらいと内容に子どもの活動等を合わせるのは不適切である。

⑧ ○ 小学校教師との意見交換や合同の研究の機会などを設け，保育所保育と小学校教育との**円滑な接続**を図るよう努めることが求められている。

⑨ ✕ 問題文に示されているのは，1歳以上3歳未満児の言葉の「内容」である。3歳以上児の言葉の内容は，「絵本や物語などに**親しみ**，興味をもって聞き，想像をする楽しさを**味わう**」である。

⑩ ✕ 全国保育士会倫理綱領には，地域の人々や**関係機関**とともに子育てを支援し，そのネットワークにより地域で子どもを育てる環境づくりに努めることが示されている。

9 保育実習理論　問題

4　保育所保育指針・児童福祉施設

1 保育課程に基づき，子どもの生活や発達を見通した短期的な指導計画と，より具体的な子どもの日々の生活に即した長期的な指導計画を作成する。

2 第2章「3歳以上児の保育に関するねらい及び内容」(2)「ねらい及び内容「言葉」の一部として「親しみをもって日常の挨拶をする」と記載されている。

3 第1章には，保育所は「子どもの生活に十分配慮するとともに，子ども一人一人の人格を尊重して保育を行わなければならない」と示されている。

4 1歳以上3歳未満児の「表現」の内容には「生活の中で美しいものや心を動かす出来事に触れ，イメージを豊かにする」と示されている。

5 「幼児期の終わりまでに育ってほしい姿」には，「生き物を大切にする気持ちをもち，身近な事物との関わり方に気づく」ことが記載されている。

6 児童養護施設での実習終了後，実習記録（実習日誌）に個人名や入所理由など，ケース記録に書かれているまま転記した。

7 「児童養護施設運営ハンドブック」には，「実習生にとって最も大切なことは，子どもたちがおかれている現実にどれだけ寄り添い，子どもたちの心の機微にどれだけ触れることができるかである」と記載されている。

8 乳児院においては，「乳児の自主性を尊重しつつ，将来自立した生活を営むために必要な知識及び経験を得ることができるように支援を行わなければならない。」と「児童福祉施設の設備及び運営に関する基準」に示されている。

9 児童養護施設において小学校低学年のR君に「こっちくるな」「あっちいけ」といった言葉を毎日のように投げかけられた実習生は，この状況を改善したいと考え，R君の言動の背景をアセスメントすることとした。

10 実習先の乳児院に設置されている「ほふく室」は，歩けるようになった子ども達が走ったり，ジャンプしたりして体を動かして楽しむための部屋である。

解説

(1) ✕ 保育課程ではなく「**全体的な計画**」に基づいて指導計画を作成する。長期計画と短期計画の記述が逆である。

(2) ○ 「挨拶」については，1歳以上3歳未満児の「言葉」の内容にも記載があるが，「親しみをもって日常の挨拶に**応じる**」と示されている。

(3) ✕ 子どもの「生活」ではなく**人権**に十分配慮することが示されている。保育所の社会的責任として，子どもの発達や経験の**個人差**等にも留意し，子どもの人権に配慮した保育となっているか，常に全職員で確認する。

(4) ✕ 問題文は，3歳以上児の「表現」の内容である。1歳以上3歳未満児の内容は「保育士等からの話や，生活や遊びの中での出来事を通して，イメージを**豊かにする**」と示されている。

(5) ✕ 「生き物」ではなく**家族**である。幼児期の身近な人や社会生活との関わりは，小学校生活における**相手の状況や気持ち**を考えながら関わることや，関心のあることの情報に気付いて積極的に取り入れたりする姿につながる。

(6) ✕ 入所児童の**個人情報**に関する内容を実習日誌に転記することは不適切である。

(7) ○ 関わりのなかで，日常業務や観察・記録・ケース検討等の**援助技術を修得**し，そこで培った学びや気付きを真摯に受けとめることが重要である。

(8) ✕ 問題文は児童養護施設における内容である。乳児院における乳児の養護は「乳幼児の心身及び**社会性**の健全な発達を促進し，その**人格**の形成に資することとなるものでなければならない」と記載されている。

(9) ○ R君の言動の意味を理解するために**アセスメント**（情報の収集と整理及び分析）をすることは，R君に寄り添った対応として適切である。

(10) ✕ ほふく室とは，まだ歩行ができない乳幼児がはいはいをするための部屋である。乳幼児が10人以上入所する施設には設置が義務づけられている。

ベスト過去問編

本編の特徴と使い方

　ベスト過去問編は過去5年間の保育士試験問題から，各科目10問ずつ，ほんとによく出る頻出のテーマを厳選し，重要過去問，重要テーマをまとめたいわば過去問のベストセレクションです。

　今後の学習を進めるうえで必要な**基本知識**が詰まっているので，本編の問題を繰り返し解いて解説と問題の周辺知識をまとめたCHECKの内容も確実に押さえていきましょう。

　試験対策として，一定のテーマに基づく知識，重要事項がどのように出題されるのか，どんな視点で解答を求められるのか，丁寧に確認することが大切です。

　一つひとつのテーマをとことん咀嚼し，さまざまな問題に対応しうる**応用力**をここで身につけていきましょう。

次の文は，子どもの社会性の発達に関する記述である。【Ⅰ群】の記述と，【Ⅱ群】の人物を結びつけた場合の正しい組み合わせを一つ選びなさい。

【令和4年前期・問1】

【Ⅰ群】

A 子どもの道徳的判断は，行動の規準が自分本位に決定され，社会的慣習を考慮しない水準から，他者の期待や社会的慣習に基づいて行動する水準に移行し，さらにそれらを超えて道徳的価値と自己の良心によって行動する水準に至るとした。

B 向社会的行動の判断の理由づけは，自分の快楽に結びついた理由づけから，相手の立場に立った共感的な理由づけを経て，強く内面化された価値観に基づいた理由づけへと発達するとした。

C 子どもの道徳的判断は，「コップがあると知らずにコップを15個割った」場合と「お菓子を盗み食いしようとしてコップを1個割った」場合とでは，被害の大きい前者を悪いと判断する結果論的判断から，悪い意図のある後者を悪いと判断する動機論的判断へと発達するとした。

【Ⅱ群】

ア アイゼンバーグ（Eisenberg, N.）

イ コールバーグ（Kohlberg, L.）

ウ ピアジェ（Piaget, J.）

（組み合わせ）

	A	B	C
1	ア	イ	ウ
2	ア	ウ	イ
3	イ	ア	ウ
4	イ	ウ	ア
5	ウ	イ	ア

ポイント

子どもの社会性（よいことと悪いと思われることを判断する力）の発達過程を把握するためには，道徳性や向社会的行動について唱えた代表的な3人の研究者（ピアジェ，コールバーグ，アイゼンバーグ）の理論を理解することは重要である。

解説

Ⓐ-イ コールバーグは，道徳的判断には３つの水準と６つの段階があるとした。
道徳的判断は，行動規準が自分本位である**慣習以前の水準**→他者の期待や社会的慣習にもとづく**慣習的な水準**→自己の良心にもとづく**慣習を超えた水準**へと発達するとした。

Ⓑ-ア 向社会的行動について研究したのはアイゼンバーグである。
向社会的行動は相手のためになり，相手からのお礼などを目的とせず，**自発的にされる行動**のこと。たとえば忘れ物をした人に自分の物を貸すなど。

Ⓒ-ウ ピアジェは子どもの思考や知能，道徳的判断などについて研究した。
ピアジェは，**7歳頃まで**は結果論的判断（善悪の程度を行為の意図や動機に関係なく，結果で判断する）が多いが，それ以降は動機論的判断（善悪の程度を行為の動機や意図等で判断する）に発達していくと考えた。

正答 **3**

CHECK
道徳性と向社会性の発達
・コールバーグ
幼児期から成人期までの道徳性の発達段階として**３つの水準と６つの段階**を唱えた。
<u>水準1</u>　前慣習的：道徳判断の基準はまだない段階。
段階①　他人から罰せられるかどうかで判断する。
段階②　自分の利益を守ることができるかどうかで判断する。
<u>水準2</u>　慣習的水準：外的環境に合わせて内部に判断基準が作られていく段階。
段階③　多数意見や好かれるかどうかを重視した判断をする。
段階④　規則や社会的秩序を守ることを重視する。
<u>水準3</u>　原則的水準：個人の内部に判断基準が作られる段階。
段階⑤　個人の権利や合理的に決められたルールかどうかが判断基準となる。
段階⑥　人間の権利や平等性など普遍的な良心にもとづいているかが基準となる。
・アイゼンバーグ
向社会的道徳推論の発達を５つの段階で示した。
レベル1　快楽主義的な推論
レベル2　他者のニーズにもとづく推論
レベル3　他者からの承認，あるいはステレオタイプなイメージにもとづく推論
レベル4　共感的な推論
レベル5　内面化された規範や価値観にもとづく推論

一問一答編

ベスト過去問編

本試験編

① 保育の心理学 02

学習日 ／ ／ ／

エリクソンの心理・社会的発達段階説

次のうち，エリクソン（Erikson, E.H.）の心理・社会的発達段階説に関する記述として，適切なものを○，不適切なものを×とした場合の正しい組み合わせを一つ選びなさい。　【令和5年前期・問4】

A それぞれの発達段階の時期の中心的な発達課題は，漸成的で決まった順序がないと考えた。

B どの発達段階でも，肯定的な経験をすることが理想なのではなく，否定的な経験を上回って肯定的な経験をすることが発達課題の克服となると考えた。

C フロイト（Freud, S.）の精神・性的発達段階に，身体的な側面を加え，人生を8つの段階でとらえた。

D 乳児期の心理社会的危機は「自律 対 恥・疑念」であると考えた。

（組み合わせ）

　　A　B　C　D
1　○　○　×　×
2　○　×　○　×
3　○　×　×　○
4　×　○　×　×
5　×　×　○　○

🔍 ポイント

エリクソンの発達理論や発達課題に関する問題。漸成的，発達課題，心理社会的危機などのキーワードを覚えるだけでなく，その意味についても理解しておこう。また青年期など，乳幼児期以外の年代での出題の可能性もあるので，CHECKにある8つの段階の「発達課題 対 心理社会的危機」も確認しておくこと。

解説

Ⓐ✕ **漸成的とは，今あるものの上に新しく形成されていくという意味。**
発達課題とは，それぞれの時期に経験や習得が必要なものである。発達課題は各時期で決まっており，一つひとつ経験を積み上げながら（漸成的）人間は発達していく。

Ⓑ◯ **各発達段階には「発達課題　対　心理社会的危機」があるとした。**
人間の発達は否定的な経験（**心理社会的危機**）があるのが一般的で，否定的な経験を乗り越えたり，問題を解決したりすることで発達が促されるとした。

Ⓒ✕ **エリクソン理論はフロイトの精神・性的発達理論に心理社会的視点を加えた。**
精神分析学の創始者であるフロイトは，人間の発達を口唇期，肛門期，男根期，潜在期，性器期の5段階に分けた。**エリクソン**はフロイト理論を土台に人間の一生涯を**8つの段階**に分けた。

Ⓓ✕ **乳児期の発達課題と心理社会的危機は「基本的信頼　対　不信」となる。**
乳児の周囲にいる人が適切な対応をすることで，「周りの人（他者）を信じても大丈夫」という「基本的信頼」が育まれる。一方，周囲が乳児の欲求を満たさないと「不信」を感じる。

正答　**4**

CHECK
エリクソンの発達段階

エリクソンはフロイトの精神・性的発達理論を元に，個人の心理的発達（自我の発達）を個人が生活する社会との関係でとらえ，理論化した。また，人間の一生涯を一つのライフサイクルとして捉えた。これは個人が生まれ，発達し，やがて死を迎えるという個人内プロセスだけでなく，親子が祖父母，孫といった世代を超えてつながる世代の循環も含まれる。

発達段階	発達課題	対	心理社会的危機
乳児期	基本的信頼	対	不信
幼児前期	自律性	対	恥と疑惑
幼児後期	自発性（自主性）	対	罪悪感
児童（学童）期	勤勉性	対	劣等感
青年期	アイデンティティ(同一性)	対	アイデンティティ(拡散)
初期成年期（成人初期）	親密性	対	孤独（孤立）
成年期（成人期）	生殖性	対	停滞
老年期	自我の統合	対	絶望

一問一答編

ベスト過去問編

本試験編

　次の乳児期の発達に関する記述のうち，下線部分が正しいものを○，誤ったものを×とした場合の正しい組み合わせを一つ選びなさい。

【令和元年後期・問6】

A　新生児が，大人の話しかけに同期して自分の体を動かす<u>クーイング</u>と呼ばれる現象が報告されている。

B　新生児が数人いる部屋で，一人が泣きだすと，他の新生児も泣きだすことがよくみられる。この現象は<u>社会的参照</u>と呼ばれる。

C　乳児の身体に比して大きな頭，丸みをもった体つき，顔の中央よりやや下に位置する大きな目，といった身体的特徴は<u>幼児図式</u>と呼ばれ，養育行動を引き出す効果があると考えられている。

D　乳児は特定の人との間に<u>アタッチメント（愛着）</u>を形成し，不安や恐れの感情が生じるとその人にしがみつく，あるいはくっついていようとする。

（組み合わせ）

	A	B	C	D
1	○	○	×	○
2	○	○	×	×
3	○	×	○	○
4	×	×	○	○
5	×	×	×	○

ポイント

乳児期の発達に関する心理学用語の問題である。特にエントレインメントやアタッチメントは頻出用語である。保育の心理学の勉強をすすめていく中でよく出てくる用語は頻出用語である可能性が高いので，チェックして覚えておこう。

解説

Ⓐ✕ エントレインメントとは，新生児が話しかけに同期して体を動かすこと。
新生児が，大人の話しかけに同期して自分の体を動かすことを**エントレインメント**という。エントレインメントについては，**コンドン**と**サンダー**が研究した。

Ⓑ✕ 情動伝染とは，新生児が一人泣きだすと他の新生児も泣きだす現象。
新生児が数人いる部屋で，一人が泣きだすと他の新生児も泣きだすことがよくみられる。この現象を**情動伝染**（情動感染）という。人には，生まれながらにして**人と同調しやすい**という特徴がある。

Ⓒ〇 幼児図式とは，乳幼児の大きな頭，丸い体つきなどの身体的特徴のこと。
乳幼児がもつ，身体に比して大きな頭，丸みをもった体つき，顔の中央よりやや下に位置する大きな目，といった身体的特徴は**幼児図式**（赤ちゃんらしさ）と呼ばれ，その可愛らしさが大人の養育行動を引き出す。

Ⓓ〇 乳児は特定の大人との間にアタッチメント（愛着）を形成する。
アタッチメント（愛着）とは，乳児が特定の大人との間に形成する情愛的な絆のこと。乳児は，不安や恐れの感情が生じると，その人を**安全基地**として，しがみつく，あるいはくっついて安心しようとする。

正答 **4**

CHECK
乳幼児期の発達に関する用語

クーイング	生後1～2か月頃，機嫌のよい時に「クー」「ウー」など，喉の奥から出る柔らかい声のこと。
8か月不安	6～8か月頃にみられる人見知り。スピッツが提唱。
共同注意	相手の視線に気づき，相手と同じものを見ること。共同注意ができることにより，相手の気持ちを読み取ることができるようになる。
象徴機能	目の前にない物を，別の物で表現する働き。象徴機能は想像力やことばの発達の基礎になると考えられている。
共鳴動作	目の前の人の動作を無意識に真似する乳児の行動（例：食事を食べさせるとき，大人がアーンと口を開けると乳児も口をあける）
社会的参照	自分にとって未知の状況のとき，母親など，相手の顔色や表情，声の調子から，自分の行動のガイドとすること（例：お菓子に手を出す前に食べてよいのか，母親の表情をうかがう）。

1 保育の心理学 04

運動発達

　次のうち，運動発達に関する記述として，適切なものを○，不適切なものを×とした場合の正しい組み合わせを一つ選びなさい。

【令和4年前期・問2】

A　ギブソン（Gibson, J.J.）は，人間が運動するためには知覚が必要であり，知覚するためには運動が必要であると述べた。

B　運動発達には「頭部から脚部へ」「末梢から中枢へ」「粗大運動から微細運動へ」という方向性がある。

C　物をつかむ運動の発達は，手の内側（親指の側）から外側（小指の側）に向かって進む。

D　最初の移動運動である寝返りが達成されると，探索行動が活発になる。

（組み合わせ）

	A	B	C	D
1	○	○	○	○
2	○	×	○	×
3	○	×	×	○
4	×	○	○	×
5	×	×	×	×

ポイント

運動発達や身体の発育・発達については，子どもの保健でも出題が多くみられるため，合わせて学習しておくことで理解が深められる。子どもの心の発達を理解する上でも，「身体的機能」と「運動的機能」の発達を把握しておく必要がある。

解説

Ⓐ〇 ギブソンは，アフォーダンス理論を提唱した。
アフォーダンスとは**環境内に点在する情報**のことであり，動物はその情報（アフォーダンス）を知覚し，それによって個々の行動を調整していると考える。

Ⓑ✕ 乳児の運動発達には，「中枢から末梢へ」などの方向性がある。
運動発達には「**頭部から脚部へ**（首がすわる→お座り→ハイハイ→つかまり立ち→歩く）」や「**中枢から末梢へ**（上腕部→前腕部→手や指のコントロール）」，「**粗大運動から微細運動へ**」という方向性がある。

Ⓒ✕ 物をつかむ運動の発達は，小指側から親指側に向かって進む。
親指（母指）と他の４指が向きあって物をつかむ動きを**母指対向性動作**という。この動作は**小指側から親指側に**向かって発達する。

Ⓓ〇 寝返りが可能になるには，首がすわる必要がある。
首がすわることで頭を自由に動かすことができ，自分が関心をもったものの方向に頭を向けることが可能となる。さらに寝返りが可能になると，仰向けで見ていた外界とは異なる見え方となり，探索活動が活発になる。

<u>正答　3</u>

 CHECK
乳幼児期の運動機能の発達
乳幼児の運動機能の発達を把握するためには，「**粗大運動**」と「**微細運動**」の両面の発達を理解する必要がある。
粗大運動：姿勢の制御やバランスの保持など，**全身**を使って大きく動く運動。
例：寝返り，座る，立つ，歩く，走る，ジャンプする，ボールを投げるなど。
微細運動：**手や指先**を使った細かい動作や運動。
例：玩具をつかむ，スプーンなどの食器を持つ，ボタンをつまむなど。

粗大運動の発達過程については，選択肢Ｂの解説を参照。
微細運動（手指の機能）の発達過程
把握反射→おもちゃなどを渡すとしばらくは握っていられる→小指側の手のひらでつかんで持つ→親指以外の４本の指と手のひらでつかむ→親指，人差し指，中指の３本の指でつまむ→親指と人差し指でつまむ。

一問一答編

ベスト過去問編

本試験編

1 保育の心理学 05

学習日 ／ ／ ／

幼児期の認知発達

　次の文は，幼児の認知発達についての記述である。（　A　）～（　D　）にあてはまる語句 を【語群】から選択した場合の最も適切な組み合わせを一つ選びなさい。　　　　　　　　　　　　　　　　　【令和2年後期・問8】

・2歳頃になると，心の中に（　A　）が形成され，直接経験していない世界について考えられるようになり，その場にいないモデルの真似をしたり，見立てる遊びをしたりする姿が見られる。

・幼児には，自分の体験を離れて，他者の立場から見え方や考え方，感じ方を推測することが難しい（　B　）がみられる。

・幼児は，人が内面の世界を持っているということ，心あるいは精神を持っているということに気付きはじめ，その理解を（　C　）と呼ぶ。

・幼児の思考は，直接の知覚や行為に影響を受けやすく，例えば（　D　）課題では，物の知覚が変化しても物の本質は変わらないということを考慮できず，見え方が変化すると数や量まで変化すると判断する。

【語群】

ア	内言	イ	表象	ウ	象徴理論	エ	保存
オ	実存	カ	自己実現性	キ	心の理論	ク	自己中心性

（組み合わせ）

	A	B	C	D
1	ア	カ	ウ	エ
2	ア	ク	キ	オ
3	イ	カ	ウ	エ
4	イ	カ	キ	オ
5	イ	ク	キ	エ

ポイント

乳幼児期の認知発達は，出題率が高く，保育現場でも役立つ内容である。特に自己中心性や心の理論などは幼児期の子どもの理解のための重要なキーワードである。保育現場の子どもたちをイメージしながら学習しよう。

解説

Ⓐ-イ **表象は，目の前にないものや事象を頭の中に思い浮かべる働き。**

子どもは，1歳半～2歳頃から，目の前にないものや事象を頭の中に思い浮かべる**表象**ができるようになる。

Ⓑ-ク **自己中心性は，自分の視点からしかものごとを捉えられないこと。**

幼児期は，自分の立場視点からしか，ものごとを捉えることができない（**自己中心性**）ため，他者の立場や視点を推測することが難しい。

Ⓒ-キ **心の理論とは，他者の心を推測する機能のこと。**

目に見えない他者の心を推し量る**心の理論**は，幼児期後半（4，5歳頃）から獲得できるようになるといわれている。心の理論を獲得しているかを調べる実験は，**誤信念課題**である。

Ⓓ-エ **保存の概念とは，見かけが変化しても物の本質は変わらないこと。**

知覚的な特徴（見かけ）が変化しても，量や重さなどの物の本質は変わらないという**保存の概念**を獲得するのは7，8歳以降であるといわれている。保存の概念はP125のCHECKを参照。

正答 **5**

CHECK

誤信念課題（サリーとアンの課題）

正答：かごを探す（サリーは宝物が箱に移されたことを知らないから）。

解説：サリーが現実（宝物は箱の中にある）とは異なる誤信念（宝物はかごに入っている）をもっていることが理解できれば正答できる（心の理論の獲得は3歳では難しい）。

学習に関する用語

　次の文は，幼児の学びの過程に関する記述である。A〜Dに関する用語を【語群】から選択した場合の最も適切な組み合わせを一つ選びなさい。

【令和5年後期・問8】

A 病院で，注射の痛みで泣く経験をした子どもが，医者が着ている白衣に似たものを見ただけで泣き出す。

B 新入園児が，その保育所やクラスの行動様式を徐々に学び，身につけ，クラスに溶け込み，クラスの一員となっていく。

C 保育者の手伝いをして褒められた子どもが，次からは，褒めてもらうために手伝いをしたがる。

D 子どもが「昨日は家族で公園に行った」など，過去の自分の経験について話をする。

【語群】

ア 古典的条件づけ	イ 外発的動機づけ	ウ 正統的周辺参加
エ 手続き的記憶	オ 内発的動機づけ	カ エピソード記憶
キ 認知的徒弟制	ク 観察学習	

（組み合わせ）

```
    A  B  C  D
1   ア ウ イ カ
2   ア ウ オ エ
3   ア キ イ カ
4   ク キ イ エ
5   ク キ オ エ
```

ポイント

学習理論や学習に関連する領域も出題範囲に含まれる。単に専門用語を覚えるだけではなく，用語を見たときに実際の場面や人間の行動（様子）をイメージできる必要がある。日頃の自分の行動と用語を結びつけて，理解を深めていこう。

解説

A-ア パブロフは，犬を対象とした実験から古典的条件づけを説明した。

条件刺激と無条件刺激の対呈示により，条件刺激に対して条件反応が確認されるようになる学習を，**古典的条件づけ**（レスポンデント条件づけ）という。

B-ウ 正統的周辺参加は，学習を共同体への参加過程とみなす理論である。

新参者が社会的状況に参加しながら，周辺的参加者から共同体の一員となっていく過程のこと。**レイヴとウェンガー**が提唱した。

C-イ 動機づけには「外発的動機づけ」と「内発的動機づけ」がある。

「怒られないように勉強する」など，活動は別の目的を達成するための手段の場合は外発的動機づけ。一方，「難しい問題が解けるのが面白いから勉強する」など，活動そのものが目的となっているものは内発的動機づけである。

D-カ エピソード記憶は「いつ」「どこで」などの個人の経験に関する記憶。

言葉で表現できる宣言的記憶には，「犬は哺乳類である」など一般的な知識情報にあたる**意味記憶**と，「5歳のときに親戚の家のそばで迷子になった」など個人の経験に関する**エピソード記憶**に分類できる。

正答　**1**

CHECK
感情と自己の発達に関するキーワード

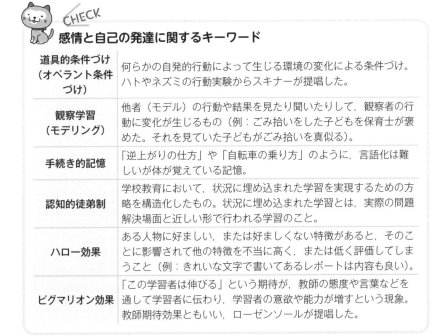

道具的条件づけ（オペラント条件づけ）	何らかの自発的行動によって生じる環境の変化による条件づけ。ハトやネズミの行動実験からスキナーが提唱した。
観察学習（モデリング）	他者（モデル）の行動や結果を見たり聞いたりして，観察者の行動に変化が生じるもの（例：ごみ拾いをした子どもを保育士が褒めた。それを見ていた子どもがごみ拾いを真似る）。
手続き的記憶	「逆上がりの仕方」や「自転車の乗り方」のように，言語化は難しいが体が覚えている記憶。
認知的徒弟制	学校教育において，状況に埋め込まれた学習を実現するための方略を構造化したもの。状況に埋め込まれた学習とは，実際の問題解決場面と近しい形で行われる学習のこと。
ハロー効果	ある人物に好ましい，または好ましくない特徴があると，そのことに影響されて他の特徴を不当に高く，または低く評価してしまうこと（例：きれいな文字で書いてあるレポートは内容も良い）。
ピグマリオン効果	「この学習者は伸びる」という期待が，教師の態度や言葉などを通して学習者に伝わり，学習者の意欲や能力が増すという現象。教師期待効果ともいい，ローゼンソールが提唱した。

一問一答編

ベスト過去問編

本試験編

　次のうち，保育所における，外国籍家庭や外国にルーツをもつ家庭の状況への理解と支援に関する記述として，適切なものを○，不適切なものを×とした場合の正しい組み合わせを一つ選びなさい。　【令和5年前期・問15】

A　外国人の親は，言語が異なることでコミュニケーションが上手く取れない場合，孤立し，孤独感をもつことがあるため，送迎時などに丁寧に関わり，問題を把握する必要がある。

B　外国人であることや外見の違いから子どもがいじめられるのではないか，複数の文化的背景を持つ中で子どもはどのような性格になっていくか，子どもの文化的アイデンティティはどうなるか不安を抱く親もいる。

C　日本の文化や習慣に子どもや保護者が早く慣れるよう，特別な個別の支援を行う必要はない。

D　必要に応じて，園だよりや連絡帳の文章の漢字に読み仮名をつけたり，日常でも平易な単語や短い文章で表現するように工夫を行う。

（組み合わせ）

	A	B	C	D
1	○	○	○	×
2	○	○	×	○
3	○	×	×	○
4	×	○	×	○
5	×	×	×	○

ポイント

外国籍家庭だけでなく，子育て支援に関する問題は出題率が高い。子育て支援の基本である「理解と受容」をベースに，保育士として適切な対応，支援は何か？　という視点から問題を考える必要がある。「保育の心理学」の内容をふまえ，「保育原理」の子育て支援や「保育所保育指針」など，関連する科目の内容も確認しておこう。

解説

Ⓐ○ **コミュニケーションが取れないことは，保護者の孤立感や孤独感につながる。**
コミュニケーションがスムーズに取れない保護者は疑問や困りごとを周囲に
伝えることが難しく，一人で抱え込むことになる可能性がある。なので保育
士が丁寧に関わり，保護者の**ニーズを把握**する必要がある。

Ⓑ○ **外見の違いや異なる社会習慣など，他児との違いは子育ての不安要因となる。**
自分が経験してきた文化や社会的習慣と異なる場所での子育ては戸惑いも多
くなる。保育士からすると気にならないことであっても，不安に感じている
保護者の**気持ちを受容**する姿勢が求められる。

Ⓒ× **保護者支援は，状況に応じて個別の支援を行うように努める。**
外国籍家庭の保護者という共通項があったとしても，日本語の理解度や日本
での生活期間など各保護者の状況やニーズは異なっている。その違いに応じ
た**丁寧な支援**を行っていく。

Ⓓ○ **可能な範囲で保護者の状況に合わせた対応をすることが求められる。**
子どもの様子や園からのお知らせを保護者に理解してもらうことは，子ども
の発達に関わってくる。保護者により伝わる表現にしたり，イラストや現物
を用いるなどの工夫が求められる。

正答　**2**

 CHECK

保護者に対する相談・援助の基本
●**相談・援助の基本**
・一人一人の保護者の状況やその意向を**理解**，**受容**し，それぞれの親子関係や
家庭生活等に配慮しながら，さまざまな機会をとらえ，適切に援助すること。
（保育所保育指針第1章「保育の方法　カ」）
・子どもに障害や発達上の課題が見られる場合や外国籍家庭などは，保護者の
状況に応じて個別の支援を行うよう努める。
（保育所保育指針第4章「保護者の状況に配慮した個別の支援」）

●**相談・援助の実際**
保育所における相談・援助は，登・降所時，個別相談など，日常保育のさまざ
まな機会をとらえて行われる。子育て支援を行う際には，保育士は，保護者の
家庭環境や子育てについての考え，障害への理解など，一人一人違うことを踏
まえて，状況に合わせた丁寧な支援が求められる。

1 保育の心理学 08

子どもの心的外傷体験

　次のうち，乳幼児期から児童期の心的外傷（トラウマ）体験についての記述として，適切な記述を○，不適切な記述を×とした場合の正しい組み合わせを一つ選びなさい。　【令和4年前期・問19】

A　1歳児は，トラウマの反応を示しはするが，心的外傷後ストレス障害（PTSD）を発症することはない。

B　夫婦間暴力の目撃は，乳幼児にとって心的外傷になりうる。

C　乳幼児期には，トラウマの内容として，性的虐待は含まれない。

D　乳幼児期において，注意欠如は，トラウマ後の反応としてはみられないため，これがみられれば心的外傷後の反応である可能性は低い。

E　乳幼児期に虐待をうけ，トラウマ反応がある場合，それは心理的，行動上の反応であるが，脳の機能的，器質的問題がその時点で進行している可能性はない。

	A	B	C	D	E
1	○	○	○	○	×
2	○	○	×	○	○
3	○	×	○	○	○
4	×	○	×	×	×
5	×	×	×	×	×

ポイント

心的外傷に関する問題は，保育の心理学，子どもの保健ともに出題されるテーマである。また虐待との関連も深いため，**被虐待児にみられる症状や様子**とあわせて学習しておくこと。

解説

A × **1歳児でも心的外傷後ストレス障害を発症することがある。**
DSM-5（精神疾患の分類と診断の手引き）には，**6歳以下**の子どもの心的外傷後ストレス障害（**PTSD**）の診断基準の記載がある。

B ○ **夫婦間暴力の目撃は，心的外傷になりうる。**
年齢や世代の違いに関わらず，他人に起こった出来事を直に目撃することは心的外傷になりうる。

C × **性的虐待は，心的外傷となりうる。**
DSM-5におけるPTSDの診断基準に，「性的暴力を受ける出来事」との記載があり，**性的虐待は心的外傷となりうる**。これは成人，6歳以上の子ども，6歳以下の子どもに共通している。

D × **注意欠如は，心的外傷後の反応の一つである。**
心的外傷的出来事の後に発現するものには「人や物に対する**いらだたしさと激しい怒り**」「**過度の警戒心**」「**集中困難**」などがある。**注意欠如**も心的外傷後の反応の一つである。

E × **虐待は，脳の発達に影響を及ぼす可能性がある。**
言葉による虐待や長期かつ継続的な体罰による**ストレスにより本来とは異なる形や大きさに変形**し脳の発達に悪影響を与える研究結果が報告されている。

正答　4

 CHECK

心的外傷後ストレス障害（PTSD）
死に直面するような体験の後に発症する精神的な疾患。DSM-5によると，自分の意志とは関係なく，「**再体験（フラッシュバック）**」や「**過覚醒（睡眠障害・過度の警戒心）**」などの症状が**1か月以上続く**場合に診断される。
心的外傷の主な要因
自然災害（**地震・火災・台風**），社会的不安（戦争・暴動），生命の危機に関わる体験（暴力・事故・**虐待**），喪失体験（家族や友人の死，**大切な物の喪失**）。
子どもに見られる心的外傷体験による主な症状
1．手足が動かなくなる，頭痛・腹痛，吐き気，めまいなどを起こす。
2．**些細な物音に驚く。**
3．**心的外傷体験を思い出す遊び**や話をする。
4．表情が少なくなり，**泣くことができなくなる。**
5．自分の体をたたく，傷つけるなどの**自傷行為**がでることがある。
6．幼児語の使用，赤ちゃんがえりなど著しい**退行**が見られる。

次の文は，認知の発達に関する記述である。（　A　）〜（　E　）にあてはまる用語を【語群】から選択した場合の正しい組み合わせを一つ選びなさい。

【令和3年後期・問8】

　ピアジェ（Piaget, J.）は，子どもが世界を認識する過程には，（　A　）に異なる4つの段階があると考えた。まず，誕生から2歳頃までは「感覚運動期」と呼ばれ，子どもは身近な環境に身体の感覚や動作を通して関わり，外界を知っていく。次に，2〜7歳頃は「（　B　）」と呼ばれ，イメージや言葉を用いて世界を捉えることが可能になるが，物の見かけに捉われやすく論理的な思考には至らない。学童期に相当する「（　C　）」では，量や数の（　D　）を理解して脱中心的な思考が可能になる。その後，おおよそ12歳以降は最終段階である「（　E　）」にあたり，記号や数字といった抽象的な事柄についても論理的な思考が可能になっていく。

【語群】

ア	質的	イ	前操作期	ウ	量的	エ	形式的操作期
オ	抽象的操作期	カ	保存	キ	永続性	ク	具体的操作期

（組み合わせ）

	A	B	C	D	E
1	ア	イ	オ	カ	エ
2	ア	イ	ク	カ	エ
3	ウ	エ	オ	キ	ク
4	ウ	エ	ク	カ	オ
5	ウ	ク	エ	キ	オ

🔍 **ポイント**

ピアジェの研究や考えは子どもの発達理論を学ぶ上で非常に重要である。ピアジェの認知発達に関する理論は難しいところもあるが，CHECKにあるように，発達段階に沿って理解することが大切である。

解説

Ⓐ-ア ピアジェは，子どもの認知発達は質的に異なる4つの段階があるとした。
ピアジェは，子どもの認知発達には，質的に異なる**4つの段階**「**感覚運動期**」「**前操作期**」「**具体的操作期**」「**形式的操作期**」があるとした。

Ⓑ-イ ピアジェは，2～7歳頃を「前操作期」と呼んだ。
「**前操作期**」はさらに，前半の2～4歳頃を「**前概念的思考の段階**」，後半の5～7歳頃を「**直観的思考の段階**」に分類することができる。

Ⓒ-ク 学童期（小学生の頃）を「具体的操作期」と呼んだ。
「**具体的操作期**」は，物の見かけに捉われず，具体的なことであれば論理的に考えることができるようになる時期である。

Ⓓ-カ 具体的操作期では，保存の概念を理解できるようになる。
保存の概念とは，ものの物理的特徴（見かけ）が変化しても，量や重さなどの本質的な特徴は変化しないことを理解，認識することである。

Ⓔ-エ ピアジェは，認知発達の最終段階を「形式的操作期」と呼んだ。
おおよそ12歳以降の特徴である「**形式的操作期**」には，抽象的な概念や仮説的推理などについても言葉や記号などを用いて思考することができる。

正答　2

 CHECK
ピアジェの認知発達理論

段階	おおよその年齢	特徴
感覚運動期	0～2歳	感覚と運動的活動を通して外界の事物を認知する。循環反応がみられる時期。 第1次循環反応（生後1～4か月頃） 第2次循環反応（生後4～8か月頃） 第3次循環反応（生後12～16か月頃）
前操作期	2～7歳	前半の時期（2～4歳頃）は「前概念的思考の段階」といい，後半の時期（5～7歳頃）は「直観的思考の段階」という。
具体的操作期	7～12歳	具体物に即していれば，論理的な思考ができる。保存の概念の獲得。
形式的操作期	12歳以降	現実から離れた抽象的な概念や仮説的推理など，複雑な思考ができるようになる。

ベスト過去問 編

難易度 ★★　　頻出度 ★★

1 保育の心理学 10

学習日 ／　／　／

学童期以降の仲間関係

　　次の文は，学童期以降の仲間関係に関する記述である。（　A　）～（　E　）にあてはまる語句を【語群】から選択した場合の正しい組み合わせを一つ選びなさい。

【令和3年前期・問10】

　小学生の中・高学年に形成される（　A　）の高い仲間集団は（　B　）と呼ばれる。（　B　）は，一緒に同じ活動に熱中することで得られる一体感や充実感を活力源とする集団である。一方，中学生頃の女児にしばしばみられる（　C　）は，お互いの感覚が同じであり「分かり合っている」ことを確認し，誇示する仲間集団である。（　C　）が（　B　）と異なるのは，単に同じ活動を共に行うだけでなく，共通の趣味や話題を核とした密接な関わりをもつ点にある。だが，どちらも（　D　）な性質をもつことは共通した特徴である。

　しかし，現代では，遊び場の減少や（　E　）の進行，ゲームなどの遊び方の変化により，こうした仲間集団のあり方が変化しているといわれる。

【語群】

ア	凝集性	イ	ギャング・グループ	ウ	拡散性
エ	チャム・グループ	オ	親和的	カ	ピア・グループ
キ	少子化	ク	排他的	ケ	高齢化

（組み合わせ）

	A	B	C	D	E
1	ア	イ	エ	ク	キ
2	ア	イ	カ	オ	ケ
3	ア	イ	カ	ク	キ
4	ウ	エ	イ	ク	キ
5	ウ	カ	エ	オ	ケ

◯◯ ポイント

ギャング・グループ等，学童期以降の仲間関係に関する問題は，頻出テーマではないが，学童期以降に関する学習内容の中では出題率が高い内容である。ギャング・グループの特徴など，基本的な内容をよく確認しておこう。

解説

Aはア-凝集性，Bはイ-ギャング・グループ，Cはエ-チャム・グループ，Dはク-排他的　Eはキ-少子化である。

・**ギャング・グループ**：**学童期中期から後期**にみられる仲間集団である。同性同年齢の仲間集団で，排他性，閉鎖性が強いことが特徴で，大人の目や干渉を逃れながら，自分たちの秘密のルールを作るなど，結束力の強い仲間集団である。しかし近年，少子化や遊び場の減少などにより，ギャング・グループは**減少傾向**である。

・**チャム・グループ**：**思春期前半（中学生頃）**にみられる**仲良しグループ**で特に女子にみられる。同じ趣味や興味などを通して関係が作られ，いつも一緒の行動をとり，秘密を共有するなどして，「私たち同じね」と確認し合うことで友情が成立する。

・**ピア・グループ**：**思春期後半（高校生頃）**にみられる友人関係で，互いの価値観や理想，将来の生き方を語り合い，興味や関心の対象や行動が違っていても，他者尊重ができ，お互いの友情を確認できる関係。

解答　1

 CHECK

学童期・思春期に関するキーワード

保存の概念の成立	保存とは，個体の見かけが変化しても，量や重さ，体積などの本質的な特徴は変化しないこと。保存の概念は学童期に成立する。 （例）イチゴとリンゴを等間隔に並べ，子どもの目の前でリンゴの間隔を広げると，見た目の違いを理解したうえで数が同じであると正しい判断ができる。 **「数の保存」の実験** ① ②  片方の列の間隔を広げる
社会的比較	他者と比べてどのくらいできるのか，またはできないのかを比較することで，自分の位置づけをするようになる。小学校に入り獲得する能力。
メタ認知	自分の認知活動についての認知のこと。自分の思考過程を自覚することができるようになり，その過程をモニターしたり，結果を予測したり，分析したりするようになることである。幼児期後期から学童期にかけて発達していく。
心理的離乳	青年期における用語で，親との依存関係を減少させ精神的に自立すること。

難易度 ★　　頻出度 ★★★

2 保育原理 01

学習日 ／　／　／

保育所の役割（保育所保育指針）

　次の文は、「保育所保育指針」第1章「総則」の1「保育所保育に関する基本原則」の（1）「保育所の役割」に関する記述である。適切な記述を〇、不適切な記述を×とした場合の正しい組み合わせを一つ選びなさい。

【令和元年後期・問2】

A　保育所は、保育を必要とする子どもの保育を通して、子どもの身体の発達を図ることを目標とした児童自立支援施設である。

B　保育所は、入所する子どもの保護者に対する支援や地域の子育て家庭に対する支援を行う役割を担っている。

C　保育所の保育士は、子どもの保育を行うとともに、子どもの保護者に対する保育に関する指導を行う役割がある。

（組み合わせ）

	A	B	C
1	〇	〇	〇
2	〇	〇	×
3	×	〇	〇
4	×	×	〇
5	×	×	×

ポイント

「保育所保育指針」第1章「総則」では、「保育所の役割」をはじめとする「保育所保育に関する基本原則」が規定されている。「保育所保育指針」第1章は出題率が高いため、しっかり確認しておく必要がある。

解説

Ⓐ✕ 保育所は，児童福祉施設の一つである。

保育所は，保育を必要とする子どもの保育を行い，その健全な心身の発達を図ることを目的とする**児童福祉施設**である。

Ⓑ〇 保育所は，保護者支援や子育て支援を行う役割を担っている。

保育所は，入所する子どもの**保護者に対する支援**及び**地域の子育て家庭に対する支援**等を行う役割を担っている。

Ⓒ〇 保育士は，子どもの保育と保護者への保育指導の役割を担っている。

保育士は，子どもを保育するとともに，子どもの**保護者に対する保育に関する指導**を行う役割を担っている。

正答 **3**

保育所の役割

「保育所保育指針」 第 1 章「保育所保育に関する基本原則」より

①保育所は，児童福祉法39条の規定に基づき，保育を必要とする子どもの保育を行い，その**健全な心身の発達を図る**ことを目的とする**児童福祉施設**であり，入所する**子どもの最善の利益**を考慮し，その福祉を積極的に増進することに最もふさわしい生活の場でなければならない。

②保育所は，その目的を達成するために，保育に関する専門性を有する職員が，家庭との緊密な連携の下に，子どもの状況や発達過程を踏まえ，保育所における環境を通して，**養護**及び**教育**を一体的に行うことを特性としている。

③保育所は，入所する子どもを保育するとともに，家庭や地域の様々な社会資源との連携を図りながら，入所する子どもの**保護者に対する支援**及び地域の**子育て家庭に対する支援**等を行う役割を担うものである。

④保育所における保育士は，児童福祉法18条の４の規定を踏まえ，保育所の役割及び機能が適切に発揮されるように，**倫理観**に裏付けられた**専門的知識，技術及び判断**をもって，**子どもを保育**するとともに，子どもの**保護者に対する保育に関する指導**を行うものであり，その職責を遂行するための専門性の向上に絶えず努めなければならない。

一問一答編

ベスト過去問編

本試験編

② 保育原理 02

諸外国の人物

　次のうち，保育の発展に寄与した人物とその主な功績についての記述として，適切なものを○，不適切なものを×とした場合の正しい組み合わせを一つ選びなさい。　【令和5年前期・問18】

A コダーイ（Kodály, Z.）は，ハンガリーの作曲家である。民俗音楽による音楽教育法はのちに「コダーイ・システム」などにまとめられ，幼児教育にも活用された。

B エレン・ケイ（Key, E.）は，フランスにおいて，放任されていた子どもたちのための教育を始めた。このうちの幼児学校（幼児保護所）では，子どもの保護のみならず，楽しく遊ぶことや教育も実施された。

C フレーベル（Fröbel, F.W.）は，ドイツの教育者で，世界で最初の幼稚園を創設した。彼の哲学的な人間教育に根ざした幼稚園教育は他の多くの国の幼児教育に大きな影響を与えた。

D モンテッソーリ（Montessori, M.）は，スウェーデンの社会運動家であり教職に就く傍ら多くの著作を世に出した。代表作に『児童の世紀』がある。

（組み合わせ）

	A	B	C	D
1	○	○	○	×
2	○	○	×	×
3	○	×	○	×
4	×	○	×	○
5	×	×	○	○

ポイント

今日の保育に影響を及ぼした諸外国の人物に関する出題が多く見受けられる。誰が，何を著し，どのような教育思想を唱えたのか，しっかり確認しておこう。

解説

Ⓐ○ コダーイはハンガリーの作曲家でコダーイ・システムを考案した。
「**コダーイ・システム**」は，**わらべうた**を音楽教育の基本とし，遊びながら
歌の**音程**や**リズム**を整え，音楽を表現する力を育てるものである。

Ⓑ× 幼児学校（幼児保護所）を創設したのは，オーベルランである。
フランスの**オーベルラン**は，**世界初の保育施設**の**幼児学校**を創設。**エレン・ケイ**は，『**児童の世紀**』で「20世紀は児童の世紀」との言葉を残した。

Ⓒ○ フレーベルは世界で最初の幼稚園を創設し，教育玩具の「恩物」を考案。
フレーベルは，**世界初の幼稚園**である「**キンダーガルテン**」を創設。『**人間の教育**』において遊びの重要性を説き，「**恩物**」を考案した。

Ⓓ× モンテッソーリは「子どもの家」を創設し，感覚訓練の重要性を説いた。
モンテッソーリは，イタリア初の女性医学博士で，「**子どもの家**」を創設。幼児期における**感覚の訓練**の重要性を説き，**モンテッソーリ教具**を考案。

正答 **3**

CHECK
その他の諸外国の人物

コメニウス	『**世界図絵**』（世界で最初の挿し絵入り教科書）と『**大教授学**』（世界で最初の体系的教育書）を著した。
ルソー	『**エミール**』で，自然主義の教育（消極的教育）を提唱。「子どもの発見の書」とも呼ばれる。『社会契約論』の著者でもある。
デューイ	『**学校と社会**』で，「子どもが太陽となり，その周囲を教育のさまざまな営みが回転する」と述べ，児童中心主義の新教育を提唱。
マクミラン姉妹	1914年，ロンドンに**保育学校**を創設。健康増進と生活習慣形成を保育の特徴とする。
エル・ハウ	・神戸に**頌栄幼稚園**，**頌栄保姆伝習所**を設立。 ・1897年，フレーベルの『母の遊戯及育児歌』を翻訳出版。
オーエン	19世紀のイギリスで，劣悪な環境で働かされる子どもたちを保護するために「**性格形成学院（イギリスの幼児学校）**」を設立。
ペスタロッチ	『**隠者の夕暮れ**』で「玉座にあっても木の葉の屋根の蔭に住まっても同じ人間」と述べ，人間の平等性を説いた。
オーベルラン	18世紀のフランスにて，放任されていた子どもたちのために『**幼児保護所（フランスの幼児学校）**』を設立。世界発の集団保育施設。

ベスト過去問編

難易度 ★★★　頻出度 ★★

2 保育原理 03

学習日
／　／　／

保育制度の変遷

　次のうち，日本の保育制度の変遷に関する記述として，適切な記述を○，不適切な記述を×とした場合の正しい組み合わせを一つ選びなさい。

【令和4年前期・問3】

A　1999（平成11）年，文部省と厚生省の幼児教育に関わる担当局長の連名による通知においてはじめて，「保育所のもつ機能のうち，教育に関するものは，幼稚園教育要領に準ずることが望ましいこと」とされた。

B　2008（平成20）年，「保育所保育指針」は大臣告示として改定され，規範性を有する基準としての性格が明確になった。

C　2017（平成29）年の「保育所保育指針」改定で，教育に関わる側面のねらい及び内容に関して，「幼稚園教育要領」，「幼保連携型認定こども園教育・保育要領」との整合性を図った。

D　2012（平成24）年の子ども・子育て支援新制度により，保育所が幼児教育を行う施設として位置づけられた。

（組み合わせ）

	A	B	C	D
1	○	○	○	×
2	○	×	○	○
3	×	○	○	×
4	×	○	×	○
5	×	×	○	×

🔍 ポイント

日本の保育制度の歴史については，児童福祉施設としての保育所の変遷や，保育所保育指針，各関連法の改訂・改正など含めて，一連の流れを丁寧に確認しておくことが重要である。

解説

Ⓐ× **1963（昭和38）年，保育所と幼稚園の保育内容の統一化がなされた。**
1963（昭和38）年に出された「**幼稚園と保育所との関係について**」において，保育所と幼稚園の**保育内容の統一化**が図られた。

Ⓑ◯ **保育所保育指針は，2008（平成20）年の改定において大臣告示となった。**
2008（平成20）年の保育所保育指針改定において，**厚生労働大臣告示**となり，規範性を有する基準となった。

Ⓒ◯ **保育所保育指針は，2017（平成29）年に幼稚園等との整合性が図られた。**
2017（平成29）年の保育所保育指針改定において，**幼稚園教育要領や幼保連携型認定こども園教育・保育要領との整合性**が図られた。

Ⓓ× **2012（平成24）年，幼保連携型認定こども園が施設として位置づけられた。**
2012（平成24）年の子ども・子育て支援新制度により，**幼保連携型認定こども園は，幼児教育を行う施設**として位置づけられた。

正答　**3**

CHECK
保育の変遷

1948（昭和23）年	「保育要領」（文部省） →幼稚園，保育所，家庭を対象とした保育の手引き書
1956（昭和31）年	1948年作成「保育要領」を「**幼稚園教育要領**」へと改訂 →6領域「健康・社会・自然・言語・音楽リズム・絵画制作」
1963（昭和38）年	「幼稚園と保育所の関係について」 →保育所と幼稚園の保育内容の統一化
1965（昭和40）年	「**保育所保育指針**」（厚生省・通知） →4歳以上については幼稚園教育要領に準じ6領域
1990（平成2）年	「保育所保育指針」第1次改訂 →5領域「健康・人間関係・環境・言葉・表現」
1999（平成11）年	「保育所保育指針」第2次改訂 →地域子育て支援の役割明記　等
2008（平成20）年	「保育所保育指針」第3次改訂 →告示化と解説書
2017（平成29）年	「保育所保育指針」第4次改訂 ・幼児教育において育みたい資質・能力 ・幼児期の終わりまでに育ってほしい姿 ・「総則」に「養護に関する基本的事項」　等

② 保育原理 04

保育の振り返り（絵本の読み聞かせ）

　　　次の保育所での【事例】を読んで，【設問】に答えなさい。【令和5年前期・問17】

【事例】

　実習生のMさんは，初めて2歳児クラスで絵本の読み聞かせに取り組んだ。集中して絵本を見る子どももいるが，声を出したり，立ち上がったり，歩き回ったりする子どももいて，Mさんは対応に困りながらも何とか絵本を読み終えた。

【設問】

　次のうち，実習生Mさんの振り返りの記述として，「保育所保育指針」第1章「総則」，第2章「保育の内容」に照らし，適切なものを○，不適切なものを×とした場合の正しい組み合わせを一つ選びなさい。

A　集中して絵本を見ている子どものじゃまをしてしまうので，声を出したり，立ち上がったり，歩き回ったりする子どもをしっかり注意するべきだった。

B　絵本に自然に子どもの関心が向くように，自分の読む位置に配慮したり，ござやマットを用意するなど，環境面で工夫ができないかを考えてみよう。

C　読み聞かせのときに声を出したり，立ち上がるのは，絵本に興味を持っていることの表れかもしれない。子どもなりの反応を肯定的に捉えてみよう。

D　子どもに何も声をかけられなかったが，2歳児クラスの子どもにはまだ何を言っても伝わらないから問題はないだろう。

E　選んだ絵本が，子どもの興味や関心に添うものだったかを検討してみよう。

（組み合わせ）

	A	B	C	D	E
1	○	○	×	○	×
2	○	×	○	×	○
3	×	○	○	×	○
4	×	×	○	○	○
5	×	×	×	×	○

ポイント

保育所保育指針の第1章や第3章には，「子どもの発達について理解し，一人一人の発達過程に応じて保育すること。その際，子どもの個人差に十分配慮すること」や「絵本や物語等に親しむ段階」と示されている。2歳児の発達を理解した上で，保育士としての配慮や準備すべき点について確認しておく必要がある。

解説

Ⓐ× 声を出したり歩き回ったりする子どもを注意するのは不適切な対応。

2歳児は，さまざまなことに興味を持ち始めて，絵本に対する関心にも個人差があり，集中を継続するのは難しい。

Ⓑ○ 絵本に子の関心が向くように工夫ができないかと考えるのは適切。

選択肢Ａのように注意をするのではなく，**子どもの目線**に立って絵本に関心が向くような**環境面での工夫**を考えることは，適切である。

Ⓒ○ 子どもの目線に立って子どもなりの反応を肯定的に考察することは適切。

発声したり立ち上がる反応を絵本に対する興味の表れととらえて，子ども視点で肯定的に考えることは，**子どもの発達を理解**するうえでも適切である。

Ⓓ× 2歳児だからと読み聞かせ後の反応や関心度を確認しないことは不適切。

2歳児で理解が不十分だからといって，絵本の読み聞かせの後の**声かけをせず**，反応や本の関心の**様子を確認しない**ことは不適切である。

Ⓔ○ 選んだ絵本に対する子どもの興味や関心を検討することは，適切である。

選んだ絵本が，**子どもの興味や関心に沿うもの**だったか検討することは，今後の読み聞かせ活動を行ううえで，非常に有効であり適切である。

正答 **3**

CHECK

絵本の読み聞かせ

●保育所保育指針第2章

（1歳以上3歳未満児の保育に関わるねらい及び内容）

・玩具，絵本，遊具などに興味をもち，それらを使った遊びを楽しむ。

・絵本や紙芝居を楽しみ，簡単な言葉を**繰り返し**たり，**模倣**をしたりして遊ぶ。

●絵本を読むときの準備と注意事項

① **年齢や発達**にあった題材を選ぶ

② 会場にあった大きさの絵本を選ぶ（広さや人数）

③ 子どもたちの前で読む前に**下読み**を必ずする

④ **表紙や裏表紙**にも物語が含まれることがあることを理解しておく。

⑤ 子どもが楽しめるように保育士は絵本のストーリーや展開をよく理解しておく。

⑥ 読み聞かせをする環境を整える

・子どもたちが絵本に集中できる場所を選ぶ（照明，日光などにも注意）

・読み手（保育士）の後ろに気を引くものがないようにする

⑦ 一方的に進めるのではなく，**子どもの様子**に合わせて読む。

次の図は，「保育所保育指針」第1章「総則」（2）「幼児期の終わりまでに育ってほしい姿」の一部を図に表したものである。図中の（　A　）～（　C　）にあてはまる語句の正しい組み合わせを一つ選びなさい。

【令和3年前期・問2】

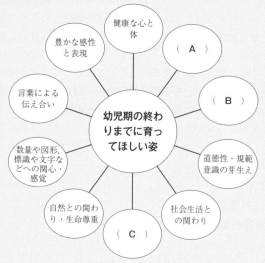

（組み合わせ）

	A	B	C
1	自立心	協調性	探求心の芽生え
2	自立心	協同性	思考力の芽生え
3	自律心	協同性	思考力の芽生え
4	自律心	協調性	思考力の芽生え
5	自立心	協同性	探求心の芽生え

🔍 ポイント

「保育所保育指針」第1章「総則」では，「幼児期の終わりまでに育ってほしい姿」として，10の姿が示されている。この内容は，「幼稚園教育要領」や「幼保連携型認定こども園教育・保育要領」においても記載されているので，しっかり確認しておくこと。

解説

A-自立心, B-協同性, C-思考力の芽生えが入る。
幼児期の終わりまでに育ってほしい姿として,自立心等10の姿がある。

「幼児期の終わりまでに育ってほしい姿」とは,保育活動全体を通して資質・能力が育まれている子どもの小学校就学時の具体的な姿であり,保育士等が指導を行う際に考慮するものである。

正答　**2**

CHECK

幼児期の終わりまでに育ってほしい姿（抜粋）

① 健康な心と体
② 自立心
③ 協同性
④ 道徳性・規範意識の芽生え
⑤ 社会生活との関わり
⑥ 思考力の芽生え
⑦ 自然との関わり・生命尊重
⑧ 数量や図形,標識や文字などへの関心・感覚
⑨ 言葉による伝え合い
⑩ 豊かな感性と表現

難易度 ★★ 頻出度 ★★★

2 保育原理 06

学習日 / / /

日本の保育の発展に貢献した人物

次の【Ⅰ群】の記述と,【Ⅱ群】の人物を結びつけた場合の正しい組み合わせを一つ選びなさい。 【令和4年前期・問15】

【Ⅰ群】

A 華族女学校附属幼稚園に勤めていたが,貧しい子どもたちを対象とする幼児教育の必要性を感じ,森島峰とともに二葉幼稚園を設立した。

B リズミカルな歌曲に動作を振り付けた「律動遊戯」と童謡などに動作を振り付けた「律動的表情遊戯」を創作した。

C 東京女子師範学校附属幼稚園の創設時の主任保姆として保姆たちの指導にあたり,日本の幼稚園教育の基礎を築いた。

D 恩物中心主義の保育を批判し,著書『幼稚園保育法』（明治37年）において,幼児の自己活動を重視するとともに遊戯の価値を論じた。

【Ⅱ群】

ア 松野クララ
イ 土川五郎
ウ 東基吉
エ 野口幽香
オ 倉橋惣三

（組み合わせ）

	A	B	C	D
1	ア	イ	エ	ウ
2	ア	ウ	エ	オ
3	エ	イ	ア	ウ
4	エ	イ	ア	オ
5	エ	ウ	ア	イ

ポイント

日本の近代保育に貢献した人物に関する問題である。現在の保育に影響を及ぼした人物について,「誰が」「何を創設」したかについて,しっかり確認しておく必要がある。

 解説

Ⓐ-エ 野口幽香は，森島峰とともに二葉幼稚園を創設した。

野口幽香の創設した**二葉幼稚園**は，養護と教育を施す保育所の原型といわれる。

Ⓑ-イ 土川五郎は，律動遊戯や律動的表情遊戯を創作した。

土川五郎は，リズミカルな歌曲に動作を振り付けた「律動遊戯」や童謡などに動作を振り付けた「**律動的表情遊戯**」を創作した。

Ⓒ-ア 松野クララは，東京女子師範学校附属幼稚園の主任保姆を務めた。

ドイツの保姆養成所で学んだ**松野クララ**は，**東京女子師範学校附属幼稚園**の**初代主任保姆**として，保姆たちの指導を担った。

Ⓓ-ウ 東基吉は，著書『幼稚園保育法』において，幼児の自己活動を重視した。

東基吉の著書『**幼稚園保育法**』は，日本で最初の体系的保育論といわれる。

正答 **3**

CHECK **日本の人物**

関信三	1876（明治9）年に創設した「**東京女子師範学校附属幼稚園**」において，初代監事（園長）を務めた。
石井十次	1887（明治20）年，「**岡山孤児院**」を創設した。
赤沢鍾美	1890（明治23）年に**赤沢鍾美・仲子夫妻**が開設した「**新潟静修学校付設託児所**」は，1908（明治41）年に「**守孤扶独幼稚児保護会**」へと改称した。
石井亮一	1891（明治24）年，知的障害児施設「**孤女学院**」を創設した（翌年「**滝乃川学園**」へと改称）。
留岡幸助	1899（明治32）年，感化施設「**家庭学校**」を創設した。
野口幽香	1900（明治33）年，森島峰とともに「**二葉幼稚園**」を創設した。
橋詰良一	1922（大正11）年，大阪において園舎をもたない幼稚園「**家なき幼稚園**」を創設した。
倉橋惣三	・『**コドモノクニ**』や『**キンダーブック**』の編集に携わる。 ・『**系統的保育案の実際**』→誘導保育を提唱。 ・『**育ての心**』→「子どもの心もち」に寄り添うことの重要性を提唱。 ・『**幼稚園保育法真諦**』→児童中心主義の保育の重要性を提唱。
城戸幡太郎	・社会中心主義の保育を提唱。 ・「保育問題研究会」を発足。

一問一答編

ベスト過去問編

本試験編

ベスト過去問編

難易度 ★　　頻出度 ★★★

2 保育原理 07

学習日
／　／　／

子ども同士のトラブル

次の【事例】を読んで，【設問】に答えなさい。　　　　　【令和2年後期・問8】

【事例】

　N保育所の4歳児クラスで，外遊びから戻ってきた子どもたちが，麦茶を飲もうと列に並び始めた。S児，Y児が順番に並んでいった。先頭のS児が後方に並んでいたM児に呼ばれ少しだけ列の横に動いた。S児がその場を離れると予想したのか，前に並びたいという気持ちが働いたのか，Y児が先頭に並ぼうと前に出た。S児が「やめて。僕が一番なんだから」と強く言うが，Y児は譲らず，2人がつかみ合いになった。担当保育士がやってきて，「どうしたの？」と言いながら間に入った。近くにいた子どもたちがじっとその様子を見ていた。担当保育士は，保育室の隅に2人を連れていきそれぞれに状況や理由を聴き始めた。先ほどから2人のいざこざの様子を見ていたM児がそばにやってきて，「あのね，私がSちゃんに・・・」といざこざになった理由を説明し始めた。

【設問】

　担当保育士の子どもへの対応として，「保育所保育指針」第1章「総則」の1「保育所保育に関する基本原則」，3「保育の計画及び評価」及び第2章「保育の内容」の3「3歳以上児の保育に関するねらい及び内容」に照らして，適切な記述を○，不適切な記述を×とした場合の正しい組み合わせを一つ選びなさい。

A　最も重要なことは，2人のいざこざの理由を当事者のそれぞれが自分で説明することなので，自分のこと（列に並んで麦茶を飲むこと）に専念するようM児をその場から遠ざける。

B　当事者それぞれが状況や理由を言葉で主張しあうことも大切だが，クラスの子どもが友達のいざこざに関心をもち，解決のプロセスに参加するように援助する。

C　いざこざは，当事者が一番わかっていることなので，他の子どもが野次馬的な感情で参加することはいけないことだと，このような機会をとらえて全体に指導する。

D　4歳児クラスとして規範意識の育ちを促す良い機会なので，周囲の子どもと一緒にどうしたらよいかを考える。

E　M児は自分がS児に呼びかけた結果，トラブルになったことで責任を感じているのかもしれない。M児の気持ちも配慮しながら，いざこざに対する援助をする。

（組み合わせ）

	A	B	C	D	E
1	○	○	○	×	×
2	○	○	×	○	×
3	×	○	○	○	○
4	×	×	○	×	○
5	×	×	×	×	○

ポイント

子ども同士のトラブルに関する事例の場合，まず，何歳児クラスの場面であるかを確認したうえで，保育士として適切な対応を，保育所保育指針第2章「保育の内容」と照らして確認しておく必要がある。

 解説

Ⓐ✕ 保育士は，子どもの気持ちに寄り添った援助を行う。

子ども同士のトラブルにおいては，それぞれの子どもに言い分があるため，双方の子どもの気持ちに**寄り添った**対応を心がける。

Ⓑ○ いざこざの解決プロセスに，子ども達を参加させることは大切である。

感情的な行き違いや自他の欲求の対立をどのようにして解決するか，子ども達に経験させることは重要である。

Ⓒ✕ 子ども同士のいざこざや葛藤は，大切な学びの機会となる。

子どもは，いざこざを通して，自分の視点だけでなく相手の視点から考えることを学ぶ。当事者だけでなく，他児にとっても**学びの機会**となる。

Ⓓ○ いざこざの解決策を考えることは，規範意識の育ちを促す機会となる。

「順番に並ぶ」というきまりを守らなかったために起こった問題の解決策を考えることは，子ども達に**規範意識の育ち**を促す機会となる。

Ⓔ○ 保育士は，子どもの気持ちに寄り添った援助を行う。

子ども同士のトラブルにおいては，それぞれの子どもに言い分があるため，それぞれの子どもの気持ちに**寄り添った**対応を心がける。

正答 **3**

CHECK

3歳以上児への保育士の対応

「保育所保育指針」第2章「保育の内容」3「3歳以上児の保育のねらい及び内容」の「人間関係」④，⑤より

・道徳性の芽生えを培うに当たっては，基本的な**生活習慣の形成**を図るとともに，子どもが他の子どもとの関わりの中で他人の存在に気付き，**相手を尊重する気持ち**をもって行動できるようにし，また，**自然や身近な動植物**に親しむことなどを通して**豊かな心情**が育つようにすること。特に，人に対する信頼感や思いやりの気持ちは，葛藤やつまずきをも体験し，それらを乗り越えることにより次第に芽生えてくることに配慮すること。

・集団の生活を通して，子どもが人との関わりを深め，**規範意識の芽生え**が培われることを考慮し，子どもが保育士等との**信頼関係**に支えられて自己を発揮する中で，互いに思いを**主張**し，**折り合い**を付ける体験をし，きまりの必要性などに気付き，自分の**気持ちを調整**する力が育つようにすること。

　次の（a）～（d）の下線部分のうち，「保育所保育指針」第5章「職員の資質向上」の一部として，正しいものを○，誤ったものを×とした場合の正しい組み合わせを一つ選びなさい。【令和3年後期・問10】

　職員が日々の保育実践を通じて，必要な知識及び技術の修得，維持及び向上を図るとともに，（a）保育の課題等への共通理解や（b）計画性を高め，保育所全体としての保育の（c）効率化を図っていくためには，日常的に職員同士が（d）主体的に学び合う姿勢と環境が重要であり，職場内での研修の充実が図られなければならない。

（組み合わせ）

	a	b	c	d
1	○	○	○	×
2	○	×	○	×
3	○	×	×	○
4	×	○	×	×
5	×	×	○	○

ポイント

保育所保育指針5章「職員の資質向上」では，職員の資質・専門性の向上について，キャリアパスを見据えた研修機会の充実なども含め記載されており，指針の中でも注目しておかなければならない内容である。研修の重要性や施設長の役割なども，丁寧に確認しておくことが必須である。

解説

a-○記述通りである。b-×「計画性」ではなく「協働性」である。c-×「効率化」ではなく「質の向上」である。d-○記述通りである。

保育所全体の質向上のため，職場内での研修を充実させることが重要である。

　職員が日々の保育実践を通じて，必要な知識及び技術の修得，維持及び向上を図るとともに，**保育の課題**等への**共通理解**や**協働性**を高め，保育所全体としての保育の**質の向上**を図っていくためには，日常的に職員同士が**主体的に学び合う**姿勢と環境が重要であり，**職場内での研修**の充実が図られなければならない。（「保育所保育指針」　第5章 3 職員の研修等(1)）

正答　3

 CHECK
保育所保育指針　第5章 職員の資質向上 4 研修の実施体制等
(1) 体系的な研修計画の作成
　保育所においては，当該保育所における保育の課題や各職員の**キャリアパス**等も見据えて任者から管理職員までの職位や職務内容等を踏まえた体系的な**研修計画**を作成しなければならない。
(2) 組織内での研修成果の活用
　外部研修に参加する職員は，自らの専門性の向上を図るとともに，保育所における保育の**課題**を理解し，その解決を実践できる力を身に付けることが重要である。また，研修で得た**知識及び技能**を他の職員と共有することにより，保育所全体としての保育実践の質及び**専門性**の向上につなげていくことが求められる。
(3) 研修の実施に関する留意事項
　施設長等は保育所全体としての保育実践の質及び**専門性の向上**のために，研修の受講は**特定の職員に偏る**ことなく行われるよう，配慮する必要がある。また，研修を修了した職員については，その職務内容等において，当該研修の成果等が適切に勘案されることが望ましい。

ベスト過去問編

難易度 ★★★　頻出度 ★

2 保育原理 09

学習日
／　／　／

1歳以上3歳未満児の保育の内容

　　次の表は，「保育所保育指針」第2章「保育の内容」2「1歳以上3歳未満児の保育に関わるねらい及び内容」の一部である。保育の内容欄の（　A　）・（　B　）にあてはまる記述をア〜オから選択した場合の正しい組み合わせを一つ選びなさい。　　　　　　　　　　　【令和3年前期・問12】

表

領域	保育の内容
健康	（　A　）
人間関係	（　B　）
環境	安全で活動しやすい環境での探索活動等を通して，見る，聞く，触れる，嗅ぐ，味わうなどの感覚の働きを豊かにする。
言葉	保育士等とごっこ遊びをする中で，言葉のやり取りを楽しむ。
表現	水，砂，土，紙，粘土など様々な素材に触れて楽しむ。

ア　近隣の生活や季節の行事などに興味や関心をもつ。

イ　音楽，リズムやそれに合わせた体の動きを楽しむ。

ウ　保育士等の愛情豊かな受容の下で，安定感をもって生活をする。

エ　保育所の生活の仕方に慣れ，きまりがあることや，その大切さに気付く。

オ　親しみをもって日常の挨拶に応じる。

（組み合わせ）

	A	B
1	ア	イ
2	イ	オ
3	ウ	エ
4	エ	ウ
5	オ	ア

ポイント

「保育所保育指針」第2章では，「乳児」「1歳以上3歳未満児」「3歳以上児」それぞれについて「保育の内容・ねらい」が示されている。本問は，「1歳以上3歳未満児」の「保育のねらい」について問われているが。発達段階ごとに，どんな内容が記載されているのか，整理しておく必要がある。

解説

1歳以上3歳未満児の保育のねらいは，5つの領域ごとに示されている。

Ⓐ-ウ 保育士等の愛情豊かな受容の下で，安定感をもって生活をする。

Ⓑ-エ 保育所の生活の仕方に慣れ，きまりがあることや，その大切さに気付く。

「保育所保育指針」では，1歳以上3歳未満児について，健康，人間関係，環境，言葉，表現の5つの領域別のねらいが示されている。

正答　**3**

CHECK

1歳以上3歳未満児の保育のねらい

「保育所保育指針」第2章「保育の内容」より

健康	・明るく伸び伸びと生活し，**自分から体を動かす**ことを楽しむ。 ・自分の体を十分に動かし，様々な動きをしようとする。 ・**健康，安全**な生活に必要な習慣に気付き，自分でしてみようとする気持ちが育つ。
人間関係	・保育所での生活を楽しみ，身近な人と関わる**心地よさ**を感じる。 ・周囲の子ども等への興味や関心が高まり，関わりをもとうとする。 ・保育所の生活の仕方に慣れ，**きまりの大切さ**に気付く。
環境	・身近な**環境**に親しみ，触れ合う中で，様々なものに興味や関心をもつ。 ・様々なものに関わる中で，発見を楽しんだり，考えたりしようとする。 ・見る，聞く，触るなどの経験を通して，**感覚の働き**を豊かにする。
言葉	・言葉遊びや言葉で表現する楽しさを感じる。 ・人の言葉や話などを聞き，自分でも思ったことを伝えようとする。 ・**絵本**や**物語**等に親しむとともに，言葉のやり取りを通じて身近な人と**気持ちを通わせる**。
表現	・身体の諸感覚の経験を豊かにし，様々な感覚を味わう。 ・感じたことや考えたことなどを自分なりに表現しようとする。 ・生活や遊びの様々な体験を通して，**イメージ**や**感性**が豊かになる。

一問一答編

ベスト過去問編

本試験編

2 保育原理 10

学習日 ／　／　／

保育所保育指針 「子育て支援」

　次のうち,「保育所保育指針」第4章「子育て支援」に関する記述として, 適切なものを○, 不適切なものを×とした場合の正しい組み合わせを一つ選びなさい。
【令和5年前期・問14】

A 地域の関係機関等をよく理解して連携及び協働を図り, 保育所全体で子育て支援に努めることが求められる。

B 外国籍家庭など, 特別な配慮を必要とする家庭の場合には, 状況等に応じて個別の支援を行うことが求められる。

C 子どもが虐待を受けている場合などにおいても, 保護者や子どものプライバシー保護のため, 他の機関に通告しないことが求められる。

D 子どもが自立するためには, 保育の活動に対して保護者はなるべく参加しないことが求められる。

（組み合わせ）

	A	B	C	D
1	○	○	×	×
2	○	×	×	×
3	×	○	○	×
4	×	×	○	○
5	×	×	×	○

🔍 **ポイント**

保育所保育指針第4章「子育て支援」において,「保育所を利用している保護者に対する支援」のみならず,「地域の保護者等に対する支援」も示されている。保育所には, 保護者の状況に配慮した個別の支援や地域との連携など, 専門性を活かした幅広い子育て支援が求められている点について丁寧に確認しておくことが大切である。

解説

Ⓐ◯ 関係機関等と連携及び協働を図り，保育所全体で子育て支援に努める。
  保護者に対する**子育て支援**においては，地域の**関係機関等**との**連携**および**協働**を図り保育所全体の体制構築に努めることが，保育所保育指針に明記されている。

Ⓑ◯ 外国籍家庭など，特別な配慮を必要とする家庭は，個別の支援を行う。
  外国籍家庭やひとり親家庭，貧困家庭等，**特別な配慮を必要とする家庭**では，社会的な困難を抱えている場合も多く，状況に応じた**個別支援**が必要である。

Ⓒ✕ 虐待のおそれが確認された場合，守秘義務より通告義務が優先される。
  子どもが**虐待を受けていること**が疑われる場合には，速やかに市町村または**児童相談所**に**通告**し，適切な対応を図ることが求められている。

Ⓓ✕ 保育活動への保護者の参加は，子育て力向上に寄与する取組みとして促す。
  保護者の子育てを自ら実践する力の向上に寄与する取組みとして，保育の活動に対する**保護者の積極的な参加**を求めている。

正答 **1**

CHECK

保育所保育指針　第4章「子育て支援」

2　保育所を利用している保護者に対する子育て支援
 (1)　保護者との相互理解
　ア　日常の保育に関連した様々な機会を活用し子どもの日々の様子の伝達や収集，保育所保育の意図の説明などを通じて，保護者との**相互理解**を図るよう努めること。
　イ　保育の活動に対する保護者の**積極的な参加**は，保護者の子育てを自ら実践する力の向上に寄与することから，これを促すこと。
 (2)　保護者の状況に配慮した個別の支援
　イ　子どもに障害や発達上の課題が見られる場合には，**市町村や関係機関と連携**及び協力を図りつつ，保護者に対する**個別の支援**を行うよう努めること。
　ウ　外国籍家庭など，**特別な配慮を必要とする家庭**の場合には，状況等に応じて**個別の支援**を行うよう努めること。
 (3)　不適切な養育等が疑われる家庭への支援
　イ　保護者に不適切な養育等が疑われる場合には，市町村や関係機関と連携し，**要保護児童対策地域協議会**で検討するなど適切な対応を図ること。また，**虐待**が疑われる場合には，速やかに市町村又は児童相談所に**通告**し，適切な対応を図ること。

③ 子ども家庭福祉 01

学習日　　／　　／　　／

児童憲章

次のうち，「児童憲章」に関する記述として，<u>不適切な記述</u>を一つ選びなさい。

【令和3年後期・問3】

1　「児童は，よい環境の中で育てられる。」と明記された。

2　「日本国憲法の精神にしたがい，児童に対する正しい観念を確立し，すべての児童の幸福をはかる」ために定められた。

3　「児童は，人として尊ばれる。」と明記された。

4　「児童は，権利の主体である。」と明記された。

5　「すべての児童は，虐待・酷使・放任その他不当な取扱からまもられる。」と明記された。

🔍 ポイント

「児童憲章」は，わが国の児童福祉の基本精神を明示した憲章であり，教育原理や社会的養護，社会福祉などでも出題されている。特に前文がよく出題されているので，キーワードを注目しながら，丁寧に確認することが大切である。

解説

1，2，3，5はすべて○である。

❹ × 児童憲章には，**児童の主体的権利は明記されていなかった**。

現在の**児童権利条約**が定めた，**児童の主体的権利**の概念は当時**確立されておらず**，“権利の主体”のような内容は示されていない。

正答 **4**

CHECK

児童憲章（制定日：昭和26年5月5日）

われらは，日本国憲法の精神にしたがい，児童に対する正しい観念を確立し，すべての児童の幸福をはかるために，この憲章を定める。**（選択肢2）**

児童は，人として尊ばれる。**（選択肢3）**

児童は，社会の一員として重んぜられる。

児童は，よい環境の中で育てられる。**（選択肢1）**

一 すべての児童は，心身ともに健やかにうまれ，育てられ，その生活を保障される。

二 すべての児童は，家庭で，正しい愛情と知識と技術をもつて育てられ，家庭に恵まれない児童には，これにかわる環境が与えられる。

三 すべての児童は，適当な栄養と住居と被服が与えられ，また，疾病と災害からまもられる。

四 すべての児童は，個性と能力に応じて教育され，社会の一員としての責任を自主的に果たすように，みちびかれる。

五 すべての児童は，自然を愛し，科学と芸術を尊ぶように，みちびかれ，また，道徳的心情がつちかわれる。

六 すべての児童は，就学のみちを確保され，また，十分に整つた教育の施設を用意される。

七 すべての児童は，職業指導を受ける機会が与えられる。

八 すべての児童は，その労働において，心身の発育が阻害されず，教育を受ける機会が失われず，また，児童としての生活がさまたげられないように，十分に保護される。

九 すべての児童は，よい遊び場と文化財を用意され，悪い環境からまもられる。

十 すべての児童は，虐待・酷使・放任その他不当な取扱からまもられる。あやまちをおかした児童は，適切に保護指導される。**（選択肢5）**

十一 すべての児童は，身体が不自由な場合，または精神の機能が不充分な場合に，適切な治療と教育と保護が与えられる。

十二 すべての児童は，愛とまことによつて結ばれ，よい国民として人類の平和と文化に貢献するように，みちびかれる。

一問一答編

ベスト過去問編

本試験編

３ 子ども家庭福祉 02

児童等の定義

　次のうち，法律における「児童」の年齢区分に関する記述として，適切な記述を○，不適切な記述を×とした場合の正しい組み合わせを一つ選びなさい。

【令和３年後期・問１】

A 「児童手当法」で定められる「児童」とは，18歳未満の者である。

B 「児童買春，児童ポルノに係る行為等の規制及び処罰並びに児童の保護等に関する法律」で定められる「児童」とは，18歳未満の者を指す。

C 「母子及び父子並びに寡婦福祉法」で定められる「児童」とは，20歳未満の者である。

（組み合わせ）
```
   A  B  C
1  ○  ○  ×
2  ○  ×  ○
3  ×  ○  ○
4  ×  ×  ○
5  ×  ×  ×
```

🔍 **ポイント**

児童関連法における児童の定義に関する問題である。児童関連法における児童の定義は，その法律の特徴や性質に応じて，その年齢や範囲が異なる。法ごとの定義の違いについては，丁寧に確認をすること。

解説

Ⓐ✕ 「児童」の年齢区分は，法律によって異なる。

　児童手当法3条1項では，児童を「18歳に達する日以後の最初の3月31日までの間にある者」などと定義している。

Ⓑ〇 児童買春等規制法における児童は，「18歳未満の者」である。

　児童買春，児童ポルノ規制法2条や児童虐待防止法2条などは，児童を「18歳未満の者」としており，児童福祉法4条と同一の定義である。

Ⓒ〇 母子父子寡婦福祉法は，児童を20歳未満の者と定義している。

　母子父子寡婦福祉法6条3項では，児童を「20歳に満たない者」と定義している。特別児童扶養手当法の「障害児」も20歳未満としている。

正答　**3**

 CHECK

児童等の定義（一部）

児童福祉法・児童虐待の防止等に関する法律・児童買春，児童ポルノに係る行為等の規制及び処罰並びに児童の保護等に関する法律	
児童	満18歳に満たない者
母子及び父子並びに寡婦福祉法	
児童	20歳に満たない者
児童扶養手当法	
児童	18歳に達する日以後の最初の3月31日までの間にある者又は20歳未満で政令で定める程度の障害の状態にある者
児童手当法	
児童	18歳に達する日以後の最初の3月31日までの間にある者
特別児童扶養手当等の支給に関する法律	
障害児	20歳未満であって，政令に定める障害の状態にある者
少年法	
少年	20歳に満たない者（18，19歳は特定少年）
就学前の子どもに関する教育，保育等の総合的な提供の推進に関する法律	
子ども	小学校就学の始期に達するまでの者
子ども・子育て支援法	
子ども	18歳に達する日以後の最初の3月31日までの間にある者

3 子ども家庭福祉 03

児童の権利に関する条約

　次のうち「児童の権利に関する条約」に関する記述として適切な記述を○，不適切な記述を×とした場合の正しい組み合わせを一つ選びなさい。

【令和5年前期・問4】

A　締約国は休息及び余暇についての児童の権利並びに児童がその年齢に適した遊び及びレクリエーションの活動を行い並びに文化的な生活及び芸術に自由に参加する権利を認めることが明記されている。

B　締約国は自己の意見を形成する能力のある児童がその児童に影響を及ぼすすべての事項について自由に自己の意見を表明する権利を確保することが明記されている。

C　締約国は学校の規律が児童の人間の尊厳に適合する方法で及びこの条約に従って運用されることを確保するためのすべての適当な措置をとることが明記されている。

（組み合わせ）

	A	B	C
1	○	○	○
2	○	○	×
3	○	×	○
4	○	×	×
5	×	○	×

ポイント

児童の権利に関する条約は1989年に国連で採択され日本は1994年に批准した。保育士試験でも科目を超えて出題されやすいテーマの一つである。出題されやすい条文の趣旨を理解しつつキーワードをチェックしながら確認をすること。

解説

Ⓐ〇 条約では，余暇・レクリエーション等に関する児童の権利を認めている。
31条において「児童が**余暇**等を得る権利，**レクリエーション**等に参加する権利を認め，締約国がその機会の提供を奨励する」としている。

Ⓑ〇 条約では，児童の「自己の意見を表明する権利」を規定している。
12条1項では，**自己の意見**を表明する権利を明記している。さらに児童の意見は，その児童の**年齢および成熟**度に従って相応に考慮されるものとしている。

Ⓒ〇 学校の規律においても，条約の遵守が求められている。
28条に定める児童の教育権の中で，**初等教育**無償化等の原則と併せ，学校の規律が条約に沿って適切に運用されることを求めている。

正答　**1**

CHECK

児童の権利に関する条約　（1989年国連採択，1994年日本批准）

（抜粋）

・児童とは**18歳未満**のすべての者をいう。**（1条）**
・児童に関するすべての措置をとるに当たっては公的若しくは私的な社会福祉施設裁判所行政当局又は立法機関のいずれによって行われるものであっても**児童の最善の利益**が主として考慮されるものとする。**（3条1項）**
・締約国は児童がその父母の意思に反してその父母から**分離**されないことを確保する。ただし（中略）その分離が**児童の最善の利益**のために必要であると決定する場合はこの限りでない。このような決定は父母が児童を虐待し若しくは放置する場合又は父母が別居しており児童の居住地を決定しなければならない場合のような特定の場合において必要となることがある。**（9条1項）**
・児童は**表現の自由**についての権利を有する。**（13条1項）**
・締約国は児童の養育及び発達について父母が共同の責任を有するという原則についての認識を確保するために最善の努力を払う。**父母又は場合により法定保護者**は児童の養育及び発達についての**第一義的な責任**を有する。**（18条1項）**
・一時的若しくは恒久的にその**家庭環境を奪われた児童**又は児童自身の最善の利益にかんがみその家庭環境にとどまることが認められない児童は国が与える特別の**保護及び援助**を受ける権利を有する。**（20条1項）**

3 子ども家庭福祉 04

母子保健法

　次のうち,「母子保健法」に関する記述として,適切な記述を○,不適切な記述を×とした場合の正しい組み合わせを一つ選びなさい。

【令和3年後期・問10】

A　妊娠した者は,厚生労働省令で定める事項につき,速やかに,市町村長に妊娠の届出をするようにしなければならない。

B　都道府県は,医師,歯科医師,助産師又は保健師について,健康診査又は保健指導を受けたときは,その都度,母子健康手帳に必要な事項の記載をしなければならない。

C　都道府県は,当該乳児が新生児であって,育児上必要があると認めるときは,医師,保健師,助産師又はその他の職員をして当該新生児の保護者を訪問させ,必要な指導を行わせるものとする。

D　都道府県は,養育のため病院又は診療所に入院することを必要とする未熟児に対し,その養育に必要な医療の給付を行い,又はこれに代えて養育医療に要する費用を支給することができる。

（組み合わせ）

	A	B	C	D
1	○	○	×	○
2	○	×	○	○
3	○	×	×	×
4	×	○	○	×
5	×	○	×	×

ポイント

母子保健に関する出題である。母子保健については,母子保健法を中心に,児童福祉法や子ども・子育て支援法等も含め,多岐にわたりその内容が定められている。近年の市町村を中心とした取組みについて,しっかりと整理をしておくこと。

解説

Ⓐ○ 妊娠した者には，市町村長への届出が義務づけられている。

母子保健法15条により，妊娠した者は**市町村長**に妊娠の**届出義務**がある。そして，届出を受けた市町村は，**母子健康手帳の交付義務**がある。

Ⓑ× 健康診査などを受けた妊産婦は，母子健康手帳に必要事項の記載義務がある。

母子保健法16条2項に基づき，**妊産婦が健康診査**又は**保健指導**を受けた際，**母子健康手帳に必要事項の記載**を受けなければならない。

Ⓒ× 市町村長には，新生児訪問指導の実施義務がある。

母子保健法11条1項は，**市町村長**に対し，同法19条に基づく**未熟児訪問指導**を行う場合を除き，**新生児訪問指導**の実施を義務づけている。

Ⓓ× 未熟児に対する訪問指導や養育医療の給付も，市町村長の業務である。

母子保健法20条1項に基づき，**入院が必要な未熟児**に対する**養育医療**の給付を，**市町村**が行う。給付が困難な場合には，必要な**費用を支給**する。

正答 **3**

CHECK

主な母子保健施策
●健康診査

妊婦乳児健康診査 （母子保健法13条…**市町村**）	妊産婦または乳幼児に対して，健康診査および受診を勧奨
1歳6か月児健康診査（母子保健法12条…**市町村**）	健康診査と育児の指導
3歳児健康診査（母子保健法12条…**市町村**）	健康診査と育児の指導
先天性代謝異常等検査	マススクリーニング検査を行い，異常を早期に発見し，障害の防止を図る

●訪問指導

妊産婦訪問指導（母子保健法17条…**市町村**）	妊産婦の家庭を訪問し指導する
新生児訪問指導（母子保健法11条…**市町村**）	新生児の家庭を訪問し指導する
未熟児訪問指導（母子保健法19条…**市町村**）	未熟児の家庭を訪問指導する

●その他
・助産施設による入所・助産支援，病児保育事業，乳児家庭全戸訪問事業など。
・産後ケア事業，産前産後サポート事業の実施（市町村）。
・こども家庭センターの母子保健事業の実施（市町村）。

3 子ども家庭福祉 05

児童福祉施設

　次の【Ⅰ群】の児童福祉施設と【Ⅱ群】の役割を結びつけた場合の正しい組み合わせを一つ選びなさい。　　　　　　【令和5年前期・問9改題】

【Ⅰ群】

A　児童心理治療施設　　　　B　児童自立支援施設
C　医療型障害児入所施設　　D　児童家庭支援センター

【Ⅱ群】

ア　地域の児童の福祉に関する各般の問題につき児童に関する家庭その他からの相談のうち専門的な知識及び技術を必要とするものに応じ必要な助言を行う。

イ　障害児を入所させて保護日常生活における基本的な動作及び独立自活に必要な知識技能の習得のための支援並びに治療を行う。

ウ　不良行為をなしまたはなすおそれのある児童及び家庭環境その他の環境上の理由により生活指導等を要する児童を入所させまたは保護者の下から通わせて個々の児童の状況に応じて必要な指導を行いその自立を支援しあわせて退所した者について相談その他の援助を行う。

エ　保健上必要があるにもかかわらず経済的理由により入院助産を受けることができない妊産婦を入所させて助産を受けさせる。

オ　児童を短期間入所させまたは保護者の下から通わせて社会生活に適応するために必要な心理に関する治療及び生活指導を主として行いあわせて退所した者について相談その他の援助を行う。

（組み合わせ）

```
    A  B  C  D
1   ウ  オ  イ  ア
2   ウ  オ  エ  イ
3   オ  ア  ウ  イ
4   オ  ウ  イ  ア
5   オ  ウ  エ  ア
```

ポイント

要保護児童，障害児等各分野ごとに整理し各施設の共通事項や相違点等を明確にしながら整理するとよい。

解説

A-オ 児童心理治療施設は適応困難な児童を対象に，治療や生活指導を実施。

同施設は，**社会生活への適応が困難となった児童**を，短期間入所および通所させ，社会生活に適応するために必要な心理に関する**治療**・生活指導等を行う。

B-ウ 児童自立支援施設は対象児童に対し必要な指導や自立支援を実施。

同施設は，**不良行為**をなし，または，なす恐れのある児童などを対象とし，入所または通所支援を行う。

C-イ 医療型障害児入所施設は入所，保護し基本的な動作等の習得の支援＋治療。

同施設は，障害児を入所，保護し，日常生活における**基本的な動作**及び独立自活に必要な**知識技能の習得**のための支援並びに**治療**を行う。

D-ア 児童家庭支援センターは専門的知識・技術を要する相談助言を実施。

同センターは，**専門的な知識**および技術を必要とするものに応じ，必要な助言を行うほか，市町村への技術的助言や**連絡調整**等を行う。

※**エ**は**助産施設**の役割である。

正答 **4**

CHECK

児童福祉施設（13施設）

助産施設	「入所」＋「助産」
乳児院	「入院」＋「養育」＋退院後支援
母子生活支援施設	「入所」「保護」＋「生活支援」＋自立支援＋退所後支援
保育所	乳幼児を「保育」
幼保連携型認定こども園	「教育」＋「保育」一体的に行う
児童厚生施設	児童遊園，児童館等で「健全な遊び」「健康増進」
児童養護施設	「入所」＋「養護」＋自立支援＋退所後支援
福祉型障害児入所施設 ※	「入所」「保護」「日常生活における基本的な動作の指導」「独立自活に必要な知識技能の習得のための支援」
医療型障害児入所施設	イ参照
児童発達支援センター	「中核的な役割を担う機関」として「障害児を通わせて」「児童発達支援」を提供し「障害児の家族関係者に対する相談・助言等」を行う。
児童心理治療施設	オ参照
児童自立支援施設	ウ参照
児童家庭支援センター	ア参照
里親支援センター	「里親支援事業」＋「児童，里親および里親希望者について相談・援助」

※障害児入所施設には福祉型と医療型がある。

3 子ども家庭福祉 06

学習日 ／　／　／

少子化社会対策大綱

　次のうち，「少子化社会対策大綱」（概要）（令和２年５月29日閣議決定）に関する記述として，適切な記述を○，不適切な記述を×とした場合の正しい組み合わせを一つ選びなさい。　　　　　　　　　　　　　　【令和４年前期・問3】

A 「希望出生率2.3」の実現を目指している。

B 希望する時期に結婚でき，かつ希望するタイミングで希望する数の子どもを持てる社会をつくることを基本的な目標としている。

C 多様化する子育て家庭の様々なニーズにこたえるため，多子世帯，多胎児を育てる家庭に対する支援を行う。

（組み合わせ）

	A	B	C
1	○	○	○
2	○	○	×
3	○	×	○
4	○	×	×
5	×	○	○

ポイント

少子化問題が深刻化を増す中，「希望出生率1.8」の実現に向けて，ここ数年は様々なプランや計画が進められてきた。その中でも「少子化社会対策大綱」は，社会情勢の変化等を踏まえた少子化・子育て支援対策として2020（令和２）年に策定され，試験でもたびたび出題されている。大綱における「目標」や「基本的な考え方」をおさえた上で，具体的な数値目標についても，確認をしておくこと。

解説

Ⓐ✕ 現在，希望出生率は「1.8」とされている。

希望出生率とは，子どもを産みたい人の希望が叶えられた場合の出生率の水準であり，国の調査の結果，「**1.8**」と想定されている。

Ⓑ〇 国民が結婚や妊娠・出産に希望を見出せる環境整備を目指している。

大綱の基本目標として，**希望出生率1.8の実現**に向け，**男女**が**主体的**に，望むタイミングでの**結婚，出産等が可能な社会**の実現を挙げている。

Ⓒ〇 多様化する子育て家庭のさまざまなニーズに応える考え方を含めている。

大綱では「基本的な考え方」の中で「多様化する子育て家庭のさまざまなニーズに応える」を挙げ，**多子世帯，多胎児家庭**への支援も含まれている。

正答　**5**

CHECK

少子化社会対策大綱（概要）（令和2年5月29日閣議決定）

少子化社会対策大綱

2004年，2010年，2015年に続く第4次の大綱

基本的な目標

「**希望出生率1.8**」の実現に向け，令和の時代にふさわしい環境を整備し，**国民**が**結婚，妊娠・出産，子育て**に希望を見出せるとともに，男女が互いの生き方を尊重しつつ，**主体的な選択**により，希望する**時期**に結婚でき，かつ，希望する**タイミング**で希望する**数**の子供を持てる社会をつくる

基本的な考え方

① **結婚・子育て世代**が将来にわたる**展望**を描ける環境をつくる

② **多様化**する子育て家庭の様々なニーズに応える

③ **地域**の実情に応じたきめ細かな取組を進める

④ **結婚，妊娠・出産，子供・子育て**に温かい社会をつくる

⑤ **科学技術**の成果など新たな**リソース**を積極的に活用する

3 子ども家庭福祉 07

学習日　／　／　／

ひとり親家庭を対象とする事業の利用について

次の【事例】を読んで，【設問】に答えなさい。　　【令和3年前期・問20】

【事例】

Hさんはひとり親で，1歳9か月のL君を養育しながら，J保育所を利用している。L君の担当のK保育士は，L君がいつも朝ご飯を食べていないこと，洗濯をしていない同じ服をよく着ていること，あまり風呂に入っていないことを気にしており，Hさんに家での様子や関わり方を聞こうとしてもいつも疲れた様子で，「ちゃんと育児はしている」と言われるばかりである。また，Hさんは持病があり，仕事を続けて休むことがある。K保育士は，保育所長に対応を相談したところ，保育所長からは「Hさんは，子育てと仕事の両立が大変なのかもしれない。少しでも負担を軽減できる方法を提案してみてはどうか。」とアドバイスされた。

【設問】

K保育士がHさんに利用を勧める事業として，最も不適切なものを一つ選びなさい。

1　乳児家庭全戸訪問事業

2　ひとり親家庭等生活向上事業

3　子育て短期支援事業

4　子育て援助活動支援事業

5　延長保育事業

ポイント

子育てに悩みをもつ保護者に対する支援をテーマとした事例問題である。事例における保護者のニーズを的確に判断し，それに見合った支援が選択できるよう，各主要なサービスに関する特徴は丁寧に確認しておくこと。

解説

❶× **乳児家庭全戸訪問事業は，乳児を対象に相談助言，情報提供等を行う。**
　原則生後4か月を迎えるまでの**乳児のいる全家庭を訪問**し，相談助言，情報提供などを行う事業。L君は1歳9か月であり当該事業の対象外。

❷○ **ひとり親家庭等生活向上事業→ひとり親家庭への生活支援等を行う。**
　ひとり親家庭を対象に，**相談対応や交流等を行う**ほか，子の生活習慣の習得支援や学習支援等を行う事業で，Hさんのニーズに合致している。

❸○ **子育て短期支援事業は，短期間または夜間において必要な保護を行う。**
　養育が一時的に困難となった児童について，**児童養護施設等に入所**，保護を行う。持病があるHさんのニーズに合致している。保護者の入所も可。

❹○ **子育て援助活動支援事業は，児童の預かり等に関する連絡調整を実施。**
　対象児童の保護者を会員として，**相互援助活動に関する連絡調整**を行う。育児負担の軽減が必要なHさんのニーズに合致している。

❺○ **延長保育事業とは，保育時間の延長を必要とする児童を対象に実施。**
　利用日及び利用時間以外の日及び時間に保育所等で保育を実施する事業。仕事との両立が困難と予想されるHさんのニーズに合致している。

正答　**1**

CHECK

地域子ども・子育て支援事業（子ども・子育て支援法59条）

① **利用者支援事業**　教育・保育や子育て支援の情報提供，相談助言連絡調整等。
② **地域子育て支援拠点事業**　乳幼児と保護者の交流の場所を提供，相談等。
③ **妊婦健康診査**　妊婦の健康診査として，健康状態の把握，保健指導等。
④ **乳児家庭全戸訪問事業**　選択肢**1**解説参照。
⑤ **養育支援訪問事業**　養育支援が特に必要である家庭に対する訪問指導。
　ほか，**子どもを守る地域ネットワーク強化事業**，**子育て世帯訪問支援事業**，**児童育成支援拠点事業**，**親子関係形成支援事業**
⑥ **子育て短期支援事業**　選択肢**3**解説参照。
⑦ **子育て援助活動支援事業**　選択肢**4**解説参照。
⑧ **一時預かり事業**　主に昼間，保育所等で乳幼児を一時的に預かる。
⑨ **延長保育事業**　選択肢**5**解説参照。
⑩ **病児保育事業**　病気の児童等について，看護師等が一時的に保育等を行う。
⑪ **放課後児童健全育成事業**　小学校就学中児童を対象とする"学童保育"。
⑫ **実費徴収に係る補足給付を行う事業**　教育・保育に関する費用助成。
⑬ **多様な主体が本制度に参入することを促進するための事業**　運営の促進。

一問一答編

ベスト過去問編

本試験編

③ 子ども家庭福祉 08

里親制度

　次の文は，里親制度に関する記述である。適切な記述を○，不適切な記述を×とした場合の正しい組み合わせを一つ選びなさい。

【令和元年後期・問12（改題）】

A　里親の種類には，養育里親，専門里親，養子縁組里親，親族里親がある。

B　2017（平成29）年度から，都道府県（児童相談所）の業務として里親の新規開拓から委託児童の自立支援までの一貫した里親支援が位置付けられた。

C　福祉行政報告例（厚生労働省）によると，2021（令和3）年3月末現在，登録里親世帯数は，ここ5年間減少傾向にある。

D　保護者のない児童，被虐待児など家庭環境上養護を必要とする児童のうち，里親及びファミリーホームに委託（里親等委託）されている児童は，約半数（令和2年度末現在）であった。

（組み合わせ）

	A	B	C	D
1	○	○	○	×
2	○	○	×	×
3	○	×	×	○
4	×	○	×	○
5	×	×	○	×

ポイント

近年施設養護から家庭養護への転換が図られる中，里親委託児童数も増加傾向にある。近年の改正内容も含め，里親制度の取り組みについて，しっかり整理しておくことが不可欠である。

解説

A○ 里親には「養育里親」「養子縁組里親」等の４種類がある。

2008年の児童福祉法改正により，里親は**養育里親，専門里親，養子縁組里親，親族里親**の４種に区分され，現在に至る。

B○ 児童相談所には里親への一貫した支援を行う役割が求められている。

2016年の児童福祉法改正により，都道府県の機関である**児童相談所**に対し，**里親の新規開拓等の一貫した支援**が改めて義務づけられた。

C× 登録里親世帯数は，2009年以降，一貫して増加傾向にある。

登録里親世帯数は，昭和期には減少を続けていたが，平成期に入りさまざまな制度強化が図られたため，平成20年代から**増加**し続けている。

D× 里親等委託率は上昇傾向にあるが，いまだに２割程度である。

里親等委託率は平成18年度末までは１割にも満たない状況であったが，その後は上昇している。しかし，**令和４年度末も23.5%**にとどまる。

正答　**2**

CHECK

里親の種類

① **養育里親**…要保護児童を養育する里親（養子縁組を希望しない）養育里親名簿に要登録

② **親族里親**…扶養義務者及びその配偶者である親族（両親による養育が期待できない）

③ **専門里親**…被虐待児，非行傾向のある少年，障害児を養育する「養育里親」（要件：養育里親として３年以上の養育経験等の前提要件，研修修了，養育に専念）

④ **養子縁組里親**…養子縁組によって養親となることを希望する者（研修修了した者）のうち，養子縁組里親名簿に登録されたもの

※①，③，④は研修受講義務がある。①，④は５年ごとの登録更新がある（③は２年ごと）。

※養育里親（専門里親を含む）に対しては，里親手当てが支給される。

●**里親制度の現状**（福祉行政報告例　令和４年３月末現在）

「登録里親数」15,607世帯，「委託里親数」4,844世帯，

「委託児童数」6,080人→いずれも増加傾向

里親等委託率は，平成21年３月末の10.5%から，令和４年度末には**23.5%**に上昇している。

※里親等＝里親＋ファミリーホーム

一問一答編

ベスト過去問編

本試験編

次のうち児童相談所が受ける相談について**不適切な記述**を一つ選びなさい。

【令和5年前期・問7】

1 養護相談には，父又は母等保護者の家出，失踪，死亡，離婚，入院等による養育困難児に関する相談が含まれる。

2 障害相談には，知的障害児，発達障害児，重症心身障害児に関する相談が含まれる。

3 保健相談とは，未熟児，虚弱児，内部機能障害児や小児喘息等の疾患を有する子どもに関する相談である。

4 非行相談とは，ぐ犯行為や触法行為を行う子どもに関する相談である。

5 育成相談とは，児童虐待に関する相談である。

ポイント

児童相談所における相談内容については各相談内容の特徴だけではなくその内訳やおおまかな割合なども押さえておくとよい。

 解説

❶○ **養護相談は，保護者による養育が困難，虐待等に関する相談。**
養護相談は，保護者の失踪，死亡，離婚，入院，稼働などいろいろな事情により**家庭で養育が難しい場合**や，**児童虐待**に関する相談である。

❷○ **障害相談は，子の身体の状況，精神発達や情緒の状態などに関する相談。**
障害相談では，**生育歴**，周産期の状況，**家族歴**，身体の状況，精神発達の状況や情緒の状況等について調査・診断，判定をして支援につなげる。

❸○ **保健相談は，未熟児や虚弱児，児童の疾患等に関する相談である。**
保健相談では，**心理・医学**等での判定の要否，**地域の子育て支援**の可否その他保健・福祉・医療サービスの活用の可否などを検討する。

❹○ **非行相談は，非行問題や触法行為を行った子どもに関する相談。**
非行相談は，**非行問題**や**触法少年**，**虞犯少年**などの対応等について扱う。警察からの通告や家庭裁判所からの送致があった場合の相談対応も行う。

❺× **育成相談は子どもの性格行動やしつけ，適性，不登校などに関する相談。**
育成相談では，必要な**養育**に関する**助言指導**を行うほか，施設職員や関係者などと**連携**を図り対応を行っていく。児童虐待は養護相談に含まれる。

正答　**5**

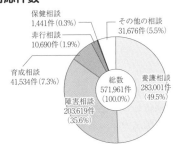

CHECK

児童相談所における相談の種類別対応件数

令和3年度中の児童相談所における相談の対応件数は571,961件である。

- 養護相談　　283,001件　（49.5%）
- 障害相談　　203,619件　（35.6%）
- 育成相談　　 41,534件　（7.3%）
- 非行相談　　 10,690件　（1.9%）
- 保健相談　　　1,441件　（0.3%）
- その他の相談　31,676件　（5.5%）

保健相談
1,441件（0.3%）
その他の相談
31,676件（5.5%）
非行相談
10,690件（1.9%）
育成相談
41,534件（7.3%）
総数
571,961件
（100.0%）
養護相談
283,001件
（49.5%）
障害相談
203,619件
（35.6%）

ベスト過去問編

難易度 ★★　　頻出度 ★★★

3 子ども家庭福祉 10

少年非行

学習日
／　／　／

　次の文は，家庭裁判所における少年事件の処分に関する記述である。<u>不適切</u><u>な記述</u>を一つ選びなさい。

【令和元年後期・問14】

1　少年を児童福祉機関の指導に委ねるのが適当と認められる場合，都道府県知事または児童相談所長に事件が送致される。

2　少年を保護処分や検察官送致などの処分に付さなくとも，少年の更生が十分に期待できる場合，少年を保護処分に付さないことや，審判を開始せずに調査のみ行って手続を終えることがある。

3　少年が罪を犯したときに14歳以上であった場合，事件の内容，少年の性格，心身の成熟度などから，保護処分よりも，刑罰を科するのが相当と判断される場合には，事件を検察官に送致することがある。

4　「少年法」における「少年」とは，18歳に満たない者を指す。

5　少年が故意に被害者を死亡させ，その罪を犯したとき16歳以上であった場合には，原則として，事件を検察官に送致しなければならない。

🔍 **ポイント**

深刻化しつつある少年非行に関する出題である。少年法を中心とした審判に付する触法少年，虞犯少年，犯罪少年の３少年の違いを明確にすることとあわせて，これらの少年に対する児童相談所や家庭裁判所の対応等について，確認しておくこと。また近年の少年法に関する改正にも注意が必要である。

解説

❶○ **家庭裁判所の処分決定には，「児童相談所送致」等も含まれる。**
少年法に基づき家庭裁判所が非行少年に関する審判を行った結果，児童福祉的対応が適当な場合には，**児童相談所等**に事件を送致する。

❷○ **家庭裁判所の決定には，「不処分」も含まれる。**
家庭裁判所において，審判の結果，保護処分等を付さない不処分の決定を行うことや，調査のみで審判を開始しない手続も認められている。

❸○ **犯罪少年に対する「検察官送致」（逆送）も，家庭裁判所は決定できる。**
14歳以上の犯罪少年については，まず**家庭裁判所の審判**に付されるが，必要に応じ，通常の刑事裁判にかけるため検察官に送致する場合もある。

❹✕ **少年法における「少年」とは，20歳に満たない者である。**
児童福祉法における「少年」は「**小学校就学始期から満18歳に満たない者**」だが，少年法では「**少年**」を「**20歳に満たない者**」としている。

❺○ **少年犯罪の内容により「検察官送致」が義務づけられる場合がある。**
少年法においては，家庭裁判所による少年審判の制度が定められているが，**16歳以上の殺人等**の場合，**検察官への送致**が義務づけられる。

正答　4

 CHECK

少年非行への基本的な対応システムなど

14歳未満	・「触法少年」，14歳未満「虞犯少年」…児童相談所における福祉的措置の対象となる（刑法による処罰の対象外）。 →児童自立支援施設等への入所措置，在宅指導など ※児童相談所から送致のあった場合のみ家庭裁判所の審判
14歳以上	・「犯罪少年」…家庭裁判所の審判により，保護処分が決定。 →少年院送致，児童相談所送致，不処分など ・14歳以上「虞犯少年」…児童相談所，家庭裁判所のいずれでも扱う。

●**少年法改正（一部）**

・2000（平成12）年
凶悪重大犯罪を犯した16歳以上の検察官送致決定（逆送決定）。ただし，事件の内容等によっては，処罰の対象年齢の14歳以上で検察官送致が可能。

・2007（平成19）年
少年院に送致可能年齢→概ね12歳以上に引き下げ

・2021（令和３）年
18，19歳を「特定少年」として少年法の適用。原則逆送対象事件の対象拡大（特定少年の死刑・無期又は短期１年以上の懲役・禁錮の罪の事件）。実名報道の解禁（特定少年の場合）。

4 社会福祉 01

学習日　／　／　／

バイステックの7原則

　次の文のうち，バイステックの7原則に関する記述として，適切な記述を○，不適切な記述を×とした場合の正しい組み合わせを一つ選びなさい。

【令和3年後期・問15】

A 個別化とは，一人一人の利用者を個人としてとらえることをいう。

B 統制された情緒的関与とは，利用者が表出した感情に対して，支援者自身が自らの感情を自覚し理解することをいう。

C 非審判的態度とは，利用者を一方的に非難しないことをいう。

D 自己決定とは，利用者の自己決定を促し尊重することをいう。

（組み合わせ）

	A	B	C	D
1	○	○	○	○
2	○	×	○	○
3	○	×	○	×
4	×	○	○	○
5	×	×	○	○

🔍 **ポイント**

ケースワークの原則については，本問題のように原則の内容が問われる場合もあれば，事例問題など具体的な援助場面の中で，援助者が来談者にとるべき対応方法・考え方が問われることもある。いずれにしても，具体例などを用いて，イメージしながら理解することが大切である。

解説

Ⓐ◯ 利用者の個別性を尊重する「個別化」は，最も基礎的な原則である。
個別化は7原則のうち最初に挙げられ，**利用者とその抱える問題の個別性を**尊重する姿勢を求める。**受容**の原則などにもつながる視点である。

Ⓑ◯ 「統制された情緒的関与」は，援助者のセルフコントロールの視点。
利用者の強い感情や問題の深刻さに巻き込まれず，**適切な姿勢を援助者が維持できるよう自覚・吟味する姿勢が，統制された情緒的関与**の原則。

Ⓒ◯ 利用者との信頼関係のために「非審判的態度」が求められる。
ケースワークにおいては，まず**利用者との信頼関係**構築が重要であるため，利用者を一方的に非難しない**非審判的態度**が，援助者には求められる。

Ⓓ◯ 利用者自身の問題解決を目指す以上，まず「自己決定」を尊重すべき。
個人の生活問題を解決する支援であるケースワークでは，可能な限り**利用者の自己決定を尊重**し，**援助者は側面的支援**を心がけることが望ましい。

正答 **1**

 CHECK
ケースワークの原則（バイステックの7原則）
① **個別化**…クライエント及びその抱える問題の個別性を尊重する。
② **意図的な感情表現**…クライエントの感情表出を尊重し，寄り添う。
③ **統制された情緒関与**…援助者は自身の感情を自覚・吟味，統制する。
④ **受容**…クライエントのありのままを受け止める。
⑤ **非審判的態度**…クライエントを一方的に評価しない（決めつけない）。
⑥ **自己決定**…クライエント自身の決定を尊重する。
⑦ **秘密保持**…秘密を他者に漏らさず，信頼を構築・維持する。

4 社会福祉 02

学習日

／　　／　　／

グループワークの展開過程

　次のうち，コノプカ（Konopka, G.）によるグループワークの過程に関する記述として，適切なものを○，不適切なものを×とした場合の正しい組み合わせを一つ選びなさい。　　　　　　　　　　　　　　　【令和5年前期・問15】

A　準備期とは，支援の準備と波長合わせを実施する段階である。

B　開始期とは，グループを活用してメンバーの問題解決に向けた取り組みを支援する段階である。

C　作業期とは，グループとして実際の活動に取り組めるように支援する段階である。

D　終結期とは，グループワークを通じて，メンバーの学びや獲得したことを評価し，それをふまえて今後のメンバー自身の興味，関心，課題などを明確化する段階である。

（組み合わせ）

	A	B	C	D
1	○	○	○	○
2	○	○	×	×
3	○	×	×	○
4	×	×	○	○
5	×	×	×	×

ポイント

グループワーク（集団援助技術）は，ケースワークと同じ直接援助技術の一つである。ケースワークと同様に，定義や援助の過程，原則については丁寧におさえることが大切である。

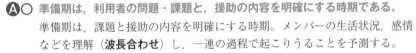

解説

Ⓐ○ 準備期は，利用者の問題・課題と，援助の内容を明確にする時期である。
準備期は，課題と援助の内容を明確にする時期。メンバーの生活状況，感情などを理解（**波長合わせ**）し，一連の過程で起こりうることを予測する。

Ⓑ✕ 開始期は，メンバーをグループに適応させる時期である。
開始期は，グループの目的や活動内容および予定，ルールなどを確認し，援助活動がメンバーのニーズと一致したものかどうかを**確認する時期**である。

Ⓒ✕ 作業期は，グループが活動を通して発達・成長する時期である。
作業期では，グループ行動の仕方や物の考え方が生まれ，集団内の個人は一致した行動をとることが要求される。援助者は，集団内での個人の相互作用の様子を観察して，**側面から支援**を行う。

Ⓓ○ 終結期は，グループ活動を終わらせて評価する時期である。
終結期では，援助活動の意義や学んだことを明らかにして，今後に向けた**課題や目標**等を明確にしていく時期である。

正答　**3**

CHECK
グループワークについて
グループワークの定義（コノプカによる）を「意図的なグループ経験を通じて，個人の社会的に機能する力を高め，また個人，集団，地域社会の諸問題に，より効果的に対処し得るよう，人びとを援助するものである」
グループワークの展開過程
準備期→開始期→作業期→終結期（詳細は解説参照）
グループワーク14の原則（コノプカによる）
① グループ内での個別化
② グループの個別化
③ メンバーの受容
④ ワーカーとメンバーの援助関係の構築
⑤ メンバー間の協力関係の促進
⑥ グループ過程の変更
⑦ 参加の原則
⑧ 問題解決過程へのメンバー自身の取り組み
⑨ 葛藤解決の原則
⑩ 経験の原則
⑪ 制限の原則
⑫ プログラムの活用
⑬ 継続的評価
⑭ グループワーカーの自己活用

難易度 ★★★　頻出度 ★★★

学習日　／　／　／

4 社会福祉 03

介護保険制度

次のうち，介護保険制度に関する記述として，適切な記述を一つ選びなさい。

【令和4年前期・問10】

1 要介護認定・要支援認定は，都道府県が行う。

2 第2号被保険者とは，市町村の区域内に住所を有する65歳以上の者である。

3 要介護認定・要支援認定には，有効期間がある。

4 介護認定審査会には，民生委員の参加が規定されている。

5 保険者は国である

ポイント

介護保険法に基づく基本事項からの出題である。高齢者施策の中心である介護保険制度は，ほぼ毎回出題されているが，学習範囲を広げすぎることなく，重要ポイントをしっかりおさえることが，対策上必須である。

解説

❶× **要介護・要支援の認定は，市町村が行う。**

介護保険法にもとづく介護保険制度の**保険者**は**市区町村**であり，制度利用のために必要な要介護・要支援の**認定も市区町村**が行う。

❷× **第2号被保険者の年齢は，40歳～64歳である。**

介護保険制度の被保険者については，**65歳以上**が**第1号被保険者**，**40～64歳**までが**第2号被保険者**とされている。

❸○ **要介護・要支援ともに，認定にかかる有効期間が定められている。**

要介護・要支援認定については，初回の認定については**原則6か月**が認定有効期間とされている。更新時は，状況により最大3～4年である。

❹× **介護認定審査会の審査委員は，医療・福祉等の専門家で構成される。**

介護認定審査会は医師・社会福祉士等の医療・保健・福祉の専門家が委員として任命されるが，その中に**民生委員は含まれていない**。

❺× **介護保険制度の保険者は，市町村および特別区である。**

介護保険制度の**保険者**は**市町村および特別区**である（介護保険法3条1項）。

正答 **3**

CHECK

介護保険法（1997〈平成9〉年公布，2000〈平成12〉年施行）

費用負担	公費（50%）			保険料（50%）	
	国 25%	都道府県 12.5%	市町村 12.5%	第1号 23%	第2号 27%

利用の流れ	①**申請** 介護支援事業者や地域包括支援センターによる手続代行も可。 ②**介護認定** 1次判定（機械的に時間算出） →2次判定（**介護認定審査会**による判定） 【判定の区分】要支援1・2，要介護1～5（第2号被保険者は特定疾病の場合） ③**ケアプランの作成** 介護支援専門員（ケアマネジャー）や地域包括支援センターによる。 ④**サービス利用の開始** …利用契約（所得に応じた定率負担。**原則1割**だが，高所得者については，**2割**，**3割**の場合があり） ※給付，認定等に関する審査請求…介護保険審査会（都道府県に設置）
サービス	〈在宅サービス〉 訪問介護・通所介護，短期入所・**福祉用具・住宅改修等** 〈施設サービス〉 介護老人福祉施設・介護老人保健施設・介護医療院
計画	介護保険事業計画 …市町村に策定義務（**3年**を1期） 介護保険事業支援計画 …都道府県に策定義務（**3年**を1期）

ベスト過去問編

難易度 ★★★　頻出度 ★★★

4 社会福祉 04

学習日
／　／　／

生活保護制度について

　次の文のうち，生活保護制度に関する記述として，適切な記述を○，不適切な記述を×とした場合の正しい組み合わせを一つ選びなさい。

【令和3年前期・問7】

A　原則として，保護は，個人ではなく世帯を単位としてその要否及び程度を定める。

B　原則として，保護は，「民法」に定める扶養義務者の扶養に優先して行われる。

C　原則として，保護は，他の法律による扶助に優先して行われる。

D　原則として，保護は，要保護者，その扶養義務者又はその他の同居の親族による申請がなくても開始することができる。

(組み合わせ)

	A	B	C	D
1	○	○	×	×
2	○	×	×	×
3	×	○	×	×
4	×	×	○	○
5	×	×	×	○

ポイント

わが国の低所得者対策の代表施策である生活保護制度に関する問題である。低所得者対策は生活保護法を中心に，毎年出題される。保護の原理や原則といった支援の考え方，理念を理解することとあわせて，具体的な支援（8扶助の特徴，保護の動向など）のポイントを押さえながら整理することが大切である。

解説

Ⓐ○ 生活保護は，世帯を単位としてその要否および程度を定めている。

生活保護は**世帯単位を原則**としているが，例外的に，個人を単位として定めることもできる（生活保護法10条）。

Ⓑ✕ 扶養義務者の扶養は，すべて生活保護法による保護に優先する。

扶養義務者の扶養は，すべて生活保護法による**保護に優先**して行われる。ただし，急迫した事由がある場合はこの限りでない。

Ⓒ✕ 他の法律に定める扶助は，すべて生活保護法による保護に優先する。

他の法律に定める扶養は，すべて生活保護法による**保護に優先**して行われる。ただし，急迫した事由がある場合はこの限りでない。

Ⓓ✕ 生活保護は，申請に基づいて開始する。

保護は，要保護者，その扶養義務者またはその他の同居の親族の**申請に基づいて開始**する。ただし，急迫した事由がある場合はこの限りでない。

正答　**2**

CHECK

保護の補足性及び保護の4原則について（「生活保護法」による）

（保護の補足性）

4条　保護は，生活に困窮する者が，その利用し得る資産，能力その他あらゆるものを，その最低限度の生活の維持のために活用することを要件として行われる。

2　民法に定める扶養義務者の扶養及び他の法律に定める扶助は，すべてこの法律による保護に優先して行われるものとする。

3　前2項の規定は，急迫した事由がある場合に，必要な保護を行うことを妨げるものではない。

（申請保護の原則）

7条　保護は，要保護者，その扶養義務者又はその他の同居の親族の申請に基いて開始するものとする。但し，要保護者が急迫した状況にあるときは，保護の申請がなくても，必要な保護を行うことができる。

（基準及び程度の原則）

8条　保護は，厚生労働大臣の定める基準により測定した要保護者の需要を基とし，そのうち，その者の金銭又は物品で満たすことのできない不足分を補う程度において行うものとする。　第2項　略

（必要即応の原則）

9条　保護は，要保護者の年齢別，性別，健康状態等その個人又は世帯の実際の必要の相違を考慮して，有効且つ適切に行うものとする。

4 社会福祉 05

国民年金

　次のうち，国民年金制度に関する記述として，適切な記述を○，不適切な記述を×とした場合の正しい組み合わせを一つ選びなさい。【令和4年前期・問9】

A　20歳になれば，学生であっても被保険者となる。

B　老齢基礎年金の支給開始年齢は，75歳と規定されている。

C　第2号被保険者の被扶養配偶者は，第1号被保険者である。

（組み合わせ）

	A	B	C
1	○	○	○
2	○	○	×
3	○	×	×
4	×	○	○
5	×	×	○

ポイント

社会保障制度の中の年金制度についての出題である。国民の生活におけるセーフティネットを担う社会保険制度の特徴については，所得保障として年金制度のほか，医療保険制度についても出題される。公的年金制度は，実生活につながっていることから，実体験をイメージしながら確認すると理解しやすい。

解説

Ⓐ○ **20歳以上の国民に，国民年金への加入は義務づけられている。**

国民年金は，**20歳以上**の国民は加入する「皆年金」の制度であり，学生でも被保険者となる。ただし保険料納付の猶予は認められる。

Ⓑ× **老齢基礎年金の支給開始年齢は，65歳である。**

老齢基礎年金は**国民年金**の一種であり，原則として保険料納付等の受給資格期間が10年以上あれば，原則として**65歳**から支給を受けられる。

Ⓒ× **第2号被保険者の被扶養配偶者は，第3号被保険者である。**

第1号被保険者とは，自営業者等の厚生年金未加入者であり，**第2号被保険者**（厚生年金加入者）の**被扶養配偶者**は**第3号被保険者**となる。

正答　**3**

CHECK
年金について

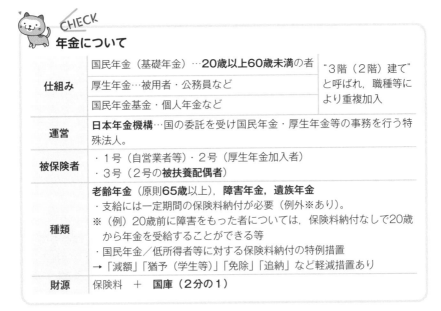

仕組み	国民年金（基礎年金）…**20歳以上60歳未満の者**	"3階（2階）建て"と呼ばれ，職種等により重複加入
	厚生年金…被用者・公務員など	
	国民年金基金・個人年金など	
運営	**日本年金機構**…国の委託を受け国民年金・厚生年金等の事務を行う特殊法人。	
被保険者	・1号（自営業者等）・2号（厚生年金加入者） ・3号（2号の**被扶養配偶者**）	
種類	**老齢年金**（原則**65歳**以上），**障害年金**，**遺族年金** ・支給には一定期間の保険料納付が必要（例外※あり）。 ※（例）20歳前に障害をもった者については，保険料納付なしで20歳から年金を受給することができる等 ・国民年金／低所得者等に対する保険料納付の特例措置 →「減額」「猶予（学生等）」「免除」「追納」など軽減措置あり	
財源	保険料　＋　**国庫（2分の1）**	

難易度 ★★   頻出度 ★★★

4 社会福祉 06

学習日 ／　／　／

社会福祉事業について

　次のうち，「社会福祉法」における第一種社会福祉事業に定められているものとして，適切なものを○，不適切なものを×とした場合の正しい組み合わせを一つ選びなさい。

【令和4年前期・問7改題】

A　保育所
B　共同募金
C　児童養護施設
D　女性自立支援施設
E　児童家庭支援センター

（組み合わせ）

	A	B	C	D	E
1	○	×	○	○	×
2	○	×	○	×	○
3	×	○	○	○	×
4	×	○	×	○	○
5	×	×	×	○	○

ポイント

社会福祉事業については，施設，または事業に関して第一種，第二種の分類を問う問題が出題される。一つひとつ確認するのではなく，第一種社会福祉事業を中心に確認したうえで，それ以外は第2種社会福祉事業と整理すると，試験の解答が求めやすい。

解説

Ⓐ× 保育所は，第二種社会福祉事業である。

第一種社会福祉事業は，入所施設等の強い規制と監督を要するものであり，通所型の**保育所**は，**第二種社会福祉事業**とされている。

Ⓑ〇 共同募金は，第一種社会福祉事業である。

第一種社会福祉事業は社会福祉法２条２項に規定されるが，**共同募金**については，特に同法113条１項で**第一種社会福祉事業**に位置づけられている。

Ⓒ〇 児童養護施設は，第一種社会福祉事業である。

児童養護施設は，児童福祉法に基づく被虐待児や保護者のない児童等を対象とする入所型施設であり，**第一種社会福祉事業**である。

Ⓓ〇 女性自立支援施設は，第一種社会福祉事業である。

女性自立支援施設は**困難女性支援法**にもとづき婦人保護施設（売春防止法）に代わり，困難な問題を抱える女性を入所させ保護等を行うとともに自立支援や退所後支援も行う施設である（令和６年４月１日から）。

Ⓔ× 児童家庭支援センターは，第二種社会福祉事業である。

児童家庭支援センターは，児童福祉法に基づく，地域住民等からの相談への対応を目的とする施設であり，**第二種社会福祉事業**である。

正答　3

 CHECK

社会福祉事業の区分と事業

第一種社会福祉事業	入所施設など強い規制と監督が必要な事業。国，地方公共団体，社会福祉法人の経営（届出）が原則。他主体は都道府県知事の「許可」。
	【児童福祉法】乳児院，母子生活支援施設，児童養護施設，児童心理治療施設，児童自立支援施設，障害児入所施設
	【生活保護法】救護施設，更生施設，宿所提供施設，授産施設
	【障害者総合支援法】障害者支援施設
	【困難女性支援法】女性自立支援施設
	【老人福祉法】養護老人ホーム，特別養護老人ホーム，軽費老人ホーム
	【その他】生計困難者に対して無利子または低利で資金を融通する事業，共同募金を行う事業，生計困難者に対して助葬を行う事業
第二種社会福祉事業	「届出」制で，設置・運営主体の制限は特になし。在宅福祉サービス等が典型。
	【児童福祉法】助産施設，保育所，児童厚生施設，児童家庭支援センター，里親支援センター
	【母子及び父子並びに寡婦福祉法】母子・父子福祉センター，母子・父子休養ホーム
	【障害者総合支援法】地域活動支援センター，福祉ホーム

4 社会福祉 07

地域福祉の推進

　次の文のうち，地域福祉の推進に関する記述として，適切な記述を○，不適切な記述を×とした場合の正しい組み合わせを一つ選びなさい。

【令和2年後期・問19】

A　2016（平成28）年度の共同募金の募金金額は，募金方法別でみると，街頭募金が最も多い。

B　日本赤十字社の国内の活動においては，災害救護活動，医療事業，血液事業，ボランティアの組織化などを行っている。

C　社会福祉協議会は，2000（平成12）年に改正された「社会福祉法」において創設された。

D　民生委員及び児童委員は，地域社会の福祉を増進することを目的として市町村の区域に置かれている民間奉仕者である。

（組み合わせ）

	A	B	C	D
1	○	○	×	×
2	○	×	○	○
3	○	×	○	×
4	×	○	○	○
5	×	○	×	○

🔍 ポイント

地域福祉に関する社会福祉法を中心とした出題である。「地域福祉の推進」は，近年の社会福祉の目標の一つである。例年，地域密着型の福祉活動について，「地域福祉計画」「社会福祉協議会」「共同募金」などを中心に出題されているため，重要事項と問題を照らし合わせつつ，その出題ポイントをしっかりと確認しておきたい。

解説

Ⓐ✕ 共同募金の方法別募金額で最も多いのは，戸別募金である。

「**地域福祉の推進**」を目的に行う**共同募金**を方法別にみると，最も多いのは**戸別募金**で約52％であった。街頭募金は1.6％である。

Ⓑ〇 日本赤十字社はボランティアの組織化等で地域福祉に貢献している。

日本赤十字社は日本赤十字社法に基づく認可法人であり，全国で**社会福祉施設を運営**するほか，**地域ボランティアの組織化**活動等も展開している。

Ⓒ✕ 社会福祉協議会は，社会福祉事業法制定時に創設された。

「**地域福祉の推進を目的**とする**団体**」である**社会福祉協議会**は，社会福祉事業法（現：社会福祉法）が制定された**1951（昭和26）年**に創設された。

Ⓓ〇 民生委員・児童委員ともに，地域で活動する民間奉仕者である。

民生委員法に基づく**民生委員**，児童福祉法に基づく**児童委員**は，市町村単位で配置される**民間奉仕者**。なお，民生委員が児童委員を兼任する。民生・児童委員は地方公務員（特別職）でもある。

正答　**5**

 CHECK
地域福祉の推進

①地域福祉計画 （策定は努力義務）	市町村地域 福祉計画	福祉サービスの適切な利用の推進に関する事項，**住民の参加**の促進に関する事項などを策定
	都道府県地域 福祉支援計画	事業従事者の確保または資質の向上に関する事項，福祉サービスの適切な利用の推進および**基盤整備**に関する事項等を策定
②社会福祉協議会 （社協）	市町村社会 福祉協議会	・社会福祉の事業の企画および実施 ・社会福祉に関する活動への**住民の参加**のための援助等
	都道府県社会 福祉協議会	・社会福祉の従事者の養成および研修 ・社会福祉事業の経営に関する指導および助言等
	市町村社協と都道府県社協は，「**地域福祉の推進**」を図ることを目的とする団体。他に全国社会福祉協議会もある。	
③共同募金会	・社会福祉法に基づく**第一種社会福祉事業** ・都道府県ごとに，地域福祉の推進を目的として，毎年1回募金活動を行う（行政の干渉は不可）。戸別募金が最多。	
④その他	・民生委員（民生委員法），児童委員（児童福祉法）→民間の奉仕者（地方公務員の特別職）。 ・日本赤十字社（日本赤十字社法に基づく認可法人）救助活動やボランティア活動等を行う。	

④ 社会福祉 08

学習日 ／　／　／

国際生活機能分類（ICF）

　次の文のうち，国際生活機能分類（ICF）に関する記述として，適切な記述を○，不適切な記述を×とした場合の正しい組み合わせを一つ選びなさい。

【令和2年後期・問3】

A　ICFによれば，障害を病気やけがによる機能障害や，その結果としての能力障害，社会的不利としている。

B　2001年の世界保健機関（WHO）総会で承認されたICFでは，障害を「病気の諸帰結」として分類するのでなく，「健康の構成要素」としての分類になっている。

C　ICFでは，設備や制度といった「環境因子」や性別，年齢などの「個人因子」は，私たちの生活機能に影響を及ぼすものではないと考えられている。

D　ICFでは，障害を社会によって作られる問題であるととらえ，社会環境の変化によって解消，軽減できるとされ，障害を個人の問題としてとらえ専門職による治療・教育・支援は必要ないとされている。

（組み合わせ）

	A	B	C	D
1	○	○	×	○
2	○	○	×	×
3	×	○	○	×
4	×	○	×	×
5	×	×	○	×

ポイント

ICF（国際生活機能分類）は，2001年5月にWHO総会で採択された，近年における障害の概念である。「障害」を理解する上での基本的な指標であり，試験でも何度か出題されているので注意が必要である。

解説

Ⓐ✕ **ICFは，障害を人間の健康度や行動能力等から捉える概念である。**
記述は1980年制定「国際障害分類（**ICIDH**）」に該当する内容。ICFは人間の生活機能を「問題」ではなく**「可能なこと」**から分類。

Ⓑ◯ **障害を，ICFは「健康の構成要素」の中で分類している。**
ICFはポジティブな視点から生活機能を捉えるものであり，**「心身機能・身体構造」「活動」「参加」**の３次元を軸に健康の構成要素を分類。

Ⓒ✕ **環境因子や個人因子は，生活機能に影響を及ぼす背景因子である。**
選択肢Ｂの３次元をさまざまな**「環境因子」**や**「個人因子」**と組み合わせ，約1,500項目に分類したものが**「生活機能分類（ICF）」**である。

Ⓓ✕ **ICFは，障害者の生活を多面的に捉える必要性を示している。**
生活機能を心身の健康や活動能力，さらに環境・個人因子から捉えるICFは，**個人への専門的支援**も含め**多角的**に支援することを促す。

正答　**4**

 CHECK

ICF（国際生活機能分類）厚生労働省HP資料より

ICF（国際生活機能分類）は，2001 年 5 月に WHO 総会で採択。ICF の前身である ICIDH（国際障害分類，1980）が「疾病の帰結（結果）に関する分類」であったのに対し，ICF は「健康の構成要素に関する分類」である。

ICF は，「生活機能」の分類と，それに影響する「背景因子」（「環境因子」「個人因子」）の分類で構成される。そして生活機能に影響するもう一つのものとして「健康状態」を加えたのが「生活機能モデル」（下図）である。

ICF（国際生活機能分類）モデル

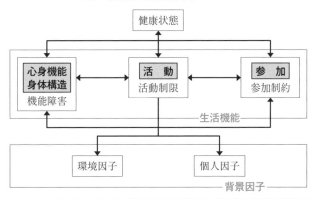

次のうち，日本の社会保険制度に関する記述として，適切な記述を○，不適切な記述を×とした場合の正しい組み合わせを一つ選びなさい。

【令和5年前期・問4】

A　介護保険制度の保険者は，国民に最も身近な行政単位である市町村（特別区を含む）とされている。

B　公的医療保険の種類は，国民健康保険と後期高齢者医療制度の2種類である。

C　雇用保険制度とは，失業等給付を行うことであり，その他の事業は行わない。

D　労働者災害補償保険制度では，原則として業種の規模や正規・非正規職員の別などの雇用形態を問わず，労働者のすべてに適用される。

（組み合わせ）

	A	B	C	D
1	○	○	○	×
2	○	○	×	○
3	○	×	×	○
4	×	○	○	×
5	×	×	○	×

ポイント

社会保障制度は，この科目の独自テーマであり，毎回出題されるため，注意しなければならない一つである。日常生活に結び付けながら，イメージしつつ，その内容を理解するとよい。

 解説

A○ 介護保険制度の保険者は，市町村（特別区を含む）である。
　介護保険制度の**保険者**（実施主体）は，地域住民に身近な行政主体である**市町村（特別区を含む）**である。

B× 公的医療保険は国民健康保険と健康保険及び後期高齢者医療制度がある。
　自営業者等を対象とした**国民健康保険**と，原則75歳以上を対象とする**後期高齢者医療制度**のほか，被雇用者を対象とする**健康保険（被用者保険）**がある。

C× 雇用保険は，失業等給付と育児休業給付＋雇用安定事業・能力開発事業。
　雇用保険制度では，失業等給付の他に，**育児休業給付**がある。また，労働者の職業の安定のために**雇用安定事業**及び**能力開発事業**も行う。

D○ 労働者災害補償保険制度（労災制度）は，原則として全労働者に適用。
　労災制度は，原則として　一人でも労働者を使用する事業は，業種の規模を問わず，**すべての労働者**に対して適用される。

正答　**3**

 CHECK

医療保険，介護保険，労働保障
●医療保険
・国民健康保険→自営業者等が加入
・**健康保険→被用者が加入**　健康保険組合，全国健康保険協会，共済健康保険
・**後期高齢者医療保険制度**→原則75歳以上の高齢者（後期高齢者）が加入
※保険料自己負担は原則3割。年齢によって1割または2割負担の場合もあり
●**介護保険**　P170，171参照
●労働保障
①雇用保険
・**失業等給付**
　求職者・就業促進・教育訓練・雇用継続（高年齢雇用継続給付・介護休業給付）
・**育児休業給付**
・**2事業（雇用安定事業，能力開発事業）**…実施主体は国
　被保険者…一般被保険者・高年齢継続被保険者・短期雇用特例被保険者・日雇労働被保険者
　保険料…失業等給付・育児休業給付の負担は，労働者：事業者＝1：1
②**労働者災害補償保険（労災保険）**…療養補償給付・休業補償給付・障害補償給付・遺族補償給付・介護補償給付 等
　保険者は国（政府）で保険料負担は，全額事業者。

4 社会福祉 10

福祉計画と根拠法

　次の計画とその根拠となる法律名の組み合わせとして，適切なものを○，不適切なものを×とした場合の正しい組み合わせを一つ選びなさい。

【令和5年前期・問18】

<計画>　　　　　　　　　　　　<法律名>

A　都道府県障害児福祉計画 ——————「児童福祉法」

B　都道府県介護保険事業支援計画 ———「介護保険法」

C　都道府県地域福祉支援計画 —————「社会福祉法」

D　都道府県障害福祉計画 ——————「障害者の日常生活及び社会生活を総合的に支援するための法律」

（組み合わせ）

	A	B	C	D
1	○	○	○	○
2	○	○	×	×
3	○	×	○	×
4	×	○	×	○
5	×	×	○	○

ポイント

地域福祉の推進により，都道府県や市町村における地域レベルの計画策定の強化が図られている。計画名と根拠法の組み合わせと合わせて，義務や努力義務といった策定条件についても確認しておくこと。

解説

A○ 都道府県障害児福祉計画の根拠法は，児童福祉法である。

都道府県および市町村障害児福祉計画は，**児童福祉法**にもとづき定めること
が**義務**づけられている。

B○ 都道府県介護保険事業支援計画の根拠法は，介護保険法である。

都道府県介護保険事業支援計画および市町村介護保険事業計画は，**介護保険
法**にもとづき定めることが義務づけられている。

C○ 都道府県地域福祉支援計画の根拠法は，社会福祉法である。

都道府県地域福祉支援計画および市町村地域福祉計画は，**社会福祉法**にもと
づき定めることについて，**努力義務**としている。

D○ 都道府県障害福祉計画の根拠法は，障害者総合支援法である。

都道府県障害福祉計画の根拠法は，**障害者の日常生活及び社会生活を総合的
に支援するための法律（障害者総合支援法）**で，その策定は**義務**である。

正答　**1**

 CHECK

主な福祉計画

計画名	策定主体	根拠法	策定条件
老人福祉計画	都道府県・市町村	老人福祉法	義務
障害者基本計画	政府（国）	障害者基本法	義務
障害者計画	都道府県・市町村	障害者基本法	義務
障害福祉計画	都道府県・市町村	障害者総合支援法	義務
子どもの貧困対策についての計画	都道府県・市町村	子ども貧困対策推進法	努力義務
行動計画	都道府県・市町村 一般事業主 特定事業主	次世代育成支援対策推進法	・都道府県・市町村 →任意 ・一般事業主※ 101人以上→義務 100人以下→努力義務 ・特定事業主 →義務
こども計画	都道府県 市町村	こども基本法	努力義務

※人数は，常時雇用する労働者の数

　次の文は，「教育基本法」第2条の一部である。（　A　）〜（　C　）にあてはまる語句の正しい組み合わせを一つ選びなさい。　【令和3年前期・問1】

　教育は，その目的を実現するため，（　A　）の自由を尊重しつつ，次に掲げる目標を達成するよう行われるものとする。

一　幅広い知識と教養を身に付け，（　B　）を求める態度を養い，豊かな情操と道徳心を培うとともに，健やかな身体を養うこと。
二　個人の価値を尊重して，その能力を伸ばし，創造性を培い，自主及び自律の精神を養うとともに，職業及び生活との関連を重視し，（　C　）を重んずる態度を養うこと。

（組み合わせ）

	A	B	C
1	良心	正義	勤労
2	良心	真理	納税
3	学問	正義	努力
4	学問	真理	勤労
5	信教	正義	努力

🔍 **ポイント**

「教育基本法」は，日本国憲法の精神にのっとり，教育の基本を確立するとともに，その振興を図るために制定された法律である。「教育基本法」は，出題率が非常に高いため，各条文について，内容を理解しながら確認しておくことが重要である。

解説

A-学問，B-真理，C-勤労が入る。

教育基本法の教育の目標には，真理を求める態度を養うことが含まれる。

　教育基本法では教育は**学問**の自由を尊重しつつ行われ，幅広い知識と教養を身に付け，**真理**を求める態度を養い，豊かな情操と道徳を培うとともに，健やかな身体を養うこと。また，職業および生活との関連を重視し，**勤労**を重んずる態度を養うことを目標としている。

正答　**4**

教育基本法

1条（教育の目的）
教育は，**人格の完成**を目指し，平和で民主的な国家及び社会の形成者として必要な**資質**を備えた心身ともに**健康**な国民の育成を期して行われなければならない。

2条（教育の目標）
① 幅広い**知識**と**教養**を身に付け，**真理**を求める態度を養い，**豊かな情操**と**道徳心**を培うとともに，**健やかな身体**を養うこと。
② 個人の価値を尊重して，その能力を伸ばし，**創造性**を培い，**自主**及び**自律**の精神を養うとともに，職業及び生活との関連を重視し，**勤労**を重んずる態度を養うこと。
③ **正義**と**責任**，**男女の平等**，**自他の敬愛**と**協力**を重んずるとともに，**公共の精神**に基づき，主体的に社会の形成に参画し，その発展に寄与する態度を養うこと。
④ **生命**を尊び，**自然**を大切にし，**環境**の保全に寄与する態度を養うこと。
⑤ **伝統**と**文化**を尊重し，それらをはぐくんできた**我が国**と**郷土**を愛するとともに，他国を尊重し，**国際社会の平和**と発展に寄与する態度を養うこと。

ベスト過去問編

難易度 ★　　　頻出度 ★ ★ ★

学習日
／　　／　　／

5 教育原理 02

幼稚園教育要領

　次の文は，「幼稚園教育要領」第1章「総則」第1「幼稚園教育の基本」の一部である。（　A　）〜（　C　）にあてはまる語句の正しい組み合わせを一つ選びなさい。　　　　　　　　　　　　　　　　　　【令和3年後期・問3】

　教師は，幼児との（　A　）を十分に築き，幼児が身近な環境に（　B　）に関わり，環境との関わり方や意味に気付き，これらを取り込もうとして，試行錯誤したり，考えたりするようになる幼児期の教育における見方・考え方を生かし，（　C　）よりよい教育環境を創造するように努めるものとする。

（組み合わせ）

	A	B	C
1	人間関係	主体的	家庭や地域と共に
2	人間関係	積極的	幼児と共に
3	信頼関係	積極的	家庭や地域と共に
4	信頼関係	主体的	幼児と共に
5	愛着関係	主体的	幼児と共に

ポイント

幼稚園教育要領で示されている，「幼稚園教育において育みたい資質・能力」についての理解が問われる問題である。「幼稚園教育において育みたい資質・能力」として，「知識・技能の基礎」「思考力・判断力・表現力等の基礎」「学びに向かう力，人間性」の3つの柱が示されていることを確認しておこう。

解説

A-信頼関係，B-主体的，C-幼児と共にが入る。

教師は，幼児と共によりよい教育環境を創造するように努める。

　幼稚園教育要領では「教師は，幼児との**信頼関係**を十分に築き，幼児が身近な環境に**主体的**に関わり，環境との関わり方や意味に気付き，これらを取り込もうとして，**試行錯誤**したり，考えたりするようになる幼児期の教育における**見方・考え方**を生かし，**幼児と共に**によりよい教育環境を創造するように努めるものとする。」と規定されている。

正答 4

幼稚園教育要領

第1章　総則　第1　幼稚園教育の基本（一部抜粋）

　幼児期における教育は，生涯にわたる人格形成の基礎を培う重要なものであり，幼稚園教育は，**学校教育法第22条**に規定する目的を達成するため，幼児期の特性を踏まえ，**環境**を通して行うものであることを基本とする。

　このため，教師は幼児との**信頼関係**を十分に築き，幼児と共によりよい教育環境を創造するように努めるものとする。これらを踏まえ，次に示す事項を重視して教育を行わなければならない。

1　幼児は安定した情緒の下で自己を十分に発揮することにより発達に必要な体験を得ていくものであることを考慮して，幼児の**主体的**な活動を促し，幼児期にふさわしい生活が展開されるようにすること。

2　幼児の自発的な活動としての**遊び**は，心身の調和のとれた**発達の基礎**を培う重要な学習であることを考慮して，**遊び**を通しての指導を中心として第2章に示すねらいが総合的に達成されるようにすること。

3　幼児の発達は，心身の諸側面が相互に関連し合い，多様な経過をたどって成し遂げられていくものであること，また，幼児の**生活経験**がそれぞれ異なることなどを考慮して，幼児一人一人の特性に応じ，**発達の課題**に即した指導を行うようにすること。

ベスト過去問編

難易度 ★★　　頻出度 ★★★

5 教育原理 03

学習日

／　　／　　／

明治期の教育

次の文は，日本における明治期の教育についての記述である。（　A　）・（　B　）にあてはまる語句の正しい組み合わせを一つ選びなさい。

【令和4年前期・問7】

　明治維新後，近代教育制度が確立されていった。1871（明治4）年に文部省が創設され，1872（明治5）年には学区制度と単線型の学校制度を構想した（　A　）が公布された。その後，初代文部大臣となった（　B　）は，国民教育制度の確立に力を注ぎ，特に初等教育の普及と教員養成の充実を図った。

（組み合わせ）

	A	B
1	教育令	西村茂樹
2	教育令	森有礼
3	学制	伊藤博文
4	学制	西村茂樹
5	学制	森有礼

ポイント

日本の近代教育制度が確立した明治時代から現代に至るまでの教育制度の変遷について確認しておこう。

解説

A-学制，B-森有礼が入る。

日本における近代教育制度は，明治維新後に確立した。

　明治維新以降，近代教育制度の基礎が確立した。1871（明治4）年に文部省創設，**1872（明治5）年に学制公布，1886（明治19）年に小学校令公布。**小学校令は，初代文部大臣の**森有礼**によって公布された。

正答　**5**

CHECK
日本の近代教育制度の変遷

1872（明治5）年	学制公布	・国民皆学を目指した基本理念。 ・『学事奨励に関する被仰出書（学制序文）』
1876（明治9）年	初の幼稚園創設	日本で最初の幼稚園として**東京女子師範学校附属幼稚園**が創設された。
1879（明治12）年	教育令公布	学制の画一的，強制的な中央集権制を改め，教育の権限を地方に委譲。
1880（明治13）年	改正教育令公布	小学校の学科目の首位に「修身」が置かれ，徳育重視の姿勢が明確にされた。
1886（明治19）年	学校令公布	小学校令・帝国大学令・師範学校令・中学校令等の各種の学校令公布。初代文部大臣の森有礼による。小学校を臣民教育機関と位置づける。
1890（明治23）年	教育勅語発布	井上毅の起草。儒教倫理的，天皇の臣民である国民に対しての勅語。
1918（大正7）年	『赤い鳥』創刊	鈴木三重吉が児童雑誌『赤い鳥』を創刊。
1926（大正15）年	幼稚園令公布	わが国初の幼稚園独自の法令として制定・公布。
1941（昭和16）年	国民学校令公布	小学校を国民学校と改称（尋常小学校・高等小学校・尋常高等小学校は，すべて国民学校とされた）。

5 教育原理 04

近年の教育政策について

　次の文は，2019（令和元）年12月に文部科学省から示された政策についての説明である。その政策の名称として，正しいものを一つ選びなさい。

【令和5年前期・問8】

・1人1台端末及び高速大容量の通信ネットワークを一体的に整備する。

・多様な子供たちを誰一人取り残すことのない，公正に個別最適化された学びを全国の学校現場で持続的に実現させる。

1　SDGs教育プロジェクト

2　プログラミング教育プロジェクト

3　ICT活用教育プロジェクト

4　GIGAスクール構想

5　デジタルスクール構想

ポイント

ICT技術の社会への浸透に伴って，教育現場でも先端技術の効果的な活用が求められる時代となった。そのような中で，文部科学省を中心とする教育ICT環境の実現に向けた取り組みについて，押さえておきたい。

解説

GIGAスクール構想は，日本の学校教育のICT化の遅れの解決を目指す。

ICTとは情報通信技術を利用したコミュニケーションのこと。**GIGAスクール構想**では，1人1台端末と**高速大容量**の通信ネットワークを整備し，多様な子どもたちを誰一人取り残さずに**個別最適化**された学びの実現を目指す。

正答　4

GIGAスクール構想の実現

・GIGAスクール構想の実現に向けたハード・ソフト・人材一体となった学びの環境を整備する。
・児童生徒1人1台コンピュータを実現し，これまでの実践とICTのベストミックスを図り，児童生徒・教師の力を最大限に引き出す。
・緊急時における，児童生徒の「学びの保障」の観点からも，ICTを効果的に活用する。
・ハード面の整備だけでなく，ソフト・人材を一体とした改革をすすめる。

ベスト過去問編

難易度 ★★★　頻出度 ★★

5 教育原理 05

外国の就学前教育

学習日
／　／　／

　次の文は，ある国の就学前教育についての記述である。どこの国のものか，正しいものを一つ選びなさい。 【令和3年後期・問7】

　就学前教育は，3〜4歳児を中心に幼稚園やプレイセンター，また，0〜4歳児を対象とする多様な就学前教育機関において提供されている。また，マオリの言語・文化を教える機関「コハンガ・レオ」も設置されている。子どもの「今，ここにある生活」を重視し，実践者，研究者，マオリの人々の意見を集めて作られたカリキュラム「テ・ファリキ」により幼児教育が展開されている。

1 イタリア

2 アルゼンチン

3 フィンランド

4 ニュージーランド

5 シンガポール

ポイント

諸外国の就学前教育については，各国の特徴や社会情勢に深く関連しながら，実施されている場合が多い。それぞれの違いやキーワードに注目しながら，各国の就学前教育の特徴について，整理をしておくことが重要である。

解説

「テ・ファリキ」はニュージーランドの幼児教育カリキュラムである。

「テ・ファリキ」は，1996年にニュージーランド政府の教育委員会によって策定された**幼保統一カリキュラム**である。ニュージーランドでは，各幼児教育施設が「テ・ファリキ」に基づき，独自の教育方針を策定し，幼児教育の実践が図られている。

また，問題文の「マオリ」からニュージーランドと推測できる。

正答　**4**

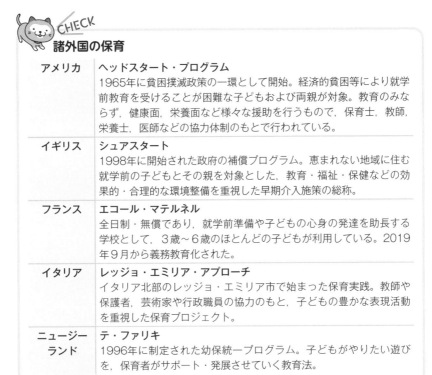

CHECK

諸外国の保育

アメリカ	**ヘッドスタート・プログラム** 1965年に貧困撲滅政策の一環として開始。経済的貧困等により就学前教育を受けることが困難な子どもおよび両親が対象。教育のみならず，健康面，栄養面など様々な援助を行うもので，保育士，教師，栄養士，医師などの協力体制のもとで行われている。
イギリス	**シュアスタート** 1998年に開始された政府の補償プログラム。恵まれない地域に住む就学前の子どもとその親を対象とした，教育・福祉・保健などの効果的・合理的な環境整備を重視した早期介入施策の総称。
フランス	**エコール・マテルネル** 全日制・無償であり，就学前準備や子どもの心身の発達を助長する学校として，3歳～6歳のほとんどの子どもが利用している。2019年9月から義務教育化された。
イタリア	**レッジョ・エミリア・アプローチ** イタリア北部のレッジョ・エミリア市で始まった保育実践。教師や保護者，芸術家や行政職員の協力のもと，子どもの豊かな表現活動を重視した保育プロジェクト。
ニュージーランド	**テ・ファリキ** 1996年に制定された幼保統一プログラム。子どもがやりたい遊びを，保育者がサポート・発展させていく教育法。

カリキュラム

次の文の（　）にあてはまる語句として，最も適切なものを一つ選びなさい。

【令和2年後期・問8】

（　）とは，主として学校において，子どもたちが学校の文化ひいては近代社会の文化としての価値，態度，規範や慣習などを知らず知らず身につけていく一連のはたらきのことである。無意図的に，目に見えない形ではあるが，子どもたちに影響を及ぼし，その発達を方向づけていく。

1　融合カリキュラム

2　経験カリキュラム

3　潜在的カリキュラム

4　顕在的カリキュラム

5　コア・カリキュラム

ポイント

カリキュラムにはさまざまな内容がある。主なものとして，教科カリキュラムと経験カリキュラムが挙げられる。それぞれのカリキュラムの内容について，しっかりと確認しておく必要がある。

解説

❶✕ 融合カリキュラムとは，共通要素に基づいて統合した教育課程である。

　融合カリキュラムの例として，日本史・世界史・地理・政治経済等を含む融合的教科としての**社会科**が挙げられる。

❷✕ 経験カリキュラムとは，生活中心の教育課程である。

　経験カリキュラムの例として，**遠足**や**修学旅行**などが挙げられる。

❸◯ 潜在的カリキュラムとは，無意図的な教育課程である。

　潜在的カリキュラムは，価値・態度・規範・慣習などを**知らず知らず**身に付けていく一連のはたらきのことである。

❹✕ 顕在的カリキュラムとは，意図的な教育課程である。

　顕在的カリキュラムとは，価値・態度・規範・慣習などを**意図的**に身に付けさせていく一連のはたらきのことである。

❺✕ コア・カリキュラムとは，生活課題の解決を中心においた教育内容である。

　コア・カリキュラムとは，中核となる教材や学習内容を置き，それに他の教科や領域を関連づけ，**問題解決学習**によって学習を進めるカリキュラムである。

正答　**3**

CHECK
主なカリキュラム

①教科カリキュラム（教材中心カリキュラム）
長所：大人が子どもに学ばせたいと考える内容を選択できる。
短所：大人の関心ごとに偏る。内容が**多く**なり**高度化**する。

②経験カリキュラム（生活中心カリキュラム）
長所：子どもの学習**意欲**を喚起しやすい。
短所：子どもの成熟に必要な知識や技能が網羅されるという保証が必ずしもない。

③相関カリキュラム
教科区分は動かさず，2つ（以上）の教科間の共通要素を関連させる。

④融合カリキュラム
複数の教科間の共通要素に基づいて統合した新しい教科・科目や教育内容。
例）歴史・地理・公民を含む「**社会科**」や物理・化学・生物を含む「**理科**」

⑤広領域カリキュラム
融合カリキュラムの「融合」や「統合」の度合いをさらに進めていったもの。
例）理科と社会科を統廃合した「**生活科**」

⑥コア・カリキュラム
中心となる学習内容や教科を設定し，関連した内容や教科が**円環的**に構成。

5 教育原理 07

江戸時代における日本の教育思想家

　　次の【Ⅰ群】の記述と，【Ⅱ群】の人物を結びつけた場合の正しい組み合わせを一つ選びなさい。　　　　　　　　　　　　　　【令和5年前期・問4】

【Ⅰ群】

A　子どもの年齢に応じた教え方として「随年教法」を示した。「和俗童子訓」において「其おしえは，予あらかじめするを先とす。予とは，かねてよりといふ意。小児の，いまだ悪にうつらざる先に，かねて，はやくをしゆるを云」と述べた。

B　農民生活の指導者として，子どもの発達過程に即した教育の在り方を説いた。子どもの心と身体の成長を「実植えしたる松」「二葉極りたる頃」「萌したる才智の芽のふき出」など松の生長にたとえた。

【Ⅱ群】

ア　大原幽学

イ　伊藤仁斎

ウ　荻生徂徠

エ　貝原益軒

（組み合わせ）

	A	B
1	ア	イ
2	イ	ウ
3	ウ	イ
4	エ	ア
5	エ	イ

ポイント

わが国の近代教育が始まったのは明治以降だが，その土台を築いた江戸時代以前の教育についても度々出題される。人物とその功績（著書や教育スタイル等）は整理をしておくことが必要である。

解説

Ⓐ-エ 『和俗童子訓』の著者である貝原益軒は江戸時代の思想家である。

　　『和俗童子訓』では幼児期からの教育を重視（予める）しながら，子どもの発達段階に即した教材や方法の必要性（**随年教法**）にも言及している。『女大学』や『養生訓』の著者でもある。

Ⓑ-ア **大原幽学は農民の教化と農村改革運動を指導した人物である。**

　　大原幽学は，道徳と経済の調和を基本とした性学を説き，農業協同組合の原型ともいえる**先祖株組合**を作った。また子どもの心と身体の成長を**松の生長**にたとえて，発達過程に即した教育について説明した。

正答　　４

CHECK

江戸時代の教育思想家

石田梅岩 (いしだばいがん)	・「石門心学」……町人社会における実践哲学
二宮尊徳 (にのみやそんとく)	・「報徳仕法」……社会貢献すれば，いずれ自分に還元される。
中江藤樹 (なかえとうじゅ)	・陽明学の祖。近江聖人と呼ばれ，「知行合一説」「姑息の愛」を提唱。 ・『翁問答』を著す
佐藤信淵 (さとうのぶひろ)	・『垂統秘録』→慈育館と遊児廠を構想。公費運営すべきと考案。 　→日本初めて保育施設の設立を提唱した。

・私塾と開校した人物

林家塾（後の昌平坂学問所）	林羅山 (はやしらざん)…江戸時代前期の儒学者
古義堂 (こぎどう)	伊藤仁斎 (いとうじんさい)…江戸時代前期の儒学者
蘐園塾 (けんえんじゅく)	荻生徂徠 (おぎゅうそらい)…江戸時代中期の儒学者
松下村塾 (しょうかそんじゅく)	吉田松陰 (よしだしょういん)…江戸時代後期の武士，思想家
適塾 (てきじゅく)	緒方洪庵 (おがたこうあん)…江戸時代後期の武士，蘭学者
鈴屋 (すずのや)	本居宣長 (もとおりのりなが)…江戸時代中期の国学者
咸宜園 (かんぎえん)	広瀬淡窓 (ひろせたんそう)…江戸時代後期の儒学者

一問一答編　●
●　ベスト過去問編　●
●　本試験編　●

ベスト過去問編

難易度 ★★　頻出度 ★★

5 教育原理 08

学習日

／　　／　　／

明治以降における日本の教育思想家

次の【Ⅰ群】の記述と，【Ⅱ群】の人物を結びつけた場合の正しい組み合わせを一つ選びなさい。

【令和3年後期・問5】

【Ⅰ群】

A 愛知県出身。欧州を数年旅した後，1875（明治8）年に東京女子師範学校の創設とともに英語教師として招かれる。翌年，東京女子師範学校附属幼稚園の開設に伴い初代監事に任じられた。

B 愛媛県出身の心理学者・教育学者。1936（昭和11）年に保育問題研究会を結成し，その会長に就任。研究者と保育者の共同による幼児保育の実証的研究を推進した。

C 兵庫県出身。東京女子師範学校卒業後，同校附属幼稚園の保母となる。その後，華族女学校附属幼稚園で保母をしながら，1900（明治33）年に二葉幼稚園を設立した。

【Ⅱ群】

ア 松野クララ

イ 野口幽香

ウ 倉橋惣三

エ 関信三

オ 城戸幡太郎

（組み合わせ）

	A	B	C
1	ア	ウ	イ
2	ウ	エ	ア
3	ウ	エ	イ
4	エ	オ	ア
5	エ	オ	イ

🔍 **ポイント**

日本の教育の発展に貢献した人物については，毎回1〜2問は出題される。それぞれの思想家が目指した教育観を理解することとあわせ，著した著書や述べた言葉など丁寧におさえておくことが重要である。

解説

Ⓐ-エ 関信三は，東京女子師範学校附属幼稚園の初代監事を務めた。

わが国最初の幼稚園である東京女子師範学校附属幼稚園において，初代監事は関信三が務め，主任保母は**松野クララ**が務めた。

Ⓑ-オ 城戸幡太郎は，保育問題研究会の初代会長を務めた。

保育問題研究会の初代会長を務めた城戸幡太郎は，**社会中心主義**の保育を提唱した。

Ⓒ-イ 野口幽香は，二葉幼稚園を設立した。

野口幽香は，華族女学校附属幼稚園の保母を務めながら，**森島峰**とともに二葉幼稚園を設立した。

<u>正答　5</u>

CHECK

明治以降における日本の教育思想家

橋詰 良一 （はしづめりょういち）	・1922（大正11）年，園舎をもたない戸外活動中心の「**家なき幼稚園**」を創設した。
倉橋惣三 （くらはしそうぞう）	・「**児童中心主義**」にもとづく進歩的な保育を提唱。 ・「**誘導保育**」→児童の「**生活を生活で生活へ**」と導いていくことの大切さを示した。
鈴木三重吉 （すずきみえきち）	・雑誌『**赤い鳥**』1918（大正7）年創刊。 →児童文学や童謡を広げる運動（赤い鳥童謡運動）を展開した。
北原白秋 （きたはらはくしゅう）	・赤い鳥童謡運動を展開した。 ・鈴木三重吉が創刊した『赤い鳥』に作品を寄稿した。
山本鼎 （やまもとかなえ）	・**自由画教育運動**を提唱。教科書の絵を模写する美術教育を批判し，子どもの自由な発想による自由画の意義を主張。
城戸幡太郎 （きどまんたろう）	・「**社会中心主義**」の保育を主張。協同社会を建設しうる「**生活力**」のある子どもの育成を期した。 ・**保育問題研究会**を発足。

ベスト過去問編

難易度 ★★　　頻出度 ★★★

5 教育原理 09

学習日
／　／　／

諸外国における教育思想家①

次の記述に該当する人物は誰か。正しいものを一つ選びなさい。

【令和5年前期・問5】

　イギリス産業革命期にスコットランドのニュー・ラナークの紡績工場の経営に従事した。この工場での労働者教育の経験から，人間の性格が環境の産物であり，環境を整えることで性格形成が可能であるとの考えをもつに至り，『新社会観』を執筆した。また性格形成学院を開校。彼は，人間の性格形成において幼児期の環境の影響をとりわけ重視し，性格形成学院内に今日の保育所的機能を果たす幼児学校を設け，労働者の子どもを1歳から預かった。

1　ベル（Bell, A.）

2　コメニウス（Comenius, J.A.）

3　オーエン（Owen, R.）

4　ランカスター（Lancaster, J.）

5　ロック（Locke, J.）

🔍 ポイント

教育の発展に貢献した人物については，さまざまな形で出題される。次の問題10で紹介する人物とその功績も合わせて，ポイント，キーワードに丁寧におさえて，解答に繋げられるように，整理をすることが大切である。

解説

❶✕ ベルはベル・ランカスター法を開発した。

イギリスの教育学者。**ベル・ランカスター法**は助教法ともいい，大人数のクラスをグループに分けて，優秀な者を教師の助手のような役割として指導にあたらせる方法である。

❷✕ コメニウスはすべての人にとって教育が重要であることを説いた。

チェコの思想家。すべての人が普遍的知識体系（汎知，パンソフィア）を学ぶ必要性を『**大教授学**』で述べた。また，直観教授の考えにもとづいて作成された世界最初の絵入り教科書『**世界図絵**』の著者でもある。

❸○ 性格形成学院を設立し，『新社会観』の著者はオーエンである。

オーエン（オウエン）は自身が経営するニュー・ラナーク紡績工場に，子どもの教育施設である**性格形成学院**を設立した。

❹✕ ランカスターはモニトリアル・システム（助教法）を提唱した。

イギリスの教育学者。学力の高い者を助教（monitor）として指導にあたらせる方法である。**助教法**はベルが開発した方法だが，同時期にランカスターも提唱したのでベル・ランカスター法ともいう（選択肢１参照）。

❺✕ ロックは白紙説を提唱し，『教育に関する考察』の著者である。

イギリスの哲学者。『**人間知性論**』では，生得観念を否定して白紙説（タブラ・ラサ）を提唱した。また『**教育に関する考察**』では，人間形成のために**早期教育**が重要であるとした。

正答　3

CHECK
諸外国の教育思想家・実践家①

ロック	・**白紙説**にもとづく，早期教育を提唱。 ・『**人間知性論**』『**教育に関する考察**』
ベル／ ランカスター	「**助教法**（ベル・ランカスター法ともよばれている）」を提唱した。学習進度により，幾つかのグループにわけ，各グループは，同一教材で補助教師による一斉授業を行うのが特徴。
オーエン	「幼児学校」「昼間学校」「夜間講義」からなる「**性格形成学院**（新性格形成学院）」を創設。『**新社会観**』（1813年）
コメニウス	すべての人にすべてのことを教える（普遍的技術教育）提唱。 ・『**大教授学**』→体系的な単線型の「統一学校」の構想を示す。 ・『**世界図絵（会）**』→世界で最初の絵入り教科書（1658年）。

ベスト過去問編

難易度 ★　　　頻出度 ★★★

学習日
／　／　／

5 教育原理 10

諸外国における教育思想家②

　　次の【Ⅰ群】の記述と，【Ⅱ群】の人物を結びつけた場合の正しい組み合わせを一つ選びなさい。　　　　　　　　　　　　　【令和3年前期・問5】

【Ⅰ群】

A　ドイツの教育者。神と自然と人間を貫く神的統一の理念に基づき，「自己活動」と「労作」の原理を中心とした教育の理論を述べた。また，家庭教育の向上を図るため，『母の愛と愛撫の歌』を著した。

B　スイスに生まれ，近代教育に重要な影響を与えた教育思想家・教育者。著書『隠者の夕暮』で，教育の場として家庭を重視した。「生活が陶冶する」という名言でも知られている。

C　スイスで生まれフランスで活躍した思想家。子どもと大人の本質的な差異を認め，「子どもの発見者」と言われる。『エミール』の著者で，人間の本来の性は善であるが，伝統，歴史，社会，政治などにより悪くなっていくと主張した。

【Ⅱ群】

ア　コメニウス（Comenius, J.A.）

イ　ルソー（Rousseau, J.-J.）

ウ　ペスタロッチ（Pestalozzi, J.H.）

エ　フレーベル（Fröbel, F.W.）

（組み合わせ）

	A	B	C
1	ア	ウ	イ
2	ウ	ア	エ
3	ウ	エ	イ
4	エ	ア	ウ
5	エ	ウ	イ

ポイント

諸外国の教育思想に関する問題は，非常に出題率が高い。「人名」と「著書」・「創設した施設」・「キーワード」などを結び付ける問題が多いため，誰が何をしたのか整理しておく必要がある。人物に関して，一つでも多くの引き出しを用意しておくことが正解を導き出すカギとなる。

解説

Ⓐ-エ フレーベルは，世界で最初の幼稚園を創設した。

フレーベルは，子どもの遊びを重視し，子どものための教育玩具「**恩物**」の考案を行った。

Ⓑ-ウ ペスタロッチは『白鳥の歌』において「生活が陶冶する」と述べた。

ペスタロッチは，シュタンツに孤児院，ノイホーフに貧民学校を創設するなど，「**民衆教育の父**」といわれた。

Ⓒ-イ ルソーは『エミール』や『社会契約論』などを著した。

ルソーは，自然主義に基づく消極的教育を提唱し，「**子どもの発見者**」といわれた。

正答　**5**

CHECK
諸外国の教育思想家・実践家②

ルソー	・保護的子ども観を確立し，**消極的教育**（自然主義に基づく教育）を提唱。『エミール』
ペスタロッチ	・人は皆平等で，かつ等しく尊重される存在であると説く。 ・『**隠者の夕暮れ**』『**白鳥の歌**』『**シュタンツだより**』
フレーベル	・世界で**最初の幼稚園**を創設し，恩物という教育玩具を考案。 ・『**人間の教育**』
エレン・ケイ	・児童中心主義の教育思想を提唱。『**児童の世紀**』
デューイ	・児童中心主義に基づく新教育を提唱。 ・シカゴ大学付属実験学校を設立。 ・**問題解決学習**：子ども自らが疑問に思うことを自分で調べて解き明かしていく学習方法。
キルパトリック	・デューイの提唱した問題解決学習の体系化を意図した**プロジェクトメソッド**を提唱した。
スキナー	・**プログラム学習**：学習者が自学自習する個別学習法。
ピアジェ	・**認知発達段階**を提唱。
ブルーム	**完全習得学習**→一斉学習の形態をとりながらも，学習の途中に「**形成的評価**」を取り入れ，個人差に応じた個別指導を行い，学習者全員の習得を目指した。
ブルーナー	『**教育の過程**』→**発見学習**：学問や文化の基本的構造に関する内容を結果として学ぶだけでなく，学習者自らがその発見の過程に参加することにより，発見的に学ぶことを意図した学習方法。

6 社会的養護 01

家庭と同様の養育環境

　次のうち，「社会的養育の推進に向けて」（令和4年　厚生労働省）に示された「家庭と同様の養育環境」として，正しいものを○，誤ったものを×とした場合の正しい組み合わせを一つ選びなさい。　　　【令和5年前期・問5】

A　里親

B　養子縁組

C　地域小規模児童養護施設（グループホーム）

D　小規模グループケア（分園型）

（組み合わせ）

	A	B	C	D
1	○	○	○	×
2	○	○	×	×
3	○	×	○	×
4	×	○	×	○
5	×	×	○	×

🔍 **ポイント**

2016年児童福祉法改正により，国と地方自治体の責任で児童が心身ともに健やかに養育されるよう，より家庭に近い環境での養育をすすめていくことが明確化された（児童福祉法3条の2）。その後，実際に出題もされているので，その方向性を確認しておくことが重要である。

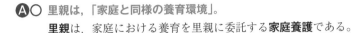 解説

A○ 里親は，「家庭と同様の養育環境」。

里親は，家庭における養育を里親に委託する**家庭養護**である。

B○ 養子縁組は，「家庭と同様の養育環境」。

養子縁組（特別養子縁組を含む）は，民法にもとづき養親と養子との間に法律上の親子関係を作り出す制度である。

C× 地域小規模児童養護施設（グループホーム）は「良好な家庭的環境」。

地域小規模児童養護施設（グループホーム）は，児童養護施設本体の支援の下で地域の民間住宅などを活用して**家庭的養護**を行う。

D× 小規模グループケア（分園型）は「良好な家庭的環境」。

小規模グループケア（分園型）は，地域において，小規模なグループで家庭的養護を行う。

正答　**2**

 CHECK

家庭と同様の環境における養育の推進

（「社会的養育の推進に向けて（平成29年12月）」より一部抜粋）

良好な家庭的環境		家庭と同様の養育環境	家　庭
施　設 児童養護施設 乳児院等	施設（小規模型） ・地域小規模児童養護施設（グループホーム） ・小規模グループケア	・小規模住居型児童養育事業（ファミリーホーム） ・里親 ・養子縁組（特別養子縁組含む）	実親による養育

　国・地方公共団体の責務として「**家庭と同様の環境における養育**」の推進等が明記された。

① まずは，児童が家庭において健やかに養育されるよう，保護者を支援。

② 家庭における養育が適当でない場合，児童が「**家庭における養育環境と同様の養育環境**」において継続的に養育されるよう，必要な措置。

③ ②の措置が適当でない場合，児童が「できる限り**良好な家庭的環境**」で養育されるよう必要な措置。

※　特に就学前の児童については，②の措置を原則とすることを明確化した。

6 社会的養護 02

学習日

/　/　/

特別養子縁組

次の文のうち，「民法」における特別養子縁組に関する記述として，**不適切**な記述を一つ選びなさい。　【令和3年前期・問5】

1　特別養子縁組は，その子どもの利益のため特に必要があると認めるときに成立させるものである。

2　養子となる者の上限年齢は，特別養子縁組の成立の審判の申立て時に，原則として15歳未満であるとされている。

3　特別養子縁組をした子どもと実父母との親族関係は，どのような場合にも継続する。

4　養子となる者が15歳に達している場合において，特別養子縁組の成立には養子となる者の同意がなければならない。

5　特別養子縁組の成立には，養親となる者が養子となる者を6か月以上監護した状況を考慮しなければならない。

ポイント

特別養子縁組は，家庭養護の一つとして，近年，社会的養護において強化が図られている民法の制度である。法改正により，養子となる者の年齢が拡大されたことなどを含め，養子縁組の成立のしくみや条件等，基本事項はしっかり押さえることが大切である。

解説

❶◯ **特別養子縁組は子の利益のため特に必要があると認めるときに成立。**

特別養子縁組は，父母による養子となる者の監護が著しく困難または不適当であることやその他特別の事情がある場合において，**子の利益**のため特に必要があると認めるときに，これを成立させる。

❷◯ **養子になる子は，家庭裁判所への審判請求時に15歳未満の必要あり。**

養子になる子の年齢は，養親となる者が家庭裁判所に審判を請求するときに，**原則として15歳未満**である必要がある。

❸✕ **特別養子縁組は，実親との法律上の関係を解消する養子縁組制度。**

特別養子縁組は，養子となる子の実親との法的な**親子関係を解消**し，養親と実の子として親子関係を結ぶ民法上の制度である。

❹◯ **養子となる者が15歳に達している→縁組成立に本人の同意が必要。**

養子となる者が15歳に達している場合においては，特別養子縁組の成立には，その者の同意がなければならない。

❺◯ **養親希望者が養子となる子を6か月以上監護していることが必要。**

特別養子縁組を成立させるには，養親となる者が養子となる者を**6か月以上**の期間，監護した状況を考慮しなければならない。

正答　**3**

 CHECK

特別養子縁組

実親との法律上の関係を解消する養子縁組は家庭裁判所の審判によって確定する。

（1）実親の同意

養子となる子の父母（実父母）の同意が必要。ただし，実父母がその意思を表示できない場合又は，実父母による虐待，悪意の遺棄その他養子となる子の利益を著しく害する事由がある場合は，実父母の同意が不要となることがある。

（2）養親の年齢

養親となるには配偶者のいる者（夫婦）でなければならず，夫婦共同で縁組をすることになる。また，養親となる者は原則25歳以上でなければならない。

（3）養子の年齢

養子になる子の年齢は，養親となる者が家庭裁判所に審判を請求するときに15歳未満である必要がある。ただし15歳に達する前から養親となる者に監護されていた場合には，子が18歳に達する前までは，審判を請求することが可能（養子となる者の同意が必要）。

（4）半年間の監護

縁組成立のためには，養親となる者が養子となる子を6か月以上監護していることが必要。

次のうち，乳児院に配置される職員として，<u>不適切なもの</u>を一つ選びなさい。

【令和4年前期・問7】

1 保育士
2 少年を指導する職員
3 家庭支援専門相談員
4 里親支援専門相談員
5 看護師

ポイント

「設備運営基準」に基づく児童福祉施設に配置される職員及びその施設に関する出題である。施設の職員は，行政機関の職員や法定外の職員とあわせて，出題されることが多々あるので注意が必要。また近年配置が強化されている専門職員については，その配置施設が結びつけられるように整理しておくこと。

解説

❶○ **乳児院では，看護師の代替として保育士を置くことができる。**
　乳児院では，一定数の看護師以外は，**保育士・児童指導員**への代替が可能である（看護師の一定数　乳児10人未満：1人以上，以下10人毎に1人以上加算）。

❷× **少年を指導する職員は，母子生活支援施設に配置義務のある職員である。**
　少年を指導する職員は**母子生活支援施設**の職員であり，子どもの学習習慣や生活習慣形成を援助し，子どもの自立をサポートする役割を担っている。

❸○ **乳児院には，家庭支援専門相談員の配置義務がある。**
　家庭支援専門相談員は，**早期家庭復帰**や**里親委託推進**など，親子関係の再構築を図る役割を担っている。

❹○ **乳児院には，里親支援専門相談員を置くことができる。**
　里親支援専門相談員は，里親委託の推進や里親への支援の充実を図る役割を担っている（法定外かつ**配置義務はなく**，加算により配置される）。

❺○ **乳児院には，看護師の配置義務がある。**
　乳児院における**看護師**（一定数の看護師以外は，保育士・児童指導員への代替可）の配置は，**乳児1.7人**につき1人である

正答　2

CHECK
主な施設の職員　※設備運営基準にもとづく

職員	配置施設
母子支援員，少年を指導する職員	母子生活支援施設
児童の遊びを指導する者	児童厚生施設
児童発達支援管理責任者	障害児入所施設，児童発達支援センター
児童自立支援専門員，児童生活支援員	児童自立支援施設
個別対応職員	乳児院，児童養護施設，児童心理治療施設，児童自立支援施設，母子生活支援施設（ＤＶ被害母子に必要な場合）
家庭支援専門相談員	乳児院，児童養護施設，児童心理治療施設，児童自立支援施設
心理療法担当職員	乳児院，母子生活支援施設，児童養護施設，児童自立支援施設（以上4施設要支援10人以上の場合），児童心理治療施設（必置）
心理支援を担当する職員	医療型障害児入所施設（重症児入所の場合）
児童指導員	児童養護施設，障害児入所施設，児童発達支援センター，児童心理治療施設，乳児院（看護師の代替の場合）

ベスト過去問編

難易度 ★★ 頻出度 ★★★

6 社会的養護 04

学習日
／　／　／

「社会的養育の推進に向けて」（令和6年4月　厚生労働省）

　次の文のうち，「社会的養育の推進に向けて」（令和6年4月　厚生労働省）に関する記述として，適切な記述を一つ選びなさい。

【令和2年後期・問6改題】

1　社会的養護の対象となっている児童は，約1万5千人である。

2　児童養護施設は，約600か所ある。

3　委託里親数は，1万世帯を超える。

4　自立援助ホームは，約400か所ある。

5　地域小規模児童養護施設は，約100か所ある。

ポイント

厚生労働省の資料「社会的養育の推進に向けて」については，近年の試験で続けて出題されている頻出テーマである。社会的養護関連の施設等の数やその児童数については，丁寧に確認しておく必要がある。

解説

「社会的養育の推進に向けて」（令和6年4月）参照。

❶× 社会的養護の対象となっている児童は，約**4万2千人**である。

社会的養護とは，保護者のない児童，**被虐待児**など家庭環境から養護を必要とする児童などに対し，公的な責任として，**社会**的に養護を行うこと。

❷○ 児童養護施設は，令和4年3月末現在で約600か所ある。

児童養護施設は，ほかの母子生活支援施設，乳児院，**児童自立支援施設**，**児童心理治療施設**を合わせた要保護児童関連5施設中で最多で610か所。

❸× 委託里親数は，令和4年3月現在で約4,840世帯である。

委託里親数は，令和4年3月現在4,844世帯で，他は登録里親数15,607世帯，委託児童数6,080人となっている。

❹× 自立援助ホームは，令和5年10月現在で約320か所である。

自立援助ホームは，**義務教育**を終了した児童であって，児童養護施設等を退所した児童等を対象とする事業で令和5年現在，317か所ある。

❺× 地域小規模児童養護施設は，令和5年10月現在で約600か所である。

地域小規模児童養護施設とは，本体施設の支援の下で地域の民間住宅などを活用して**家庭的養護**を行う施設で，令和5年現在607か所ある。

正答 **2**

CHECK

社会的養護の実態について 「社会的養護の推進に向けて」より抜粋

ファミリーホーム

ホーム数	446か所	委託児童数	1,718人

里親

登録里親数	委託里親数	委託児童数
15,607世帯	4,844世帯	6,080人

施設

施設	乳児院	児童養護施設	児童心理治療施設	児童自立支援施設	母子生活支援施設	自立援助ホーム※
施設数	145か所	610か所	53か所	58か所	215か所	317か所
現 員	2,351人	23,008人	1,343人	1,103人	5,293人（児童数）	1,061人

小規模グループケア	2,394か所
地域小規模児童養護施設	607か所

※自立援助ホームは児童福祉施設ではなく，児童福祉法6条の3第1項にもとづく事業を行う場所の一つ。

一問一答編

ベスト過去問編

本試験編

難易度 ★★　　頻出度 ★★

6 社会的養護 05

学習日 ／　／　／

小規模住居型児童養育事業（ファミリーホーム）

次のうち，小規模住居型児童養育事業（ファミリーホーム）に関する記述として，適切なものを一つ選びなさい。　【令和5年前期・問2】

1　この事業は，家庭養護として養育者が親権者となり，委託児童を養育する取り組みである。

2　この事業の対象児童は，「児童福祉法」における「要支援児童」である。

3　この事業は，第一種社会福祉事業である。

4　この事業は，5人または6人の児童を養育者の家庭において養育を行う取り組みである。

5　この事業において委託児童の養育を担う養育者は，保育士資格を有していなければならない。

🔍 **ポイント**

小規模住居型児童養育事業（ファミリーホーム）は，児童福祉法に基づく要保護児童関連の事業の一つであり，社会的養護だけではなく子ども家庭福祉でも出題されることがある。法令等に基づく基本事項を確認することと合わせて，各公的資料（調査結果や運営指針など）に関する事項もチェックをしておくこと。

 解説

❶✕ **FH委託児童で親権者がない児童について，児童相談所長が親権を代行。**
FH委託児童で親権者がない児童について，**児童相談所長が親権を代行**し，**親権者がある児童**の場合，FHの養育者が**監護権**および**教育権**を代行する。

❷✕ **FHの対象児童は，「児童福祉法」における「要保護児童」である。**
児童福祉法6条の3第8項ではFH対象児童について，保護者のない児童または保護者に監護させることが不適当であると認められる児童（「**要保護児童**」）と定めている。

❸✕ **FHは第二種社会福祉事業である。**
FHは，社会福祉法2条3項二号にもとづき，**第二種社会福祉事業**とされている。

❹〇 **FHの委託児童の定員は，5人または6人である。**
FHは，**5人または6人**の児童を養育者の住居において養育を行う**家庭養護**の一つである。

❺✕ **FHの養育者の要件は，養育里親として養育経験や児童福祉施設の従事経験。**
FHの養育者の要件は，**養育里親**として一定期間の養育経験がある者や児童福祉施設等で従事経験がある者で，保育士資格の有する要件はない。
※FH＝ファミリーホーム

正答 **4**

 CHECK
小規模住居型児童養育事業（ファミリーホーム）
2008年児童福祉法改正により法定化（児童福祉法6条の3第8項）
【対象】要保護児童
【目的】事業者等の**住居**において「養育」
【設備】健康で安全な日常生活を営む上で必要な設備（入居定員は5〜6人）
【職員】**2人の養育者**（「**一の家族**」）および1人以上の補助者（1人の養育者および2人以上の補助者も可）
【評価】自己評価＋第三者評価が**努力義務**
【苦情解決】苦情対応の際，養育者等以外の者を関与させる**義務**
【自立支援計画】児童相談所長が作成する**自立支援計画**に従って養育

乳児院について

　次の文は，乳児院に関する記述である。適切な記述を○，不適切な記述を×とした場合の正しい組み合わせを一つ選びなさい。　【令和2年後期・問5改題】

A　乳児院は，保育所等訪問支援事業の訪問対象の施設である。

B　乳児院の長は，施設の所在する地域の住民につき，児童の養育に関する相談に応じ，及び助言を行うよう努めなければならない。

C　乳児院は，「児童福祉法」に定める「乳児」のみを対象とした施設である。

D　「児童養護施設入所児童等調査結果（令和5年2月1日現在)」（厚生労働省）によると，被虐待経験のある乳児院入所児が受けた虐待の種類は，「ネグレクト」が最も多い。

（組み合わせ）

	A	B	C	D
1	○	○	×	○
2	○	○	×	×
3	○	×	×	×
4	×	○	×	○
5	×	×	○	×

ポイント

社会的養護関係施設（乳児院，児童養護施設，母子生活支援施設，児童心理治療施設，児童自立支援施設）に関して出題されることが多いのが，この科目の特徴である。児童福祉法における定義や設備運営基準による職員及び設備基準の規定，並びに各調査結果や運営指針等については，目を通しておきたい。

解説

Ⓐ○ 保育所等訪問支援事業の支援対象には，乳児院が含まれる。

保育所等訪問支援事業の訪問対象の施設は，保育所，幼稚園，認定こども園等のほか，入所施設である**乳児院**や**児童養護施設**も含まれる。

Ⓑ○ 乳児院等の長による地域住民への養育相談，助言は努力義務。

乳児院，**母子生活支援施設**，**児童養護施設**，**児童心理治療施設**及び児童自立支援施設の長は，住民に対し，養育相談及び助言を行うよう努める。

Ⓒ× 乳児院は，乳児の他，必要に応じて幼児も対象とする。

乳児院は，乳児（必要のある場合には，幼児を含む）を入院，**養育**し，あわせて**退院**した者について相談等を行うことを目的とする施設とする。

Ⓓ○ 被虐待経験のある乳児院児が受けた虐待の種類は「ネグレクト」が最多。

「児童養護施設入所児童等調査結果　令和5年2月1日」によると，被虐待経験のある乳児院入所児が受けた虐待の種類は，「**ネグレクト**」が最多。

正答　**1**

 CHECK

乳児院について

●定義（児童福祉法）

乳児院は，**乳児**（保健上，安定した生活環境の確保その他の理由により特に必要のある場合には，**幼児**を含む）を入院させて，これを養育し，あわせて退院した者について相談その他の援助を行うことを目的とする施設とする。

●職員（児童福祉施設の設備及び運営に関する基準）※数字は乳幼児の数

10人以上入所：小児科の診療に相当の経験を有する医師又は嘱託医，看護師，
　　　　　　　個別対応職員，**家庭支援専門相談員**，栄養士及び調理員（要件
　　　　　　　あり），心理療法担当職員（要件あり）

10人未満入所：嘱託医，看護師，**家庭支援専門相談員**及び調理員又はこれに代
　　　　　　　わるべき者を置く

●設備（児童福祉施設の設備及び運営に関する基準）

10人以上：寝室，観察室，診察室，病室，**ほふく室**，相談室，調理室，浴室及
　　　　　び便所

10人未満：養育のための専用の室及び相談室

●その他（一部）

施設長による自立支援計画の策定→義務（設備運営基準24条の2）

地域住民への養育相談→努力義務（児童福祉法48条の2）

6 社会的養護 07

学習日

／　／　／

里親及びファミリーホーム養育指針

　次のうち,「里親及びファミリーホーム養育指針」(平成24年3月　厚生労働省)における「家庭養護」の要件として,（　A　）〜（　C　）の語句が正しいものを○,誤ったものを×とした場合の正しい組み合わせを一つ選びなさい。

【令和4年前期・問3】

・（A　一貫かつ継続）した特定の養育者の確保
・特定の養育者との生活基盤の共有
・同居する人たちとの生活の共有
・生活の（B　柔軟性）
・（C　地域社会）に存在

（組み合わせ）

	A	B	C
1	○	○	○
2	○	○	×
3	○	×	×
4	×	×	○
5	×	×	×

ポイント

家庭養護が拡大していくなかで,里親やファミリーホームに関する問題は,ほぼ毎年出題されている。児童福祉法を根拠とする制度上の特徴,さらに施設養護との違いなど含めて整理しておくこと。また養育指針に示される,家庭養護における支援の基本的考え方についても丁寧に理解することが必要である。

解説

Ⓐ○ 家庭養護において，**一貫かつ継続した特定の養育者の確保が求められる。**

　　子どもは，**一貫**かつ継続した**特定**の養育者と生活することで，自尊心を培い，生きていく意欲を蓄え，人間としての土台を形成することができる。

Ⓑ○ 家庭養護において，**生活の柔軟性が求められる。**

　　柔軟で相互コミュニケーションに富む生活は，子どもに**安心感**をもたらすとともに，将来の家族モデルや生活モデルを持つことにもつながる。

Ⓒ○ 家庭養護では，**地域社会に存在することが重要である。**

　　子どもが**地域**の家庭で，ごくあたり前に生活することで，**地域**との関係や社会生活に触れ，自身の生活の在り方を学ぶことができる。

正答　　**1**

 CHECK

　　家庭養護について　「里親及びファミリーホーム養育指針」より抜粋

里親及びファミリーホームは，社会的養護を必要とする子どもを，養育者の家庭に迎え入れて養育する「**家庭養護**」である。

【**家庭養護のあり方の基本**】

①**基本的な考え方**（「家庭養護」の5つの要件）

・一貫かつ継続した特定の養育者の確保

・特定の養育者との生活基盤の共有

・同居する人たちとの生活の共有

・生活の柔軟性

・地域社会に存在

②**社会的養護の担い手として**

・養育者は独自の子育て観を優先しない。

・養育者は子どもの相互のコミュニケーションを心がける。

・社会的つながりを持ち，孤立しないことが重要。

・養育者が自信，希望や意欲を持って養育を行う。

一問一答編

ベスト過去問編

本試験編

　次の文のうち，「児童養護施設入所児童等調査の概要（令和5年2月1日現在）」（厚生労働省）における，児童養護施設の入所児童の状況に関する記述として，適切なものを一つ選びなさい。　　　　　　【令和4年前期・問2改題】

1　6歳未満で入所した児童が約8割である。

2　児童の平均在所期間は，10年を超えている。

3　児童の入所経路では，「家庭から」が約6割である。

4　心身の状況において障害等を有する児童は，約7割である。

5　虐待を受けた経験がある児童のうち，心理的虐待は約6割である。

🔍 **ポイント**

「児童養護施設入所児童等調査結果」は頻出調査の一つであるが，ただ結果や数字を暗記するだけではなく，保護状況におかれた児童の実情を考察しつつ，結果に至った要因や背景をふまえて理解することが大切である。

解説

児童養護施設入所児童等調査結果（令和 5 年 2 月 1 日時点）参照。

❶ ✕ 児童養護施設入所児童のうち，6 歳未満で入所した児童は約 5 割である。

児童養護施設入所児童について，**入所時の最多年齢**は，**2 歳**で約 2 割である。

❷ ✕ 児童養護施設入所児童の平均在所期間は，約 5 年である。

児童養護施設入所児童の**在所期間**について，「**1 年未満**」が 14 ％で**最多**，「5 年未満」までを合わせると約 58 ％を占める。

❸ ◯ 児童養護施設入所児童の入所経路は，「家庭から」が約 6 割である。

児童養護施設入所児童の**入所経路**で，最多を占めるのは「**家庭から**」で約 6 割である。次いで，「乳児院から」が約 2 割となっている。

❹ ✕ 児童養護施設入所児童について，心身に障害等を有する児童は約 4 割強。

児童養護施設入所児童のうち，**心身に障害等を有する児童**は約 42.8 ％で，そのうち**知的障害**が 14 ％を占める。

❺ ✕ 被虐待経験のある児童養護施設入所児童について，心理的虐待は約 3 割。

児童養護施設入所児童について，**虐待の種類**は，ネグレクトが約 6 割，身体的虐待が約 4 割，**心理的虐待**が約 3 割強となっている（複数回答）。

正答 **3**

 CHECK

児童養護施設入所児童等調査結果（令和 5 年 2 月 1 日）（抜粋）

養護＝児童養護施設，心理＝児童心理治療施設，自立＝児童自立支援施設
乳児＝乳児院，母子＝母子生活支援施設，FH＝ファミリーホーム
援助＝自立援助ホーム　障入＝障害児入所施設

・心身に障害を有する児童の割合（％）

①障入99.4（知的障害73.3）②心理87.6（自閉症スペクトラム50.6）③自立72.7（ADHD42.3）
④FH51.2（ADHD 17.3）　⑤援助50.8（ADHD16.9）　⑥養護42.8（知的障害14.0）
⑦母子31.0（自閉症スペクトラム10.1）⑧里親29.6（知的障害10.0）⑨乳児27.0（その他の障害11.7）

・虐待経験「あり」の割合（最も多い虐待類型）（％）

①心理83.5（身体68.3）②援助77.7（心理58.7）③自立73.0（身体66.4）
④養護71.7（ネグレクト61.2）⑤母子65.2（心理80.5）⑥FH56.8（ネグレクト65.4）
⑦乳児50.5（ネグレクト67.4）⑧里親46.0（ネグレクト65.0）⑨障入41.2（61.1）

　次の文は,「児童養護施設運営指針」(平成 24 年 3 月　厚生労働省)の一部である。(A)~(C)にあてはまる語句の正しい組み合わせを一つ選びなさい。　　　　　　　　【令和5年前期・問3】

　子どもの入所理由の背景は単純ではなく,複雑・重層化している。ひとつの虐待の背景をみても,経済的困難,両親の不仲,精神疾患,(A)など多くの要因が絡み合っている。そのため,入所に至った直接の要因が改善されても,別の課題が明らかになることも多い。

　こうしたことを踏まえ,子どもの背景を十分に把握した上で,必要な(B)も含めて養育を行っていくとともに,(C)も丁寧に行う必要がある。

(組み合わせ)

	A	B	C
1	危機管理能力	心のケア	家庭環境の調整
2	危機管理能力	教育的指導	里親委託への移行
3	養育能力の欠如	心のケア	里親委託への移行
4	養育能力の欠如	教育的指導	里親委託への移行
5	養育能力の欠如	心のケア	家庭環境の調整

ポイント

要保護児童施設のなかで,児童数や施設数が最も多い児童養護施設の運営指針は,施設養護全体の支援の考え方や方向性を問う形で,よく出題されている。要保護児童に対する基本的な考え方については,学習するなかで,施設の子どもの姿をイメージしながら,援助者として「あるべき姿」を常に意識しておくことが大切である。

解説

A-養育能力の欠如，B-心のケア，C-家庭環境の調整が入る。

Ⓐ **入所理由は，「親の養育能力の欠如」などを含めたさまざまな要因による。**

入所に至った背景や理由は複雑，多様化しており，**経済的困難**や養育能力の欠如，または児童虐待など，多くの要因が絡んでいることが多い。

Ⓑ **保護を要する子どもに対して，心のケアを丁寧に行うことが大切である。**

社会的養護を必要とする子どもは，虐待体験や**分離体験**などによる悪影響から心にダメージを抱えているケースも多く，専門的ケアや**心理的ケア**などの治療的な支援が必要となる。

Ⓒ **子どもに対するケアのみならず，養育者への対応や家庭環境の調整も大切。**

施設における支援においては，子どもに対するケアのみならず，養育者への対応や**家庭環境の調整**も必要である。その際に，子どもの背景を踏まえたうえで，家庭復帰を実現するための**親子関係の再構築**の支援，虐待防止のための親支援などもしっかりと行うことが大切である。

正答　**5**

CHECK

「児童養護施設運営指針」第Ⅰ部「総論」より

４．対象児童

（1）子どもの特徴と背景

①複雑な背景

問題および解説を参照。

②障害を有する子ども

虐待は**閉ざされた養育空間**の中で，**子育てに行き詰った**ときに発生することが多く，**発達上に問題を抱える子ども**であれば，その**リスク**はさらに高まることが指摘されている。

障害を有する子どもについては，その**高い養護性**にかんがみて，障害への対応も含めて最大限の支援を行うことが必要である。その場合，**医療**や他の福祉サービスの利用など**関連機関との連携**が欠かせない。

難易度 ★★　　頻出度 ★★★

6 社会的養護 10

学習日 ／　／　／

評価制度について

　次のうち，社会的養護関係施設における第三者評価および自己評価の実施に関する記述として，適切なものを一つ選びなさい。

【令和3年後期・問8】

1　社会的養護関係施設は，第三者評価を5か年度毎に1回以上受審しなければならない。

2　第三者評価は，各施設が独自に作成した基準を用いて実施される。

3　利用者調査は，任意での実施とされている。

4　ファミリーホーム及び自立援助ホームの第三者評価の受審は努力義務とされている。

5　社会的養護関係施設は，第三者評価の受審年に限り，自己評価を行わなければならない。

ポイント

評価制度については，苦情解決等と同様に，権利擁護システムの一環として，何度も出題されている重要テーマである。特に児童に関する評価制度については，児童福祉施設のみならず，近年強化されている自立援助ホームやファミリーホームの取組みについても丁寧に確認することが必須である。

解説

❶ ✕ 社会的養護関係施設は，第三者評価を3年に1回以上の受審義務がある。
乳児院，母子生活支援施設，児童養護施設，児童心理治療施設，児童自立支援施設は，第三者評価を**3年**に1回以上受審しなければいけない。

❷ ✕ 第三者評価基準は全国共通である。ただし都道府県推進組織が策定可能。
第三者評価では，主に福祉サービス提供体制や内容について，専門的，客観的に評価する。

❸ ✕ 第三者評価では，利用者調査は必ず実施することとされている。
第三者評価では，**利用者調査**を必ず実施する。自己評価においても同様。

❹ ◯ ファミリーホームおよび自立援助ホームの第三者評価の受審は努力義務。
ファミリーホームおよび自立援助ホームによる**第三者評価受審**の**努力義務**については，児童福祉法施行規則に定められている。

❺ ✕ 社会的養護関係施設は，毎年自己評価を行わなければならない。
自己評価と第三者評価は，相互補完的な関係にある。第三者評価を受けるには，まず**自己評価**を行い，その結果をもとにしながら**第三者評価**を行う。

正答　**4**

 CHECK
サービスの評価について

実施者	サービス評価
社会福祉事業経営者	社会福祉サービスに関する「自己評価」の**努力義務**（社会福祉法）
全児童福祉施設	「自己評価」及び「結果公表」の**努力義務**（「児童福祉施設の設備及び運営に関する基準」）
乳児院・母子生活支援施設 児童養護施設 児童心理治療施設 児童自立支援施設 里親支援センター（令和6年4月1日〜）	「自己評価」「第三者評価」「結果公表」の**義務**（「児童福祉施設の設備及び運営に関する基準」）
保育所	「自己評価」**義務**，「第三者評価」「結果公表」**努力義務**（「児童福祉施設の設備及び運営に関する基準」）
児童自立生活援助事業（自立援助ホーム）等 小規模住居型児童養育事業（ファミリーホーム）	「自己評価」「第三者評価」「結果公表」の**努力義務**（児童福祉法施行規則）

自己評価は**毎年**，第三者評価は，**3年に1回以上**の受審が求められている。

一問一答編

ベスト過去問編

本試験編

難易度 ★★　　頻出度 ★★

7 子どもの保健 01

保育施設における衛生管理

　次のうち，保育施設における衛生管理に関する記述として，適切なものを○，不適切なものを×とした場合の正しい組み合わせを一つ選びなさい。

【令和5年前期・問11】

A　感染予防の観点から標準予防策は遵守するよう義務づけられている。

B　希釈して使用する消毒薬は原液の濃度が異なり換算して作るため，毎週希釈しなおして常備する。

C　簡易的砂場消毒法とは，天気の良い日に黒のビニール袋を，砂場を覆うようにシート状に1日中被せておくことである。

D　プールの遊離残留塩素濃度を適切に保つため，毎時間水質検査を行う。

E　新しい動物を飼い始めるときには，2週間くらいの観察期間を設けて感染症を防止する。

（組み合わせ）

	A	B	C	D	E
1	○	○	○	×	×
2	○	○	×	○	×
3	○	○	×	×	○
4	×	×	○	○	○
5	×	×	○	○	×

ポイント

近年の出題傾向をみると，保育施設の衛生管理についての出題率が上がってきている。特に子どもの健康に直結する「消毒」については重要である。保育室，プール，砂場などの施設や玩具・食器などの消毒が必要となるが，対象により消毒液や希釈方法などが変わってくるため，丁寧に確認しておく必要がある。

解説

Ⓐ ✕ 標準予防策は重要であるが，義務ではない。
標準予防策（スタンダードプリコーション）とは，「**誰もが何らかの感染症をもっている可能性がある**」と考える方法（例：血液に直接触れないように使い捨て手袋をして傷の手当てを行う等）。標準予防策は義務ではない。

Ⓑ ✕ 消毒液は使用時に希釈し毎日交換する。
消毒液は使用時に希釈し**毎日交換**する。消毒液の種類により希釈濃度等が異なるため，正しく使用する。

Ⓒ ◯ 砂場の消毒方法に，簡易的砂場消毒法がある。
簡易的砂場消毒法とは，天気の良い日に黒のビニール袋をシート状にして砂場を覆い，一日中被せておく方法。シートの中は60℃を超えるため消毒できる仕組み。ほかには，次亜塩素酸ナトリウムの散布，熱湯消毒などがある。

Ⓓ ◯ プールは，毎時間水質検査を行い，遊離残留塩素濃度を適切に保つ。
プールは，**毎時間水質検査**を行い，遊離残留塩素濃度は，0.4～1.0 mg/Lを保つようにする。プールの水は，毎日交換する。

Ⓔ ◯ 新しい動物を飼うときには，2週間ほど観察期間を設ける。
新しい動物を飼育する場合は，健康チェックをして病気でないことを確認する。**2週間**ほど**観察期間**を設けて感染症を予防する。

正答　**4**

CHECK

保育所における感染症対策ガイドライン　「衛生管理」一部抜粋
（2018年改訂版・2023年5月一部改訂）
乳幼児期の特性を踏まえた保育所における感染症対策の基本を示すもの。
●**保育室**
・日々の清掃で清潔に保つ。ドアノブ，手すり，照明のスイッチ等は，水拭きした後，**アルコール等**による消毒を行うと良い。
・嘔吐物や排泄物の処理等は**塩素系消毒薬**（次亜塩素酸ナトリウム・亜塩素酸水）を用いる。
・季節に合わせた適切な**室温**や**湿度**を保ち，十分な換気を行う。
（保育室環境のめやす…室温：夏**26～28℃**，冬**20～23℃**，湿度：**60%**）
●**おもちゃ**
・直接口に触れる乳児の遊具は，遊具を用いた都度，湯等で洗い流し，干す。
・午前・午後とで遊具の交換を行う。
「消毒液の種類・用途・希釈方法について」
「表3　消毒薬の種類と用途」「表4　次亜塩素酸ナトリウム及び亜塩素酸水の希釈方法」参照。

難易度 ★★ 頻出度 ★★★

7 子どもの保健 02

学習日 ／ ／ ／

子どもに症状がみられるときのケア

次の1～5は，子どもに何らかの症状があるときのケアについて述べたものである。適切なものを一つ選びなさい。 【令和元年後期・問8】

1 せきがあるときは，安静になるように，仰向けで寝かせる。

2 下痢のときは，便の量や回数が多く，おしりがただれやすいので，排便のたびに石けんで充分に洗うのがよい。

3 けいれんを起こす子どもでは，よく眠れるように，部屋を暗くし部屋に誰も入らないようにする。

4 熱があるときは，寝ていて汗をかいても，静かに寝かせておくのがよい。

5 乳児では，表情がわかるくらいの明るさにして寝かせる。

🔍 **ポイント**

乳幼児期は身体の発達が未熟なため，体調を崩しやすい。保育所に通う子どもによくみられる症状は，保育士として知っておかなければならない内容であり，頻出テーマである。各症状への対処法について出題されることが多い。

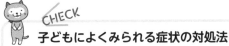

解説

❶✕ 咳があるときには，横向けに寝かせる。
　咳があるときには，仰向けに寝かせると胸が圧迫されて苦しいので，**横向けに寝かせたり，上半身を少し高くする**ことで，呼吸が楽になり，咳が軽減される。

❷✕ 下痢のときはおしりがただれやすいので，皮膚を清潔に保つ。
　下痢のときは，便の量や回数が多く，おしりがただれやすいが，排便のたびに石鹸で洗うと刺激が強くなってしまうので，ぬるま湯などで洗い流すとよい。皮膚を清潔に保つことが大切である。

❸✕ けいれん発作のときには，部屋を暗くするとともに，よく観察する。
　けいれん発作を起こす子どもの場合，光の刺激が少なくなるよう，**部屋をやや暗くする**とよく眠れる。また，子どもの様子を観察したり，異変に気づけるように**必ず部屋には保育士がいる**ようにする。

❹✕ 熱があるときは，汗をかいたらこまめに下着や洋服を取り換える。
　熱があるときは，子どもは汗をかき，下着等が濡れたり汚れている可能性があるので，こまめに取り換える。

❺◯ 乳児では，表情がわかるくらいの明るさにして寝かせる。
　子どもを寝かせるときは，**表情がわかるくらい**の明るさにして寝かせる。また，乳幼児突然死症候群の予防および睡眠中の事故防止の観点から，5分に一度は子どもの**顔色，呼吸の状態**などをチェックする。

正答　**5**

CHECK
子どもによくみられる症状の対処法
＜発熱＞
・発熱とは，平熱よりもおよそ1℃高い体温をいう。
・水分補給をする（少量を数回に分けながら）。
＜嘔吐＞
・窒息事故を起こさないように，顔を横に向ける，または体ごと横向きに寝かせる（側臥位）。
・30分程度経ち，吐き気が治まっていれば，様子を見ながら経口補水液などの水分を少量ずつ数回に分けながらとらせる。
＜下痢＞
・感染予防のため適切な便処理を行う。
・嘔吐や吐き気がなければ，経口補水液などを少量ずつ数回に分けて与える。
＜けいれん＞
・唾液や吐物で窒息しないように顔を横に向けるか側臥位にさせる。
・気道をふさがない（口の中に指やタオルなどを入れない）。

7 子どもの保健 03

虐待

　虐待は子どもの心身に深刻な影響を及ぼす。その影響についての記述として，適切なものを○，不適切なものを×とした場合の正しい組み合わせを一つ選びなさい。　　　　　　　　　　　　　　　　　　　【令和4年前期・問3】

A　身体的影響には，成長ホルモンの抑制による成長不全を呈することもある。

B　知的発達面への影響には，養育者が子どもの知的発達に必要なやりとりを行わない，年齢や発達レベルにそぐわない過大な要求をするなどにより，知的発達を阻害してしまうことがある。

C　心理的影響として，対人関係の障害，低い自己評価，行動コントロールの問題などがある。

（組み合わせ）

	A	B	C
1	○	○	○
2	○	○	×
3	○	×	×
4	×	×	○
5	×	×	×

ポイント

虐待に関する問題は，近年被虐待児が増加していることもあり，増加傾向である。保育所は毎日子どもや保護者と直接かかわる場所であるため，虐待にも気づきやすいという特徴がある。虐待の子どもへの影響，虐待のサインなどを押さえておこう。

解説

Ⓐ○ **虐待における身体的影響→成長ホルモン抑制や成長不全を引き起こす。**
　　身体的影響としては，打撲，骨折などがあるが，栄養障害や体重増加不良，
低身長や成長ホルモン抑制による**成長不全**を引き起こすことがある。

Ⓑ○ **虐待における知的発達面への影響→子どもの知的発達を阻害してしまう。**
　　知的影響としては，養育者が子どもの知的発達に必要なやりとりを行わない，
またはそぐわない欲求をすることで，子どもの**知的発達を阻害**してしまうな
どがある。

Ⓒ○ **虐待における心理的影響→保護者との基本的な信頼関係を構築できない。**
　　心理的影響としては，保護者との信頼関係を構築できないだけでなく，他者
との**信頼関係もうまく築くことができないために**，対人関係のトラブルなど
を引き起こすことがある。

正答　**1**

CHECK
虐待への保育所の対応

・虐待は，早期に発見し，迅速な対応が求められる。保育士は，**虐待のサイン**
　（小児の状態と親の態度）に気づくことが重要。
・虐待への対応は**担任一人で行うということはせず**，保育所全体で対応する。
・日頃から，職員がコミュニケーションを通じて，保護者の子育ての大変さに
　共感するとともに，必要に応じて声かけや子育てに関する助言などを行うこ
　とにより，虐待の未然防止につなげていく。

【虐待のサイン】
① 子どもの身体の状態
　栄養不良，やせ，不自然な傷，多数の虫歯，衣服が不潔など。
② 子どもの情緒面や行動
　表情が乏しい，暗い，おびえる，笑わない，極端に落ち着きがない，激しい
　かんしゃく，攻撃的行動，衣類の着脱を嫌がる，常に空腹を訴えるなど。
③ 保護者の状態
　送迎時保育士との会話を避ける，子どもに無関心，職員や保護者の前で子ど
　もを怒鳴ったり叩いたりする，遅刻や無断欠席が多いなど。

一問一答編

ベスト過去問編

本試験編

7 子どもの保健 04

乳幼児突然死症候群

　次のうち，乳幼児突然死症候群（SIDS）に関する記述として，適切なものを○，不適切なものを×とした場合の正しい組み合わせを一つ選びなさい。

【令和5年前期・問6】

A　生後3か月前後に多い。

B　予防のため，寝かせるときはうつぶせ寝にする。

C　予防のため，同居の家族等がたばこを吸わないようにする。

D　保育所では，乳児部屋は保育者が常駐し，定期的に呼吸などをチェックする。

E　予防のためには，乳児の体を冷やさないように，衣類や布団を多めに使用する。

（組み合わせ）

	A	B	C	D	E
1	○	○	×	○	×
2	○	×	○	×	×
3	○	×	○	×	○
4	×	○	×	×	○
5	×	○	×	○	○

🔍 ポイント

乳幼児突然死症候群（SIDS）に関する問題は，頻出テーマではあるが，過去の問題では，難易度はそれほど高くない問題が多い。乳幼児突然死症候群（SIDS）の基本的知識をしっかりと押さえておけば解ける問題が多く出題されている。

解説

A○ 乳幼児突然死症候群（SIDS）は，生後3か月前後に多い。

乳幼児突然死症候群（SIDS）は，それまで元気だった乳児（幼児）が，事故や窒息ではなく，眠っている間に突然死亡してしまう病気。**生後3か月前後**に多いが，まれに1歳を過ぎて発症することもある。

B× 予防のためにあおむけで寝かせる。

うつぶせで寝かせたときの方が，あおむけで寝かせたときより発症率が高いという研究結果が出ている。SIDSだけでなく，窒息予防のためにも，医学的理由がある場合を除いて**あおむけ**で寝かせるようにする。

C○ 予防のために同居の家族等は，近くでたばこを吸わないようにする。

たばこを吸わなくても，同居の家族等がたばこを吸うことで，たばこの煙を吸ってしまうことを受動喫煙という。**受動喫煙**はSIDS発生のリスク要因といわれているため，同居の家族等は**たばこを吸わない**ようにする。

D○ 午睡中は保育者が常駐し，定期的に呼吸などのチェックを行う。

午睡中は保育者が常駐し，定期的に午睡チェックを行う。**乳児は5分に1回，1～2歳児は10分に1回**は**睡眠の状態，呼吸**等のチェックを行う。

E× 予防のために，乳児（幼児）の身体を温め過ぎないようにする。

乳児（幼児）を温め過ぎることは，SIDSのリスクになるという研究結果が出ている。衣類や布団を多めに使用したり，室温を高くして過度に体を**温め過ぎない**ようにする。

正答　**2**

CHECK

乳幼児突然死症候群（SIDS）の基本的知識

・令和4年には47名の子どもが乳幼児突然死症候群（SIDS）で亡くなっており，**乳児期の死亡原因**としては**第4位**となっている。

・母乳育児は，乳児にとってさまざまな利点があり，母乳で育てられている子どもの方が発生率が低いということが研究者の調査からわかっている。

・健康状態および既往歴からその死亡が予測できず，しかも死亡状況調査および解剖検査によってもその原因が同定されない，と乳幼児突然死症候群（SIDS）に関するガイドラインに定義されている。

・たばこは乳幼児突然死症候群（SIDS）発生の大きな危険因子である。胎児の呼吸中枢にもよくない影響を及ぼす。

・定期的に子どもの呼吸，顔色，睡眠状態をチェックする。

・**窒息事故**とは異なる。

⑦ 子どもの保健 05

学習日 ／　／　／

自閉スペクトラム症に関する事例

【事例】

　5歳の男児。思い通りにならないとかんしゃくがひどく，他児とのトラブルを起こしがちで，言葉の遅れもありそうなことを心配した両親に連れられ，児童精神科を受診したところ，自閉スペクトラム症（ASD）と診断された。病院で施行された発達検査でIQは95で，結果には検査項目により大きな凸凹があったと説明された。

【令和4年前期・問13】

【設問】次のうち，この男児に関する記述として，適切な記述を○，不適切な記述を×とした場合の正しい組み合わせを一つ選びなさい。

A　かんしゃくを起こさないように本人の思い通りにさせる。

B　IQが95と正常域にあるので，特別な配慮は必要ない。

C　かんしゃくに対しては本人に負けないような大きな声でその場で事情を説明する。

D　一日のスケジュールがわかるような絵を描いて説明する。

E　友達とトラブルが多いので，仲良くするように指導する。

（組み合わせ）

	A	B	C	D	E
1	○	○	○	○	○
2	○	○	○	×	×
3	×	×	×	○	○
4	×	×	×	○	×
5	×	×	×	×	×

ポイント

子どもの保健では事例問題は毎回必ず出題されており，問題数は1問～3問程度である。出題内容は，子どもの様子から精神医学的問題（障害名や病名）を選ぶという問題，子どもへの対応に関する問題，保護者支援に関する問題であることが多い。

解説

A ✕ **思い通りにさせるのではなく，特性に合わせて一定のルールを教えるとよい。**
自閉スペクトラム症の子は，自分で納得したルールや決まりを守ることは得意なので，本人が納得できるようなルールを示し，守ることを無理なく教えていく。

B ✕ **知的な問題がなくても，自閉スペクトラムの特性を踏まえた配慮が必要。**
自閉スペクトラム症の子どもの中には，知的発達に遅れがない子もいる。知的発達に遅れがなくても問題に応じた特別な配慮は必要である。

C ✕ **自閉スペクトラムの子は，大きな音や声が苦手である。**
自閉スペクトラムの子どもは大きな音や声などの刺激が苦手である場合があるため，本人が不快やストレスを感じないように対応することが重要である。

D ○ **イラスト等視覚を使って説明することは，自閉スペクトラム児に有効。**
自閉スペクトラム症の子どもは，話し言葉で説明されるよりも，イラストや文字などを見たほうが理解しやすく納得しやすいという特性がある。

E ✕ **自閉スペクトラム症児に友達と仲良くすることを強要するのは不適切。**
他者とのコミュニケーションが苦手である自閉スペクトラム症児に，友達と仲良くすることを指導する対応は，適切ではない。

正答　**4**

 CHECK

事例問題の解き方

　事例問題を解くときには，問題文の中に必ず答えを導くことにつながる特徴が書かれているので，その部分をしっかりと読み取ることが大切である。本問の事例の場合，5歳男児の自閉スペクトラム症（ASD）の特徴を示している部分は，「思い通りにならないとかんしゃくがひどい」「言葉の遅れがありそうだ」「発達検査でIQ95であったが，結果は項目により大きな凸凹がある」などである。

　これらの特徴と自閉スペクトラム症の子どもへの対応を結び付けて問題を解いていく。

ベスト過去問編

難易度 ★★★　頻出度 ★★

7 子どもの保健 06

学習日 ／　／　／

神経発達症（発達障害）

次の文は，注意欠如・多動症についての記述である。適切な記述を○，不適切な記述を×とした場合の正しい組み合わせを一つ選びなさい。

【令和2年後期・問12】

A　DSM-5 の診断基準によれば，不注意，多動性及び衝動性の症状が，2つ以上の状況（例：家庭，学校）で存在する必要がある。

B　近年の疫学調査によると，有病率は学童期で約 20％である。

C　病因として遺伝的関与が強い。

D　自閉スペクトラム症を併存することがある。

E　出生体重が 1,500 g 未満で生まれることは，注意欠如・多動症のリスク因子である。

（組み合わせ）

	A	B	C	D	E
1	○	○	○	○	×
2	○	○	×	○	○
3	○	×	○	○	○
4	×	○	×	×	○
5	×	×	×	×	×

🔍 ポイント

神経発達症（発達障害）の特徴や対応に関する問題は，毎回のように出題されている。それぞれの神経発達症（発達障害）の特徴をつかむこと，保育士の対応についてポイントを押さえておくことが大切である。

解説

A〇 **不注意または多動性―衝動性の症状が，2つ以上の状況で存在する。**
DSM-5によると，**注意欠如・多動症**は，**不注意**または**多動性―衝動性**の症状が，2つ以上の状況（例：家庭，学校，職場等）において存在する。

B✕ **注意欠如・多動症の有病率は，学齢期の小児の3～7％程度。**
「e-ヘルスネット」（厚生労働省）によれば，注意欠如・多動症の有病率は，学齢期の小児の3～7％程度であるといわれている。

C〇 **注意欠如・多動症は，病因として遺伝的関与が強いといわれている。**
注意欠如・多動症は，はっきりとした原因はわかっていないが，これまでの研究結果から遺伝的要素が強いことがわかっている。

D〇 **注意欠如・多動症は，自閉スペクトラム症を併存することがある。**
注意欠如・多動症の併存障害には，**自閉スペクトラム症**の他に，**限局性学習症**，**発達性協調運動症**などがある。

E〇 **1,500ｇ未満で生まれることは，注意欠如・多動症のリスク因子。**
さまざまな研究から，1,500ｇ未満で生まれることは，注意欠如・多動症を含む発達障害のリスク因子であることがわかっている。

正答　**3**

CHECK

注意欠如・多動症（ADHD）の特徴と対応

中核となる症状　多動・不注意・衝動性
・**多動**：動きが多い，じっと着席していられないなど
・**不注意**：忘れ物が多い，根気がない，ケアレスミスが多いなど
・**衝動性**：順番を待てない，カッとなりすぐにけんかをするなど

その他の特徴や症状
・落ち着きのなさ，馴れ馴れしさ，学業成績不良，気分の不安定，不器用，視覚・運動系の不統合，幼さなど。
・12歳までに発症し，その状態が継続する。
・知能は不均衡なことが多く遅滞がある場合もある。

対応のポイント
・**入力刺激の整理**：同時に複数の刺激を処理するのが難しいので，刺激を減らす。落ち着いて集中することができるよう，できるだけシンプルな環境を用意する。
・短い集中時間で終わり，解きやすい課題を用意するなど，少しずつ進めることで自信をつけていく（スモールステップ化したプログラム）。
・学習困難や劣等感，不登校といった2次障害を予防する。

一問一答編

ベスト過去問編

本試験編

7 子どもの保健 07

保育所の避難訓練

　　次の文は，保育所の避難訓練に関する記述である。（　A　）～（　C　）にあてはまる語句を【語群】から選択した場合の適切な組み合わせを一つ選びなさい。 **【令和3年後期・問16】**

　避難訓練の実施については，（　A　）で義務付けられ，「児童福祉施設の設備及び運営に関する基準」（昭和23年厚生省令第63号）第6条第2項において，少なくとも（　B　）1回は行わなくてはならないと規定されている。避難訓練は，（　C　）が実践的な対応能力を養うとともに，子ども自身が発達過程に応じて，災害発生時に取るべき行動や態度を身に付けていくことを目指して行われることが重要である。

【語群】

ア　建築基準法　イ　消防法　ウ　月　エ　年　オ　保育士
カ　全職員

（組み合わせ）

	A	B	C
1	ア	ウ	カ
2	ア	エ	オ
3	イ	ウ	オ
4	イ	ウ	カ
5	イ	エ	カ

ポイント

災害時や非常時における避難訓練については，子どもの安全を守る上で把握しておかなければならない事項として，試験でもその内容が問われる。法令等に基づいて行われている訓練に関しては，単なる知識にとどまらず，具体的場面をイメージしながら理解することが大切である。

解説

A-**イ**（消防法）　B-**ウ**（月）　C-**カ**（全職員）が入る。

保育所では法律に基づき少なくとも月1回は避難訓練を行っている。

　　避難訓練の実施については，「**消防法**」や「**児童福祉施設の設備及び運営に関する基準**」で規定されている。保育所では，少なくとも**月1回**は**避難訓練**を行い，全職員の対応能力を養うとともに，子ども自身が発達過程に応じて災害発生時に取るべき行動や態度を身に着けていくことを目指して行われることが重要である。

（「保育所保育指針解説書」第3章　4災害への備え（2）災害発生時の対応体制及び避難への備えイ参照）

正答　**4**

 CHECK

保育所の避難訓練について

・児童福祉施設の設備及び運営に関する基準　6条2項

2　（略）避難及び消火に対する訓練は，少なくとも**毎月一回**は，これを行わなければならない。

・保育所保育指針　第3章　健康及び安全　4 災害への備え

(1) 施設・設備等の安全確保

ア　防火設備，**避難経路**等の安全性が確保されるよう，定期的にこれらの安全点検を行うこと。

イ　備品，遊具等の配置，保管を適切に行い，日頃から，安全環境の整備に努めること。

(2) 災害発生時の対応体制及び避難への備え

ア　火災や地震などの災害の発生に備え，緊急時の対応の具体的内容及び手順，職員の役割分担，避難訓練計画等に関する**マニュアル**を作成すること。

イ　定期的に避難訓練を実施するなど，必要な対応を図ること。

ウ　災害の発生時に，保護者等への連絡及び子どもの**引渡し**を円滑に行うため，日頃から保護者との密接な連携に努め，連絡体制や**引渡し**方法等について確認をしておくこと。

⑦ 子どもの保健 08

ワクチン

次のうち，ワクチンに関する記述として，**不適切なもの**を一つ選びなさい。

【令和5年前期・問15】

1 生後2か月になったら，定期接種としてHib（ヒブ）ワクチン，小児用肺炎球菌ワクチン，B型肝炎ワクチンの予防接種を受けることが重要であることを周知する。

2 BCGは，標準接種期間の生後5か月から8か月までのできるだけ早い時期に接種することが勧められている。

3 水痘ワクチンは，1歳になったら3か月以上の間隔をあけて2回接種するのが重要である。

4 5歳児クラス（年長組）になったら，卒園までに麻しん風しん混合（MR）ワクチンの2回目の予防接種を受けることが重要であることを周知する。

5 ロタウイルス感染症の予防接種は，任意接種であるが，感染力が強い疾患のため，発症する前に予防接種を受けることが重要であることを周知する。

🔍 **ポイント**

予防接種の種類が多く覚えるのが大変であるが，出題率が高いところなので，定期接種を中心に，いつから接種を開始し何回接種をするのか，まとめておこう。「日本小児科学会が推奨する予防接種スケジュール」に目を通しておくとよい。

解説

日本小児科学会が推奨する予防接種スケジュール（2023年4月1日版）（日本小児科学会）参照。

❶○ 生後2か月になったら，定期接種のワクチンの接種について周知する。
　生後2か月になったら，接種可能となる**定期接種のHib（ヒブ），小児用肺炎球菌，B型肝炎ワクチン**について周知し，予防接種の重要さを伝える。

❷○ BCGは，生後5か月から8か月未満に接種することが推奨されている。
　BCGは，**結核**の予防ワクチンであるが，乳児が結核にかかると症状が重くなりやすいので，**生後5か月から8か月未満**のできるだけ早い時期に接種することが推奨されている。

❸○ 水痘ワクチンは，1歳になったら3か月以上の間隔をあけて2回接種。
　水痘ワクチンは，1歳になったら3か月以上の間隔をあけて（標準的には1回目接種後6か月～12か月の間隔をあけて）**2回接種**する。

❹○ 年長児には，卒園までに2回目のMRワクチンの接種について周知する。
　5歳児クラス（年長組）になったら，**卒園までに2回目の麻しん，風しん混合（MR）**ワクチン接種の大切さを周知する。

❺× ロタウイルスの予防接種は，定期接種である。
　ロタウイルスの予防接種は，**定期接種**であり，**生後6週**から接種することができる。ワクチンには2種類あり，1価は2回，5価は3回接種する。

正答　**5**

CHECK

予防接種に関する基本的事項

- **予防接種**とは，感染症の発生・流行の予防のため，罹患前に毒性を弱めた病原体などを接種して，感染に似た状態を起こさせ，病気に対して免疫をつけさせること。
- **ワクチン**とは，感染症の予防接種に使用する薬液のこと。
- **定期接種**とは，予防接種法で定められている予防接種。国民が予防接種の意義を理解して積極的に受けるように努めなければならない（努力義務）。
- **定期接種とされるワクチン　※（　）は予防できる感染症**
　4種混合ワクチン（ジフテリア，百日せき，破傷風，ポリオ），MRワクチン（麻疹・風疹），水痘ワクチン，日本脳炎ワクチン，BCG（結核），ヒブワクチン，小児用肺炎球菌ワクチン，B型肝炎ワクチン，ロタウイルスなど
- **任意接種**とは，定期接種以外の予防接種。定期接種の期間外に受けるものも対象となる。

　次のうち，保育所での事故防止対策として，適切なものを○，不適切なものを×とした場合の正しい組み合わせを一つ選びなさい。

【令和4年前期・問10】

A　十分な監視体制の確保ができない場合は，プール活動の中止も選択肢とする。

B　普段食べている食材は，窒息の心配はないので，安心して与えて良い。

C　食物アレルギーの子ども用の代替食は，子どもの心情を配慮して，他児のものと見た目が変わらないように工夫する。

D　食事介助をする際には，汁物などの水分を適切に与える。

（組み合わせ）

	A	B	C	D
1	○	○	×	×
2	○	×	○	×
3	○	×	×	○
4	×	○	○	×
5	×	○	×	○

ポイント

保育所における事故防止対策に関する出題は近年増加傾向にある。「CHECK」にも一部抜粋したが，「教育・保育施設等における事故防止及び事故発生時の対応のためのガイドライン【事故防止のための取組み】～施設・事業者向け～」（平成28年内閣府）からの出題が多いので，サイトをみておくとよい。

解説

Ⓐ○ **十分な監視体制の確保ができない場合は，プール活動の中止も検討。**

プール活動・水遊びを行う場合は，**監視体制の空白が生じないように**専ら監視を行う者とプール指導等を行う者を分けて配置する。

Ⓑ✕ **普段食べている食材が，窒息につながる可能性があることを認識する。**

子どもの年齢月齢によらず，普段食べている食材が**窒息**につながる可能性があることを認識して，食事の介助および観察をする。

Ⓒ✕ **除去食，代替食は普通食と形や見た目が明らかに違うものにする。**

人的エラーをなくすためにも，**除去食，代替食は，普通食と形や見た目が明らかに違う**ものにする。

Ⓓ○ **食事介助のポイントとして，汁物などの水分を適切に与えることが大切。**

食事介助のポイントとしては，ほかに，**子どもの口に合った量**で与える，食べ物を飲み込んだことを**確認**する等が挙げられる。

正答　**3**

 CHECK

「教育・保育施設等における事故防止及び事故発生時の対応のためのガイドライン【事故防止のための取組み】～施設・事業者向け～」（平成28年内閣府）より一部抜粋

【プール活動・水遊びの際に注意すべきポイント】

・監視者は監視に専念する。　　　　　・規則的に目線を動かしながら監視する。

・十分な監視体制の確保ができない場合は，プール活動の中止も選択肢とする。

・時間的余裕をもってプール活動を行う。

【食事の介助をする際に注意すべきポイント】

・汁物などの水分を適切に与える。　・正しく座っているか注意する。

・食事の提供中に驚かせない。　　　・食事中に眠くなっていないか注意する。

【人的エラーを減らす方法の例】

・食物アレルギーの子どもの食事を調理する担当者を明確にする。

・材料を入れる容器，食物アレルギーの子どもに食事を提供する食器，トレイの色や形を明確に変える。

・除去食，代替食は普通食と形や見た目が明らかに違うものにする。

7 子どもの保健 10

アナフィラキシー

　　次の文は，「保育所におけるアレルギー対応ガイドライン（2019年改訂版）」（厚生労働省）の中のアナフィラキシーに関する記述の一部である。（　A　）～（　D　）にあてはまる語句の正しい組み合わせを一つ選びなさい。

【令和3年後期・問8】

　　（　A　）により，蕁麻疹などの皮膚症状，腹痛や嘔吐などの消化器症状，ゼーゼー，息苦しさなどの呼吸器症状等が，（　B　）同時にかつ急激に出現した（　C　）をアナフィラキシーという。その中でも，（　D　）が低下し意識レベルの低下や脱力等を来すような場合を，特にアナフィラキシーショックと呼び，直ちに対応しないと生命にかかわる重篤な状態を意味する。

（組み合わせ）

	A	B	C	D
1	液性免疫反応	複数	疾患	血圧
2	アレルギー反応	複数	状態	血圧
3	液性免疫反応	二つ	状態	脈拍
4	アレルギー反応	二つ	疾患	脈拍
5	アレルギー反応	複数	疾患	血圧

ポイント

アレルギー児に対する対応は，子どもの生命にかかわる重要テーマの一つであるが，特に重篤な状態となるアナフィラキシーショックは，迅速かつ適切な対応が求められる。保育士はもちろん，保護者や医療機関などとの連携について，日頃からしっかりと確認，理解しておくことが求められる。

解説

A-アレルギー反応，**B**-複数，**C**-状態，**D**-血圧が入る。

アナフィラキシー→皮膚，消化器等の症状が複数同時かつ急激に出現した状態

　アナフィラキシーとは，**皮膚症状**，**消化器症状**，**呼吸器症状**等が**複数同時**にかつ**急激**に出現した状態をいう。

　そのなかでも血圧が低下し，意識レベルの低下や脱力等を来すような場合を特に**アナフィラキシーショック**と呼び，生命に関わる重篤な状態となるため迅速な対応が求められる。なお，アナフィラキシーを起こす要因はさまざまであるが，乳幼児期に起こるアナフィラキシーは，食物アレルギーに起因するものが多い。

正答　**2**

 CHECK

保育所における「食物アレルギー・アナフィラキシー」対応の基本

・保育所における給食は，子どもの発育・発達段階，安全への配慮，必要な栄養素の確保とともに，食育の観点も重要である。しかし，食物アレルギーを有する子どもへの食対応については，安全への配慮を重視し，できるだけ単純化し，「**完全除去**」か「**解除**」の両極で対応を開始することが望ましい。

・基本的に，保育所で「初めて食べる」食物がないように保護者と連携する。

・アナフィラキシーが起こったときに備え，緊急対応の体制を整えるとともに，保護者との間で，緊急時の対応について協議しておくことが重要である。

（「保育所におけるアレルギー対応ガイドライン（2019年改訂版）」より）

ベスト過去問編

難易度 ★★　頻出度 ★★★

⑧ 子どもの食と栄養 01

学習日 ／　／　／

平成27年度乳幼児栄養調査結果の概要

　次のうち，「平成27年度乳幼児栄養調査結果の概要」（厚生労働省）における子ども（回答者：2〜6歳児の保護者）の食生活に関する記述として，適切な記述を一つ選びなさい。　【令和3年後期・問1】

1　朝食を欠食する子どもの割合は10％を超えていた。

2　家で1日に平均してテレビやビデオを見る時間，ゲーム機やタブレット等を使用する時間は，平日，休日とも「3〜4時間」と回答した割合が最も高かった。

3　むし歯の有無別に間食の与え方をみると，「時間を決めてあげることが多い」と回答した者の割合は，むし歯のある子どもの方が高かった。

4　むし歯予防のための行動として，「間食の与え方について注意している」と回答した者の割合は，むし歯のない子どもの方が高かった。

5　子どもの共食状況で，「家族そろって食べる」と回答した者の割合は，夕食よりも朝食が高かった。

🔍 **ポイント**

「乳幼児栄養調査」は，乳幼児の栄養方法および食事の状況等の実態を把握し，授乳・離乳の支援，乳幼児の食生活改善のための基礎資料を得ることを目的した調査である。最新の2015（平成27）年度の調査結果については，頻出テーマであるので，乳幼児の食事の実態をイメージしつつ確認しておくこと。

解説

❶✕ 欠食する子どもの割合は10%に満たない。

欠食する子どもの割合は6.4%で，**10%未満**である。また，保護者の欠食する割合は18.6%である。

❷✕ テレビ等を見る・ゲーム機等の使用時間→1日平均1～2時間が最多。

家で1日に平均でテレビやビデオを見る時間，ゲーム機やタブレット等を使用する時間は，平日，休日とも「**1～2時間**」と回答した割合が最多。

❸✕ 間食を「時間を決めてあげることが多い」のは虫歯のない子の方が多い。

むし歯の有無別に間食の与え方について，「**時間を決めてあげることが多い**」と回答した者の割合は，**むし歯のない子ども**の方が高かった。

❹◯「間食の与え方について注意している」のは虫歯のない子の方が多い。

むし歯予防のための行動として，「間食の与え方について注意している」と回答した者の割合は，むし歯のない子どもの方が高く，58.7%であった。

❺✕「家族そろって食べる」の回答は，朝食より夕食の方が高い。

子どもの共食状況で，「家族そろって食べる」と回答した者の割合は，朝食が24.1%，夕食が48.0%で，**朝食よりも夕食が高**かった。

正答 **4**

CHECK

平成27年度乳幼児栄養調査結果（上記以外の調査結果）

子どもの食事で特に気をつけていること(複数回答) (回答者：2～6歳児の保護者)
・1位「栄養バランス（72.0%）」，2位「一緒に食べること（69.5%）」，3位「食事のマナー（67.0%）」の順で多かった。「特にない」と回答した者の割合は1.7%。

子どもの間食の状況（複数回答） (回答者：2～6歳児の保護者)
・与え方については，1位「時間を決めてあげることが多い（56.3%）」2位「甘いものは少なくしている（22.9%）」3位「欲しがるときにあげることが多い（20.7%）」の順に多かった。

朝食を必ず食べる子どもの割合 (回答者：0～6歳児の保護者)
・子どもの起床時刻別にみると，平日，休日とも，「午前6時前」と最も早い起床時刻で，平日97.6%，休日98.3%と最も高かった。
・朝食の共食状況別にみると，朝食を「家族そろって食べる」で24.1%と最も高く，「ひとりで食べる」は4.7%。

むし歯の状況 (回答者：2～6歳児の保護者)
・虫歯がないと回答：80.5%，あると回答：19.2%。
・虫歯の本数は「1本（32.4%）」が最も多く，次いで，「2本（27.8%）」，「3本（13.7%）」の順。

難易度 ★★ 頻出度 ★★★

8 子どもの食と栄養 02

学習日 / / /

脂質について

次のうち, 脂質に関する記述として, 適切な記述を○, 不適切な記述を×とした場合の正しい組み合わせを一つ選びなさい。　【令和4年前期・問3】

A 脂質を構成する脂肪酸は, 窒素を含む。

B エネルギー源として利用され, 1gあたり9kcalを供給する。

C 魚油に多く含まれる多価不飽和脂肪酸は, 動脈硬化と血栓を防ぐ作用がある。

D リノール酸は, 飽和脂肪酸である。

(組み合わせ)

```
   A B C D
1  ○ ○ ○ ×
2  ○ ○ × ○
3  ○ × × ○
4  × ○ ○ ×
5  × × ○ ○
```

🔍 **ポイント**

栄養素は出題率が高いところであるが, 三大栄養素（炭水化物, たんぱく質, 脂質）は, その中でも特に出題率が高い。しかし内容は標準的なレベルの問題が多いので, 取りこぼさないように基本的な内容をしっかり押さえておく必要がある。

解説

Ⓐ× 脂肪酸は，炭素，水素，酸素の3種類の元素で構成される。

脂肪酸は，**炭素（C），水素（H），酸素（O）**の3種類の元素で構成される。**窒素**が含まれるのは，**たんぱく質**である。

Ⓑ○ 脂肪のエネルギー供給量は，1gあたり9kcalである。

脂肪のエネルギー供給量は，1gあたり**9kcal**であり，糖質とたんぱく質は1gあたり4kcalの供給量である。

Ⓒ○ 魚油に多く含まれる多価不飽和脂肪酸には，EPAやDHAがある。

多価不飽和脂肪酸である**EPA**は動脈硬化や血栓を防ぎ，血圧を下げる働きがあるほか，**LDL**コレステロールを減らすなど，さまざまな作用をもつ。**DHA**は脳神経の発達や脳の機能を活発化させる働きがある。

Ⓓ× リノール酸は不飽和脂肪酸の一種で，多価不飽和脂肪酸である。

リノール酸は，体内で生成できない**必須脂肪酸**の一つである。植物油に多く含まれ，適量を摂取すると**血中コレステロール値**や**中性脂肪値を下げる**作用があるが，摂り過ぎると逆効果で動脈硬化を促進させてしまう作用がある。

正答　**4**

 CHECK

脂質について

・脂肪の種類

脂肪酸は，脂質の主な構成成分であり，飽和脂肪酸と不飽和脂肪酸に分けられ，脂肪の構成成分。炭素原子間の二重結合（C＝C）の数によって分類される。

飽和脂肪酸	炭素原子間の**二重結合がない**脂肪酸。動物性食品に多く含まれ，多量摂取は動脈硬化のリスクを高める。常温で固体である（バター，牛脂など）。
不飽和脂肪酸	炭素原子間の**二重結合がある**脂肪酸。植物油，魚油に含まれ，常温で液体である。不飽和脂肪酸には，二重結合が1つ存在する**一価不飽和脂肪酸**と2つ以上存在する**多価不飽和脂肪酸**がある。
	・一価不飽和脂肪酸 二重結合が1つ存在する脂肪酸。オレイン酸が代表的。オリーブ油などに多く含まれる。
	・多価不飽和脂肪酸 二重結合が2つ以上存在する脂肪酸。多価不飽和脂肪酸は，最初の二重結合の位置により，**n－6系脂肪酸**（リノール酸，アラキドン酸など）と**n－3系脂肪酸**（α-リノレン酸，EPA，DHAなど）に区別される。n－3系脂肪酸とn－6系脂肪酸は体内で合成できないため必ず食品から摂取しなければならない**必須脂肪酸**である。

一問一答編

ベスト過去問編

本試験編

8 子どもの食と栄養 03

ミネラルについて

　次のうち，ミネラルに関する記述として，適切な記述を○，不適切な記述を×とした場合の正しい組み合わせを一つ選びなさい。　【令和4年前期・問2】

A　マグネシウムの過剰症として，下痢があげられる。

B　カリウムは，浸透圧の調節に関わり，野菜類に多く含まれる。

C　ナトリウムの欠乏症として，胃がんがあげられる。

D　カルシウムは，骨ごと食べられる小魚に多く含まれる。

E　鉄の過剰症として，貧血があげられる。

（組み合わせ）

	A	B	C	D	E
1	○	○	○	○	○
2	○	○	×	○	×
3	×	○	○	×	×
4	×	×	○	○	○
5	×	×	×	×	○

ポイント

ミネラル（無機質）は，頻出テーマであり，ほぼ毎年出題されている。それぞれの機能や特徴を整理したうえで，欠乏症や過剰症状についても確認しておくことが大切である。

解説

Ⓐ○ マグネシウムの過剰症として，悪心を伴う下痢がある。

サプリメントや医薬品からの大量のマグネシウム摂取は，しばしば**悪心**（吐き気）や腹部疝痛（周期的に起こる腹部の激しい痛み）を伴った下痢が認められる。

Ⓑ○ カリウムは，浸透圧の調整などの働きをする。

カリウムは，**細胞内液**に存在し，**浸透圧**の調整などの働きがある。特に野菜類や果物類，海藻類など植物性の食品に多く含まれている。

Ⓒ× ナトリウムの過剰症として，胃がんがあげられる。

ナトリウムは，**細胞外液**の**浸透圧**を調節して，細胞外液量を保つなどの役割をもつ。過剰症として，高血圧・胃がん・食道がんのリスクがある。

Ⓓ○ カルシウムは，小魚に多く含まれている。

カルシウムは，**人体に最も多く含まれる**ミネラルであり，**骨や歯を形成**する。小魚の他，牛乳などの乳製品に多く含まれる。

Ⓔ× 鉄の欠乏症として，貧血があげられる。

鉄の欠乏症の一つが，**貧血**である。過剰症は通常の食事により起こることはないが，サプリメント等の過剰摂取により胃腸障害などを起こす可能性がある。

正答 **2**

設問以外の主なミネラル

名称	作用・特徴
リン （P）	・**歯**や**骨**の構成成分（約85%がカルシウムと結合して骨と歯を形成する） ・リン脂質の成分 ・エネルギー代謝に関与 ・カルシウムの次に多く存在するミネラル
亜鉛 （Zn）	・たんぱく質の合成に関与 ・酵素の構成成分 ・インスリンの作用に関与 ・欠乏症に**味覚障害**
銅 （Cu）	・鉄の吸収を促し，ヘモグロビンの合成に関与 ・エネルギー代謝に関与 ・酵素の成分
ヨウ素 （I）	・甲状腺ホルモンの構成成分 ・成長促進，代謝の維持に関与

ベスト過去問 編

難易度 ★★   頻出度 ★★★

8 子どもの食と栄養 04

学習日

／　／　／

日本人の食事摂取基準（2020年版）

　次の文は，「日本人の食事摂取基準（2020年版）」の栄養素の指標の目的と種類に関する記述である。（　A　）～（　D　）にあてはまる語句の正しい組み合わせを一つ選びなさい。

【平成31年前期・問5（改題）】

〈目的〉　　　　　　　　　　　　　〈種類〉

| 摂取不足の回避 | 推定平均必要量，（　A　）
＊これらを推定できない場合の代替指標：（　B　） |

| 過剰摂取による
健康障害の回避 | （　C　） |

| 生活習慣病の予防 | （　D　） |

（組み合わせ）

	A	B	C	D
1	推奨量	目標量	耐容上限量	目安量
2	推奨量	目安量	耐容上限量	目標量
3	目安量	推奨量	耐容上限量	目標量
4	耐容上限量	目標量	推奨量	目安量
5	耐容上限量	目安量	目標量	推奨量

ポイント

「日本人の食事摂取基準」の栄養素の指標に関する問題である。各指標や乳幼児期における重要な栄養素については，出題率が高いのでよく確認しておくこと。「日本人の食事摂取基準」は2020年4月から2020年版が使用されているので，変更しているところ，していないところを明確にしておくこと。

ベスト過去問編−⑧子どもの食と栄養 04

解説

Ⓐ **推奨量　推奨量はほとんど（97〜98％）の人が1日の必要量を満たす量。**
摂取不足の回避のための指標は，推定平均必要量，**推奨量**，目安量である。推奨量は集団のほとんど（97〜98％）の人が1日の必要量を満たす量で，推定平均必要量は，集団の50％の人が必要量を満たす量である。

Ⓑ **目安量　目安量は十分な科学的根拠が得られない場合に設定される。**
「日本人の食事摂取基準（2020年版）」は，科学的根拠をもとに作成されている。**目安量**は，推定平均必要量及び推奨量を算定するのに十分な科学的根拠が得られない場合に設定される。

Ⓒ **耐容上限量　耐容上限量は健康被害のリスクがないとされる上限の量。**
耐容上限量は，健康被害をもたらすリスクがないとみなされる上限の量で，一部の栄養素に設定されている。例えば，ビタミンD（脂溶性ビタミン）は過剰症の恐れがあるため，全年齢区分に設定されている。

Ⓓ **目標量　目標量は生活習慣病の発症予防のために目標とすべき量。**
目標量は，生活習慣病の発症，重症化予防のために現在の日本人が当面の目標とすべき量である。例えば，生活習慣病とかかわりの深い三大栄養素には目標量が設定されている。

正答　**2**

CHECK

日本人の食事摂取基準（2020年版）
●「日本人の食事摂取基準」とは
「日本人の食事摂取基準（2020年版）」とは，健康増進法にもとづき，国民の健康の保持・増進を図るうえで摂取することが望ましいエネルギーおよび栄養素の量の基準を「1日単位」で示したものである（5年ごとに改訂）。
●策定方針
・「日本人の食事摂取基準（2020年版）」では，策定目的として健康の保持・増進，生活習慣病の発症予防，重症化予防に加え，**高齢者の低栄養予防やフレイル予防**も視野に入れている。
　※フレイル…もともと「虚弱」と訳されていた概念で，筋力の低下，活動性の低下，認知機能の低下などにより健康被害を起こしやすい脆弱な状態。
・「日本人の食事摂取基準」の対象については，健康な個人並びに集団とする。
・科学的根拠にもとづく策定を行うことを基本とする。

一問一答編

ベスト過去問編

本試験編

●253●

　次のうち、「授乳・離乳の支援ガイド」（2019年　厚生労働省）の「2　離乳の支援の方法（2）　離乳の進行」の《離乳後期（生後9か月〜11か月頃）》に関する記述として、<u>不適切な記述</u>を一つ選びなさい。　　【令和5年前期・問8】

1　歯ぐきでつぶせる固さのものを与える。

2　離乳食は1日3回にし、食欲に応じて、離乳食の量を増やす。

3　手づかみ食べは、積極的にさせたい行動である。

4　食べさせ方は、丸み（くぼみ）のある離乳食用のスプーンを下唇にのせ、上唇が閉じるのを待つ。

5　食べる時の口唇は、左右対称の動きとなり、噛んでいる方向によっていく動きがみられる。

🔍🔍**ポイント**

授乳・離乳の支援ガイドに関する問題は、毎回出題される。離乳の開始から完了にかけて、乳児の発達にあわせて摂取できる食べ物とその量を、しっかり確認しておくことが必要である。

解説

❶○ 生後9～11か月頃は，歯ぐきでつぶせる固さのものを与える。
生後9～11か月頃は，舌でつぶせないものを歯ぐきでつぶせるようになる時期なので，歯ぐきでつぶせるやわらかいバナナぐらいの固さのものを与える。

❷○ 離乳食は1日3回にし，食欲に応じて，離乳食の量を増やす。
生後9～11か月頃は，離乳食は**1日3回**にし，食欲に応じて，離乳食の量を増やす。**離乳食の後**に，母乳または育児用ミルクを与える。

❸○ 手づかみ食べは，積極的にさせたい行動である。
手づかみ食べをすることは，食べ物を触ったり握ったりすることで，固さや触感を体験し，食べ物への関心につながり，自ら食べようとする行動につながる。

❹○ 丸みのあるスプーンを下唇にのせ，上唇が閉じるのを待つ。
生後9～11か月頃の離乳食の食べさせ方は，**丸み（くぼみ）**のある離乳食用のスプーンを下唇にのせ，上唇が閉じるのを待つ。

❺× 口唇は，左右非対称の動きとなり，噛んでいる方向によっていく。
生後9～11か月頃の食べるときの口唇は，舌先から左右に送りすりつぶすことができるようになるため，**左右非対称**の動きとなる。

正答 **5**

CHECK

離乳食の進め方

5，6か月頃	**離乳の開始**では，アレルギーの心配の少ない**おかゆ（米）**から始める。新しい食品を始めるときには一さじずつ与え，乳児の様子をみながら量を増やしていく。慣れてきたらじゃがいもや**野菜**，果物，さらに慣れたら**豆腐**や**白身魚**など，種類を増やしていく。
7，8か月	離乳が進むにつれ，卵は**卵黄**（固ゆで）から**全卵**へ，魚は**白身魚**から**赤身魚**，**青皮魚**へと進めていく。ヨーグルト，塩分や脂肪の少ないチーズも用いてよい。食べやすく調理した脂肪の少ない鶏肉，豆類，各種野菜，海藻と種類を増やしていく。脂肪の多い肉類は少し遅らせる。野菜類には**緑黄色野菜**も用いる。
生後9か月以降	鉄が不足しやすいので，赤身の魚や肉，**レバー**を取り入れ，調理用に使用する牛乳・乳製品のかわりに**育児用ミルク**を使用する等工夫する。**フォローアップミルク**は，母乳または育児用ミルクの代替品ではない。必要に応じて（離乳食が順調に進まず，鉄の不足のリスクが高い場合など）使用する。

※**はちみつ**は，乳児ボツリヌス症予防のため満1歳までは使わない。

一問一答編

ベスト過去問編

本試験編

　次の表は，3色食品群の食品の分類に関するものである。表中の（　A　）〜（　D　）にあてはまる語句の正しい組み合わせを一つ選びなさい。

【令和5年前期・問5】

（　A　）のグループ （主に体を作るもとになる）	魚・肉・卵 （　C　）
（　B　）のグループ （主に体を動かすエネルギーのもとになる）	いも類 米・パン・めん類（　D　）
緑のグループ （主に体の調子を整えるもとになる）	野菜・果物

（組み合わせ）

	A	B	C	D
1	赤	黄	大豆	油脂
2	赤	黄	きのこ	大豆
3	黄	赤	きのこ	大豆
4	黄	赤	大豆	油脂
5	黄	赤	油脂	きのこ

🔍 **ポイント**

3色食品群や6つの基礎食品群は，食べ物に含まれる栄養素をわかりやすくグループ分けしたものである。保育所や小学校などで，食育の教材として活用されている。保育士試験では，3つの色と食品名（働き），6つのグループと食品名（働き）を結びつける問題が多く出題されているので，覚えておこう。

解説

A-赤　B-黄　C-大豆　D-油脂が入る

3色食品群は，栄養素の働きから「赤」「黄」「緑」に分類したもの。

3色食品群は，食品を栄養素の働きから「赤」「黄」「緑」の3色に分類し，バランスよく摂取しやすくしたもの。

・「**赤**」は，主に体をつくるもとになる食品で，**たんぱく質**が多く含まれる食品（肉・魚・卵・大豆・牛乳・豆など）があてはまる。

・「**黄**」は，主に体を動かすエネルギーのもとになる食品で，**糖質，脂質**が多く含まれる食品（米，パン，いも類，油脂など）があてはまる。

・「**緑**」は，主に体の調子を整えるもとになる食品で，**ビタミン，ミネラル**が多く含まれる食品（野菜，果物など）があてはまる。

正答　**1**

CHECK
6つの基礎食品群と3色食品群による分類

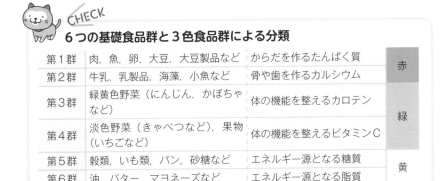

第1群	肉，魚，卵，大豆，大豆製品など	からだを作るたんぱく質	赤
第2群	牛乳，乳製品，海藻，小魚など	骨や歯を作るカルシウム	
第3群	緑黄色野菜（にんじん，かぼちゃなど）	体の機能を整えるカロテン	緑
第4群	淡色野菜（きゃべつなど），果物（いちごなど）	体の機能を整えるビタミンC	
第5群	穀類，いも類，パン，砂糖など	エネルギー源となる糖質	黄
第6群	油，バター，マヨネーズなど	エネルギー源となる脂質	

難易度 ★★★　頻出度 ★★

⑧ 子どもの食と栄養 07

学習日 ／　／　／

保育所における食育に関する指針

次のうち、「楽しく食べる子どもに～保育所における食育に関する指針～」（平成16年：厚生労働省）に記載されている３歳以上児の食育のねらい及び内容の組み合わせとして、正しいものを一つ選びなさい。　【令和４年前期・問12】

〈ねらい〉	〈内容〉
1　食と人間関係 ———	自分たちで育てた野菜を食べる。
2　食と文化 ———	食材の色，形，香りなどに興味を持つ。
3　食と健康 ———	保育所生活における食事の仕方を知り，自分たちで場を整える。
4　いのちの育ちと食 ——	同じ料理を食べたり，分け合って食事することを喜ぶ。
5　料理と食 ———	食事にあった食具（スプーンや箸など）の使い方を身につける。

ポイント

食育をテーマとした資料からの抜粋内容である。幼児期の食は，身体の成長を促すだけではなく，食生活を通したコミュニケーションや食べる喜びなど，さまざまな感覚を身につけていく。食育の指針を通して，年齢に応じた食に関するねらいやその具体的内容を確認しておくこと。

解説

❶ × 食と人間関係－同じ料理を食べたり分け合い，食事することを喜ぶ。
「**食と人間関係**」については，「身近な大人や友達とともに，食事をする喜び
を味わう」「食生活に必要なことを，友達とともに協力して進める」などが
内容に含まれる。

❷ × 食と文化－食事にあった食具の使い方を身につける。
「**食と文化**」については，「食材にも旬があることを知り，季節感を感じる」
「地域の産物を生かした料理を味わい，郷土への親しみを持つ」などがその
内容に含まれる。

❸ ○ 食と健康－保育所生活での食事の仕方を知り，自分たちで場を整える
「**食と健康**」については，「好きな食べものをおいしく食べる」「様々な食べ
ものを進んで食べる」「慣れない食べものや嫌いな食べものにも挑戦する」
などが内容に含まれる。

❹ × いのちの育ちと食－自分たちで育てた野菜を食べる。
「**いのちの育ちと食**」については，「身近な動植物に関心を持つ」「動植物に
触れ合うことで，いのちの美しさ，不思議さなどに気づく」などが内容に含
まれる。

❺ × 料理と食－食材の色，形，香りなどに興味を持つ。
「**料理と食**」については，「身近な大人の調理を見る」「食事づくりの過程の
中で，大人の援助を受けながら，自分でできることを増やす」「食べたいも
のを考える」などが内容に含まれる。

正答 **3**

CHECK

楽しく食べる子どもに～保育所における食育に関する指針～

●食育の目標

①お腹がすくリズムのもてる子ども
②食べたいもの，好きなものが増える子ども
③一緒に食べたい人がいる子ども
④食事づくり，準備にかかわる子ども
⑤食べものを話題にする子ども

上にかかげた子ども像は，保育所保育指針で述べられている保育の目標を，食
育の観点から，具体的な子どもの姿として表したものである。

ベスト過去問編

難易度 ★★　　頻出度 ★★★

⑧ 子どもの食と栄養 08

学習日
/　　/　　/

人工栄養

次の【Ⅰ群】の育児用ミルクと，【Ⅱ群】の特徴を結びつけた場合の正しい組み合わせを一つ選びなさい。

【令和2年後期・問8】

【Ⅰ群】

A　乳児用調製粉乳

B　フォローアップミルク

C　低出生体重児用粉乳

D　アミノ酸混合乳

【Ⅱ群】

ア　生後9か月以降から使用する。

イ　消化吸収に負担の少ない中鎖脂肪（MCT）が用いられている。

ウ　牛乳たんぱく質を含まないアレルギー児用ミルクである。

エ　母乳の代替品である。

（組み合わせ）

	A	B	C	D
1	ア	イ	エ	ウ
2	イ	エ	ウ	ア
3	ウ	エ	イ	ア
4	エ	ア	イ	ウ
5	エ	ア	ウ	イ

ポイント

母乳栄養と人工栄養は，毎回出題されるほど重要テーマである。それぞれの特徴をまとめておくこと。問題にあるように，人工栄養には，母乳の代わりに飲むミルクや，フォローアップミルク，病気やアレルギーの乳児用のミルクなどたくさんの種類があるので，それぞれの特徴をつかんでおこう。

解説

Ⓐ-エ 乳児用調整粉乳は母乳の代替品で，特別用途食品に指定されている。
原料の**牛乳**の成分を**母乳**に近づけ，加工，調整したものである。

Ⓑ-ア フォローアップミルクは９か月以降の乳幼児が，離乳の補助として使用する。
フォローアップミルクは，**鉄**や**ビタミン**類を特に強化したものだが，母乳や育児用ミルクの代替品ではない。

Ⓒ-イ 低出生体重児用粉乳は消化負担が少ない中鎖脂肪酸が用いられている。
低出生体重児とは，出生時に**2,500 g** 未満で出生した乳児であり，発達や体調に合わせた栄養補給が必要となる。

Ⓓ-ウ アミノ酸混合乳はタンパク質を含まずアミノ酸で作られたミルク。
アミノ酸混合乳は，精製されたアミノ酸のみを使用したミルク。ミルク**アレルギー**の強い子・大豆アレルギーの子ども向けのミルクである。

正答　4

人工乳の種類と特徴

①調製粉乳

乳児用調製粉乳 （育児用調製粉乳）	原料の牛乳の成分を加工，調整し，乳児が必要とするエネルギーや栄養素の基準を満たしたもの。母乳代替品。
乳児用液体ミルク （乳児用調製液状乳）	液状の人工乳を容器に密封したものであり，常温での保存が可能。調乳の手間がなく，消毒した哺乳瓶に移し替えて，すぐに飲むことができる。地震等の災害時にも，水等を使わず授乳することができる。母乳代替品。
フォローアップ ミルク	原料の牛乳を加工，調整したもので，９か月頃から年少幼児向けに作られた栄養補給用の調製粉乳。特に鉄・ビタミン類を強化。母乳または育児用ミルクの代替品ではない。

②アレルギーや病児のための粉乳

大豆たんぱく調整乳 （大豆調製粉乳）	大豆たんぱくから作られた牛乳アレルギー児の代替乳。
アレルギー疾患用粉乳 （アレルゲン除去食品）	アレルゲンとなる牛乳たんぱく質をあらかじめ細かく分解して低分子化させた粉乳。
アミノ酸混合乳	タンパク質を含まない，精製されたアミノ酸のみを使用したミルク。アレルギーの強い子どもが使用する。
無乳糖粉乳 （乳糖不耐症用ミルク）	乳糖に対して耐性を持たない乳児や，乳糖を分解する酵素の働きが弱っている（下痢や風邪等）乳児に用いる。
低ナトリウム粉乳	腎臓や心臓などの疾患を持つ児のために，ナトリウムの含有量を通常の育児用ミルクの１/５以下にしたもの。

一問一答編

ベスト過去問編

本試験編

ベスト過去問編

難易度 ★★★　頻出度 ★★

8 子どもの食と栄養 09
学習日
／　／　／

食物アレルギー

　次のうち，食物アレルギーに関する記述として，適切な記述の組み合わせを一つ選びなさい。 【令和5年前期・問19】

A　鶏卵アレルギーは卵黄のアレルゲンが主原因である。

B　小麦アレルギーの場合，米や他の雑穀類は摂取することができる。

C　鶏卵を材料とする天ぷらの衣やハンバーグのつなぎなどは，いも類やでんぷんで代替可能である。

D　牛乳アレルギーの場合，基本的に牛肉も除去する。

（組み合わせ）

1　A　B

2　A　C

3　B　C

4　B　D

5　C　D

ポイント

食物アレルギーは，子どもの健康や命に関わる重大なテーマであり，保育士が確認しておかなければならない必須事項として，必ず出題される。食物アレルギーに対する考え方，アレルギーの原因となる食物，また食物アレルギーをもつ子どもへの対応方法などを十分に確認しておくこと。

解説

Ⓐ✕ **鶏卵アレルギーは卵白のアレルゲンが主原因である。**
鶏卵アレルギーは**卵白**のアレルゲンが主原因で，卵黄より卵白の方がアレルギー性が高い。

Ⓑ◯ **小麦アレルギーの場合，米や他の雑穀類は摂取することができる。**
小麦アレルギーの場合，米や**他の雑穀**（大麦，ライ麦，オーツ麦など）類は摂取することができる。**しょうゆ**や**味噌**には小麦が含まれているが，製造過程でタンパク質が分解されるため，基本的に摂取できる。

Ⓒ◯ **鶏卵を材料とするつなぎは，いも類やでんぷんで代替可能である。**
鶏卵を材料とする天ぷらの衣やハンバーグの**つなぎ**は，**いも類**（すりおろしたじゃがいもなど）や**でんぷん**（片栗粉など）で代替可能である。

Ⓓ✕ **牛乳アレルギーの場合，牛肉を除去する必要はない。**
牛肉は，牛乳と**アレルゲンが異なる**ため，基本的に除去する必要はない。

正答　3

CHECK

食物アレルギー

定義	特定の食物を摂取した後に，皮膚，粘膜，呼吸器，消化器，あるいは全身性に不利益な症状が引き起こされた現象をいう。多くは，タンパク質が原因で起こる。**食物アレルギー**に関係する抗体は，**免疫グロブリンE（IgE）**である。
アレルゲン	保育所での除去が多いアレルゲン＝①**鶏卵**，②**乳製品**，③**小麦**（３大アレルゲン）
除去食の解除	年齢が上がるとともに，耐性化が進み，食べられるようになる子どもが多い。３歳までに**約５割**，６歳までに**約８〜９割**で除去食の解除が進むといわれている。
アナフィラキシー	アレルギー反応により，蕁麻疹などの**皮膚症状**，腹痛や嘔吐などの**消化器症状**，ゼーゼー，息苦しさなどの**呼吸器症状等**が，**複数同時にかつ急激に出現した状態**。 ・**アナフィラキシーショック**…アナフィラキシーのなかでも，血圧が低下し意識レベルの低下や脱力を起こし，**生命にかかわる重篤な状態**。
アレルギーマーチ	成長に伴い，皮膚や消化器症状，呼吸器系，じんましん，花粉症などアレルギーが形を変えて進行していくこと。

難易度 ★　　頻出度 ★ ★

学習日 ／　／　／

8 子どもの食と栄養 10

体調不良の子どもの特徴や食生活への配慮

次の文のうち，**不適切な記述**を一つ選びなさい。　【令和2年後期・問19】

1 下痢の時には，食物繊維を多く含む料理を与える。

2 乳児は，胃の形状から嘔吐しやすい。

3 嘔吐後に，吐き気がなければ，様子を見ながら経口補水液などの水分を少量ずつ摂らせる。

4 脱水症の症状として，排尿間隔が長くなり，尿量が減る等がある。

5 嘔吐物の処理に使用した物（手袋，マスク，エプロン，雑巾等）は，ビニール袋に密閉して，廃棄する。

ポイント

体調不良の子どもの特徴や食生活への配慮に関する問題である。発熱，下痢，嘔吐，口腔内の異常など，それぞれの状況における特徴や配慮を自分の健康と関連づけながらおぼえておこう。子どもの保健の内容と関連が深い部分でもあるので，合わせて復習しておくとよい。

解説

❶✕ 下痢のときは，食物繊維が多い食品の摂取を控える。

　　食物繊維が多い食品のほか，乳製品や冷たいもの，**脂肪分**が多いものは，下痢の症状を悪化させてしまうため，摂取を控える。

❷○ 乳児の胃は，トックリ型をしているため嘔吐しやすい。

　　乳児の胃はトックリの形をしており，胃の**入口**（噴門）の締まりが悪いので，嘔吐しやすい。

❸○ 嘔吐後しばらく吐き気がなければ，様子をみて水分を少量ずつ摂らせる。

　　嘔吐後すぐは水分を摂らせず，吐き気がおさまったら**経口補水液**などの水分を少しずつ摂らせていく。

❹○ 脱水症状の一つとして，体内の水分の減少による尿量の減少等がある。

　　水分量の摂取が減り，尿量が少なくなると，尿をためる膀胱（ぼうこう）が刺激を受けず，排尿回数が**減り**，排尿間隔が**長く**なる。

❺○ 嘔吐物の処理に使用した物は，ビニール袋に密閉して廃棄する。

　　処理に使用した手袋，エプロン等をビニール袋に入れ，口をしっかり縛り，**廃棄**する。処理が終わったら，丁寧に手を洗い，うがいもする。

正答　**1**

CHECK
体調不良の子どもへの食対応

発熱	水分補給（※白湯，麦茶，経口補水液や幼児用イオン飲料など。以降，水分補給の内容は同様）をこまめに行う。 食事は水分の多いさっぱりした食べ物を与える。 脱水にならないよう注意する。
下痢	水分補給はこまめに行う。脂肪分や糖分の多い食事は控える。食物繊維，柑橘系の果物，香辛料などは下痢を悪化させるので控える。おかゆ，野菜スープ，うどんなどの消化のよいものを少しずつ摂るようにする。
便秘	生活習慣の改善，水分補給食事の改善（バランス・食物繊維の摂取）。
嘔吐	吐き気がおさまってから水分補給をする。水分補給後，嘔吐が再発しなければ，おかゆ，野菜スープ，うどんなどの消化のよいものを少しずつ摂るようにする。
口腔内（口唇，口蓋，口腔粘膜など）の異常	水分補給をする。薄味で刺激の少ない食品，とろみをつけるなど，舌ざわりがよく飲みこみやすいものを体温程度で与える。

次の曲の伴奏部分として，A〜Dにあてはまるものの正しい組み合わせを一つ選びなさい。
【令和4年前期・問1】

JASRAC 出 2405064-401

（組み合わせ）

	A	B	C	D
1	ア	ウ	エ	イ
2	イ	ア	ウ	イ
3	ウ	イ	エ	ア
4	エ	イ	ア	エ
5	エ	ウ	ア	ウ

🔍 ポイント

「思い出のアルバム」のメロディに適したコード（和音）を選択する問題である。保育現場においては，童謡に伴奏をつけて子どもたちに弾き歌いをする技術が求められる。メロディに合うコードが選択できるように，コードネームの知識を整理しておこう。

解説

ア〜エの各コードは以下の通りである。

ア「シ，ファ，ソ」→G₇の転回形　　**イ**「ラ，ド，ミ」→Am

ウ「ド，ミ，ソ」→C　　　　　　　**エ**「ド，ファ，ラ」→Fの転回形

Ⓐ-エ Fコード（ド，ファ，ラ）を選択する。

メロディが「ド，ド，ド，ド，シ，ラ」であるので，Fの構成音である（シは経過音である）。

Ⓑ-ウ Cコード（ド，ミ，ソ）を選択する。

メロディが「ソ，ラ，ソ」であるので，Cの構成音である（ラは経過音である）。

Ⓒ-ア G₇コード（シ，ファ，ソ）を選択する

メロディが「ファ，ファ，ファ，ミ，レ」であり，G₇（ソ，シ，レ，ファ）の構成音が含まれている（ミは経過音である）。

Ⓓ-ウ Cコード（ド，ミ，ソ）を選択する。

メロディが「ラ，ラ，ラ，ソ，ミ」であり，ラが最初に並んでいるが，そのあとの「ソ，ミ」からCの構成音となる。

以上のことから，正しい伴奏の組み合わせは**5**である。

正答　5

主要三和音

・主要三和音とは，伴奏づけに使われる3つの主な和音をいう。

・ハ長調の伴奏づけに使われる主要三和音（C，F，G，G₇）を覚えておこう。

基本形

C＝ド，ミ，ソ　　F＝ファ，ラ，ド，G＝ソ，シ，レ，G₇＝ソ，シ，レ，ファ

・ハ長調のメロディに対して，伴奏は，和音を転回して使うことが多い。

※転回形とは…基本形の音の順番を入れ替えてできた和音

F＝ド，ファ，ラ（基本形Fの転回形）　　　　　G＝シ，レ，ソ（基本形Gの転回形）

G₇＝シ，ファ，ソ（基本形G7の転回形）※レが省略

※伴奏に使われる和音は，ヘ音記号での出題が多い。ヘ音記号での譜読みにも慣れておこう。

ベスト過去問 編

難易度 ★

頻出度 ★★★

学習日 / / /

⑨ 保育実習理論 02

音楽用語

次のA～Dを意味する音楽用語を【語群】から選んだ場合の正しい組み合わせを一つ選びなさい。

【令和3年後期・問2】

A moderato

B tempo primo

C allegretto

D a tempo

【語群】

ア ゆったりと	イ 最初の速さで	ウ もとの速さで
エ やや速く	オ 楽しく	カ 中ぐらいの速さで
キ 好きな速さで	ク とても速く	

(組み合わせ)

	A	B	C	D
1	ア	ウ	ク	オ
2	カ	イ	エ	ウ
3	カ	ウ	ク	イ
4	キ	イ	エ	ウ
5	キ	ク	カ	イ

ポイント

頻出テーマである音楽用語の意味を問う問題である。楽譜には，音の強弱や，演奏する速さ，演奏の順序，発想を表す用語などが記されている。楽器を演奏したり，歌を歌ったりする際に必要となる知識でもあるので，読み方と意味をしっかりと暗記しておこう。

解説

Ⓐ-カ moderatoは，「中ぐらいの速さで」である。

moderato は，「**中ぐらいの速さで**」であり，速度を表す用語である。

Ⓑ-イ tempo primoは，「最初の速さで」である。

tempo primo は，「**最初の速さで**」であり，速度の変化を表す用語である。

Ⓒ-エ allegrettoは，「やや速く」である。

allegretto は，「**やや速く**」であり，速度を表す用語である。**allegro**「速く」が原型。

Ⓓ-ウ a tempoは，「もとの速さで」である。

a tempo は，「**もとの速さで**」であり，速度の変化を表す用語である。

正答　2

 CHECK

音楽用語

音楽用語の種類ごとに一覧表を作成し，読み方と意味を整理しておこう。

●速度を表す記号

	読み方	意味
andante	アンダンテ	ゆっくりと歩く速さで
moderate	モデラート	中くらいの速さで
allegretto	アレグレット	やや速く

●速度の変化を表す記号

a tempo	ア　テンポ	もとの速さで
ritardando	リタルダンド	だんだんゆっくり

●強弱を表す記号

forte	フォルテ	強く
crescendo	クレッシェンド	だんだん強く
decrescendo	デクレッシェンド	だんだん弱く
diminuendo	ディミヌエンド	だんだん弱く

●発想を表す用語

dolce	ドルチェ	柔らかに，甘く

9 保育実習理論 03

メジャーコード

次の楽譜からメジャーコードを抽出した正しい組み合わせを一つ選びなさい。

【令和4年前期・問3】

（組み合わせ）

1 ① ② ⑤
2 ① ③ ⑥
3 ② ④ ⑤
4 ② ⑤ ⑥
5 ③ ④ ⑥

🔍 ポイント

コード（和音）に関する問題である。コードについて、基本的なしくみを丁寧に理解したうえで、マイナーコードとメジャーコードの違いや、転回形やオーギュメントといった変則的なコード等についても、解答が求められるように慣れておく必要がある。

解説

①から⑥の和音を，転回形から基本形に戻す。

❶ ラ，ド，ミ（Am）

根音ラと第3音ドの音程が短3度であるので，**マイナーコード**である。

❷ ミ♭，ソ，シ♭（E♭）

根音ミ♭と第3音ソの音程が長3度であるので，**メジャーコード**である。

❸ ド，ミ，ソ♯（Caug）

Cコードの第5音を半音上げた**オーギュメントコード**※である。

※メジャーコードの5度の音を半音上げた状態を**オーギュメントコード**という。

❹ レ，ファ，ラ（Dm）→転回形ファラレで出題されている。

上のレを1オクターブ下に下げると基本形のレ，ファ，ラになる。

根音レと第3音ファの音程が短3度であるので，**マイナーコード**である。

❺ レ，ファ♯，ラ（D）→転回形ファ♯ラレで出題されている。

上のレを1オクターブ下に下げると基本形のレ，ファ♯，ラになる。

根音レと第3音ファ♯の音程が長3度であるので，**メジャーコード**である。

❻ シ♭，レ，ファ（B♭）→転回形レファシで出題されている。

上のシ♭を1オクターブ下に下げると基本形のシ♭，レ，ファになる。

根音ファと第3音ラの音程が長3度なので，**メジャーコード**である。

正答　4

CHECK

コードについて

●和音の基本形　　　根音の上に3度ずつ音を重ねたもの。

●和音（コード）の種類

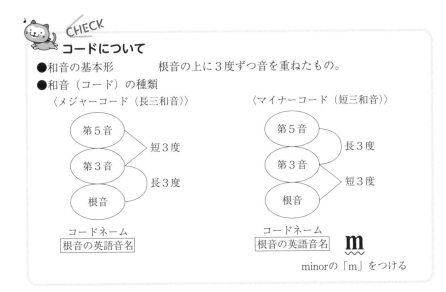

〈メジャーコード（長三和音）〉

第5音 — 短3度
第3音 — 長3度
根音

コードネーム
根音の英語音名

〈マイナーコード（短三和音）〉

第5音 — 長3度
第3音 — 短3度
根音

コードネーム
根音の英語音名 **m**

minorの「m」をつける

　次の曲を5歳児クラスで歌ってみたところ最高音が歌いにくそうであった。そこで短3度下げて歌うことにした。その場合，下記のコードはどのように変えたらよいか。正しい組み合わせを一つ選びなさい。　【令和5年前期・問4】

JASRAC 出 2405064-401

（組み合わせ）

	F	B♭	C₇
1	C	E♭	G₇
2	C	F	G₇
3	D	G	A₇
4	D	F	A₇
5	A	D	E

🔍 **ポイント**

童謡「もみじ」の伴奏部分のコードを移調する問題である。移調とは楽曲そのものを，高くあるいは低く音域を移すことである。音程の知識が問題を解く鍵となる。もとの調の主音と，移調後の調の主音の音程の関係に着目するとわかりやすい。

解説

移調は原調と移調後の主音の音程を考えるとわかりやすい。

童謡「もみじ」のへ長調の伴奏部分を短3度下に移調すると，主音がファ（へ）から，レ（ニ）に変わるので，移調後は，主音がレ（ニ）の二長調になる。音程の短3度とは，鍵盤の枚数で考えると，下の音から上の音まで鍵盤が**4枚分**ある。

伴奏部分のコードも移調後は，短3度下のコードに変わる。すなわち，コードの**根音を短3度下**に移すだけでコードの移調ができる。

F→D：Fコード（ファ，ラ，ド）の根音はファ，短3度下に下げると根音は**レ**。移調後は**Dコード**になる。

B♭→G：B♭コード（シ♭，レ，ファ）の根音はシ♭，短3度下に下げると根音はソ。

移調後は**Gコード**になる。

C₇→A₇：C₇コード（ド，ミ，ソ，シ♭）の根音はド，短3度下の下げると根音はラ。移調後は**A₇コード**になる。

正答　3

 CHECK

音程

音程とは，ある音からほかの音までの高さの隔たりをいう。ある音から，ほかの音まで鍵盤が何枚あるか数えることでも音程が判別できる。

　　　　　　長2度　　短2度　　長3度　　短3度

例）

長2度：下の音（ド）から上の音（レ）まで，鍵盤の枚数は3枚（ド，ド♯，レ）ある。

短2度：下の音（ド）から上の音（レ）まで，鍵盤の枚数2枚（ド，レ♭）である。

長3度：下の音（ド）から上の音（ミ）まで，鍵盤の枚数は5枚（ド，ド♯，レ，レ♯，ミ）

短3度：下の音（ド）から上の音（ミ♭）まで，鍵盤の枚数は4枚（ド，ド♯，レ，ミ♭）である。

一問一答編

ベスト過去問編

本試験編

　次の文は，「図式期」と呼ばれる描画発達の一時期にみられる特徴に関する記述である。それぞれの言葉とその内容とが適切なものを○，不適切なものを×とした場合の正しい組み合わせを一つ選びなさい。　【令和2年後期・問8】

A　アニミズム的表現 ──── すべてのものに命があり，感情や意志をもっているという考え方に基づいた絵で，動物以外のものにも目や口を描き，感情の表現を行う。

B　レントゲン描法 ──── 家の中の様子やポケットの中身など，外からは見えないものまでを描いた絵。

C　展開図描法 ──── 異なる時間の出来事や，連続して進行するお話のそれぞれの場面を1枚の絵の中に描くこと。

D　基底線 ──── 画面に横線を引き，この横線を地面としてその上に人や乗り物を描く。このような横線の呼び名である。

（組み合わせ）
```
    A  B  C  D
1   ○  ○  ○  ○
2   ○  ○  ○  ×
3   ○  ○  ×  ○
4   ○  ×  ○  ×
5   ×  ○  ×  ×
```

ポイント
子どもは，大人とまったく違う見方，描き方をする。何歳頃にどんな絵の表現をするのか，子どもの絵の発達段階の特徴を問う問題である。各年齢別にみられる絵の特徴と色々な表現法の名称を結びつけられるようにしておこう。

解説

5歳～8歳頃の時期を図式期といい，自分の中にある覚え書きのような絵記号で表現する。

Ⓐ〇 アニミズム表現は，擬人化表現ともいう。

太陽や花などに**目や口などを用いて表情を描き**いれる表現。自然物や人工物にも人間と同じように心や気持ちがあると感じている。

Ⓑ〇 レントゲン表現は，透視画表現ともいう。

電車やバスや家の中の人など，**外から見えるはずのないもの**，見えないはずのものを**見えるように描く**表現。

Ⓒ✕ 時間的経過を一つの絵の中に描く表現は，異時同存表現である。

運動会でかけっこをしたことや，お遊戯をしたこと，お弁当を食べたことなど，**異なる時間の出来事**を1枚の絵の中に描く表現をいう。

Ⓓ〇 基底線とは，空や地面を表す線のことである。

絵の上部に水色の線を描いたり，地面に茶色い横線を描いたりする。場所を示したいという**空間の意識**が獲得されたことを意味する。

正答 **3**

 CHECK

子どもの絵の表現の特徴

子どもたちの絵は自由奔放である。自分の好奇心，体験したこと，内面の世界を思うままに表現する。子どもの絵の表現の特徴を整理しておこう。出題以外にも以下のような表現がある。

拡大（誇張）表現	心に残った印象，興味・関心のあるものを大きく描く。
視点移動表現	同じものを1つの視点だけではなく，多面的にみて知ったものの形を1つの平面に描く。
展開表現	道の両側の家が倒れたように描いたり，机の脚が広がっているように描いたり，真上からの視点で展開図のように表現する。
積み上げ（積上）表現	隣のものや，遠くにあるものを上に積み上げたように描く遠近の表現。
並列表現	同じものを繰り返し並べて描く。
代償行為	一度描いた絵の上からほかの色で塗りつぶし，絵の上で相手をやっつける表現。

　宮沢賢治著『銀河鉄道の夜』では，色の世界が豊かに表現されている。次の一節を読んで，【設問】に答えなさい。　　　　　　　　　【令和5年前期・問10】

　「そのきれいな水は，ガラスよりも水素よりもすきとおって，ときどき眼の加減か，ちらちら紫いろのこまかな波をたてたり，虹のようにぎらっと光ったりしながら，声もなくどんどん流れて行き，野原にはあっちにもこっちにも，燐光の三角標が，うつくしく立っていたのです。遠いものは小さく，近いものは大きく，遠いものは橙や黄いろではっきりし，近いものは青白く少しかすんで，或いは三角形，或いは四辺形，あるいは電や鎖の形，さまざまにならんで，野原いっぱい光っているのでした。ジョバンニは，まるでどきどきして，頭をやけに振りました。するとほんとうに，そのきれいな野原中の青や橙や，いろいろかがやく三角標も，てんでに息をつくように，ちらちらゆれたり顫ふるえたりしました。」

【設問】

　次のうち，文中に出てくる色名や色にかかわる現象の説明として，適切なものを○，不適切なものを×とした場合の正しい組み合わせを一つ選びなさい。

A 「紫」は，赤と青の混色でできる色である。
B 「虹」は，空気中にある無数の水滴によって太陽光線が分光されてできる。
C 「青」は，緑と黄の混色でできる色である。
D 「黄」は，色の三原色の一つであるが光の三原色の一つではない。

（組み合わせ）

	A	B	C	D
1	○	○	○	○
2	○	○	×	○
3	○	×	×	×
4	×	○	×	○
5	×	×	○	×

🔍**ポイント**

色彩についての出題である。色の三原色（赤・青・黄），光の三原色（赤・青・緑）の特性について理解しておこう。

 解説

Ⓐ〇 「赤」に「青」を混ぜると「紫」ができる。

色の三原色「赤・青・黄」のうち，**「赤と青」**の２色を混ぜると「紫」ができる。

Ⓑ〇 「虹」は，空気中の水滴が太陽光線を反射して見える現象である。

光の波長によって屈折率が異なり，**「赤，橙，黄，緑，青，藍，紫」**の７色になる。

Ⓒ✕ **「青」は混色ではなく，「黄」と混ぜると「緑」ができる。**

色の三原色「赤・青・黄」のうち，「青と黄」の２色を混ぜると緑ができる。

Ⓓ〇 「黄」は色の三原色の一つであるが，光の三原色の一つではない。

色の三原色は「赤・青・黄」であるが，**光**の三原色は「赤・緑・青」である。

正答　**2**

 CHECK

色彩

●**色の分類**

　無彩色…白・黒・灰　　　**有彩色**…色味を持つ色

●**色の三要素**

　色の明るさを**明度**，色の鮮やかさを**彩度**，色みの種類（赤み，黄み，青み）を**色相**という。

●**色相環**

①黄緑　　　⑤青　　　⑨赤

②緑　　　　⑥青紫　　⑩赤みの橙

③青緑　　　⑦紫　　　⑪黄みの橙

④緑みの青　⑧赤紫　　⑫黄

★色科の３原色 …赤・青・黄

★光の３原色 …赤・青・緑

●**混色**

・色料の３原色（赤・青・黄）のうち，２色を混ぜると別の色相ができる。

・黄に青を混ぜると，緑ができる。

・赤に黄色を混ぜると，橙ができる。

・青に赤を混ぜると，紫ができる。

●**補色**…色相環上において対角線上（真向かいに配置された対照的な色をいう）

　（例）赤と青緑，黄と青紫，青と黄みの橙

●**加算混合**（加法混合）…光の三原色（赤・青・緑）を混ぜると明度が**上がり**，白に近くなる。

●**減算混合**（減法混合）…色の三原色（赤・青・黄）を混ぜると明度が**下がり**，暗い色になる。

ベスト過去問編

難易度 ★

頻出度 ★★

学習日 ／ ／ ／

9 保育実習理論 07

モダンテクニック

　次の【Ⅰ群】の版技法の名称と，【Ⅱ群】の版技法の説明を結びつけた場合の正しい組み合わせを一つ選びなさい。 【令和元年後期・問10】

【Ⅰ群】

A スタンピング

B ステンシル

C マーブリング

【Ⅱ群】

ア 木の皮や葉，凸凹のある壁などにトレーシングペーパーなどの薄紙をのせ，色鉛筆やクレヨンなどで擦り出していく転写技法。

イ ある形を紙に型抜きし，その型の中に絵の具を刷り込む内塗りと，型の周りに絵の具を刷り込む外塗りの技法がある。

ウ 段ボールや野菜の断面，木片やプラスチックのフタなど身の回りにあるものに絵の具をつけて，紙などに型押しをして楽しむ技法。

エ 平らな容器に水を張り，墨汁または油性絵の具を油で薄めたものや，専用の絵の具などを水の表面に浮かして，水の上にできた模様を紙に写し取る技法。

オ 紙をふたつ折りにして，開いた一方の折り目の近くに色をつけ，紙を閉じて手で強くこすって再び広げてみると，左右対称に不思議な形や色の模様ができる。

(組み合わせ)

	A	B	C
1	ア	オ	イ
2	ウ	ア	エ
3	ウ	イ	エ
4	エ	ア	ウ
5	エ	イ	オ

ポイント

保育現場では，絵の具，クレヨン，パス，墨などを使って，子どもたちと色々な表現技法を楽しむ。技法とそれに適した着色材料を結びつける出題である。技法の種類と手順を理解し，それに必要な描画素材の特徴を理解しているかが，ポイントとなる。

解説

絵の具・クレヨン・パス・墨を使った技法の特徴の出題である。

Ⓐ-ウ スタンピングは印を押すという意味で型押しともいう。

スタンピングは，版画の一種で，ビン蓋や野菜の輪切り，木の葉などに濃いめの絵の具をつけて紙に型押しする技法。

Ⓑ-イ ステンシルは型紙絵ともいう。

ステンシルは，切り抜いた型紙の下に紙を置き，上からタンポや刷毛で絵の具を塗ると型紙の切り抜いた部分が下の紙に写し出される。

Ⓒ-エ マーブリングは，墨流しともいう。

マーブリングは，専用の絵の具などを水面に数滴落とし，その表面を竹串などでそっとかき混ぜる。水の上にできたマーブル模様を紙に写し取る技法。

正答　3

CHECK

描画素材と描画技法

●描画素材の特徴

クレヨン	顔料をろうで固めたもの。硬めで線描に向く。手を汚さない。
パス	顔料を油脂で固めたもの。軟らかめで色伸びが良い。手が汚れる。
絵の具	アクリル絵の具：不透明水彩で，速乾性があり重ね塗り可能。一度乾くと**耐水性**になり水に溶けない。布，板，石，ガラスにも着色可能。 ポスターカラー：不透明水彩で，速乾性があり重ね塗り可能。目立つ色相であるのでポスターに使用されるが，耐水性がないので屋外のポスターには不向き。

●主なモダンテクニックの種類

フィンガーペインティング（指絵の具）	小麦粉でのりをつくり絵の具を混ぜて，直接指や手で絵を描く。心身の開放を促す代償行為。
スタンピング（型押し）	木の葉や野菜の輪切りなどに絵の具をつけて押して遊ぶ。
マーブリング（墨流し）	水面に墨や専用の絵の具をたらし，割りばしなどでそっとかき混ぜてできた模様を上から紙をかぶせて写し取る。
フロッタージュ（こすりだし絵）	凹凸のあるざらざらしたものに紙をあて，パスなどで上からこすると模様が浮き出てくる。
デカルコマニー（合わせ絵）	画用紙に絵の具を置き，半分に折るとシンメトリーな形ができる。
コラージュ（はり絵）	紙や布を切り抜いて組み合わせて張り合わせる。
折り染め	和紙などを蛇腹折のように規則正しく折りたたみ，四隅に絵の具を浸す。紙を開くと折り目ににじみ模様ができる。

一問一答編

ベスト過去問編

本試験編

ベスト過去問編

難易度 ★★　　頻出度 ★★★

9 保育実習理論 08

学習日

／　／　／

保育士の責務と倫理

次の【事例】を読んで，【設問】に答えなさい。　【令和5年前期・問14】

【事例】

　U保育所は，地域の子育て支援センターとして，一時保育や園庭開放を実施している保育所である。U保育所に勤務するS保育士は，勤務6年目になる保育士であり，地域の子育て支援の役割や新任保育士の指導なども担当するようになってきている。そこでS保育士は，保育士の責務と倫理について振り返ることとした。

【設問】

　次のS保育士の行動のうち，保育士の責務と倫理に照らして，適切なものを○，不適切なものを×とした場合の正しい組み合わせを一つ選びなさい。

A　近隣の公民館で子育てサークルを定期的に開催している民生委員の方から依頼を受け，遊びの指導を行った。

B　保護者会で「子どもに野菜などを栽培する機会をもたせたい」という要望があったが，現在の園内には野菜を栽培するスペースがなかった。そこで地域の社会福祉協議会に相談したところ，近隣の農園で野菜の栽培を行っている老人会を紹介してもらい，子どもたちと一緒に栽培に参加した。

C　保育所からの帰宅途中，新任のJ保育士と同じ路線バスに乗り合わせた。J保育士は，保護者対応に悩んでいるようであり，その保護者のことについて相談をしてきたが，「ここでは話を聞けないので，明日保育所で相談する時間をつくります」と伝えて，バスの車内では話を聞かなかった。

（組み合わせ）

	A	B	C
1	○	○	○
2	○	○	×
3	○	×	○
4	×	×	○
5	×	×	×

ポイント

保育士の「責務と倫理」をテーマとする問題は，保育所保育指針第1章「総則」や第5章「職員の資質向上」にもとづき，保育の専門性をもって，具体的な子どもや保護者への関わりの場面をイメージしながら理解することが大切である。

解説

Ⓐ〇 **保育所は，地域の子育て支援に関する人材と積極的に連携を図る。**
地域の関係機関や人材との**連携および協働**を図ることが，保育所保育指針にも示されているため，民生委員との連携した行動は適切である。

Ⓑ〇 **地域のさまざまな資源を適切に利用しながら，保育を進めていく。**
保育所だけで解決できない問題を地域の**社会資源や人材**と連携をとって進めていくことは必要である（選択肢Ａの解説参照）。

Ⓒ〇 **保育士の守秘義務は，児童福祉法で規定されている。**
保育士には，正当な理由がなく，その業務に関して知り得た人の秘密を漏らしてはならないという**守秘義務**があるため，保育所外で保護者の話をしなかった対応は適切である（児童福祉法18条の22）。

正答 **1**

 CHECK
保育士の責務と倫理について
●**保育所保育指針　第１章**
エ　保育所における保育士は，児童福祉法第18条の４の規定を踏まえ，保育所の役割及び機能が適切に発揮されるように，**倫理観**に裏付けられた**専門的知識，技術及び判断**をもって，子どもを保育するとともに，子どもの保護者に対する保育に関する指導を行うものであり，その職責を遂行するための**専門性の向上**に絶えず努めなければならない。

●**保育所保育指針　第５章**
１　職員の資質向上に関する基本的事項　(1)　保育所職員に求められる専門性
子どもの**最善の利益**を考慮し，**人権**に配慮した保育を行うためには，職員一人一人の**倫理観，人間性**並びに保育所職員としての**職務及び責任の理解と自覚**が基盤となる。

２　施設長の責務　(1)　施設長の責務と専門性の向上
施設長は，保育所の役割や社会的責任を遂行するために，法令等を遵守し，保育所を取り巻く社会情勢等を踏まえ，施設長としての専門性等の向上に努め，当該保育所における保育の質及び職員の専門性向上のために必要な**環境の確保**に努めなければならない。

●**全国保育士会倫理綱領**
８．専門職としての責務
私たちは，研修や自己研鑽を通して，常に自らの**人間性と専門性の向上**に努め，専門職としての責務を果たします。

次の【事例】を読んで，【設問】に答えなさい。　　　【令和3年後期・問14】

【事例】

　P保育所のY保育士は，誕生会でパネルシアター，ペープサート，エプロンシアターのうち，いずれかを子どもたちの前で演じようと考えている。そこで，それらを演じる際の注意事項について，以前自分で作成したメモを読み返している。

【設問】

　A～Cはそのメモの一部である。パネルシアター，ペープサート，エプロンシアターのそれぞれをア・イ・ウとした場合の適切な組み合わせを一つ選びなさい。

A　舞台部分から割りばしが2cmほど見えている高さに保つように注意する。実演中は，登場人物のだれが話している場面か，子どもにわかりやすいように動かし方を工夫する。登場人物が速く走っている場面では，ジグザグ走法（上下に動かしながら進めていく技法）などを使って躍動感を表現する。割りばしが抜けてしまうと演じることが難しくなるので，接着面を確認しておく。

B　登場人物や背景などは大きめの箱に入れて準備しておき，子どもが気になってお話に集中できなくなることがないようにする。演じる前に話の内容をもう一度確認し，貼る順番をよく整理しておく。演じる際は舞台や台本ばかりに目が行ってしまわないように，また貼ったものが子どもからよく見えるように，気をつける。

C　しっかりと前を向いて立つようにし，子どもにお話がきちんと伝わるようにすることを心掛ける。子どもに見せるときには，腕を伸ばし左右の子どもにもしっかりと見えるようにする。自分の手の可動範囲を考えて，ポケットやマジックテープの位置が，適切かどうかを確認し，場合によっては，取付位置を少し動かす。

ア　パネルシアター　　　イ　ペープサート　　　ウ　エプロンシアター

（組み合わせ）

	A	B	C
1	ア	イ	ウ
2	ア	ウ	イ
3	イ	ア	ウ
4	イ	ウ	ア
5	ウ	ア	イ

ポイント

保育の現場で使用される身近な教材として，パネルシアター，ペープサート，エプロンシアターがある。子ども達に演じて見せたり，また一緒にふれながら楽しむことができる教材の特徴について，丁寧に確認しておくこと。

解説

A-イ **ペープサートは，絵を描いた紙を切って棒の先に張り付けて演じる人形劇。**
　ペープサートは，動物や人物などの絵を描いた紙を切って，**棒の先**に張り付けて演じる人形劇のことである。

B-ア **パネルシアターは，布を貼り付けたパネルを舞台に絵人形を動かして演じる。**
　パネルシアターは，**毛羽立ちのよい布**を貼り付けたパネルを舞台にし，不織布で作った絵人形などをつけたり外したりしてお話や遊び等を展開する。

C-ウ **エプロンシアターは，エプロンを舞台に人形や小物を使って話をするもの。**
　エプロンシアターは，お話しする人がつけた**エプロン**を舞台として，マジックテープのついた人形や小物をつけたり外したりしながらお話をするもの。

正答　3

 CHECK
保育教材について

・ペープサート
　動物や人物などの絵を描いた紙を切って棒の先に貼り付けて演じる紙人形劇のことをいう。ペープサートの裏と表の違う絵で感情や動作を表現し，変化をつけることができ，絵を動かしながら話を進める中で，子どもは想像力を刺激され話の中に引き込まれ楽しむことができる。

・パネルシアター
　毛羽立ちのよい布を貼り付けたパネルを舞台とし，不織布で作った絵人形などを付けたり外したり，動かしたりしながらお話や歌などの遊びを展開するもの。ボードに絵を貼ることで保育士1人でもいくつもの登場人物を演じることもあり，誕生会やクリスマスなどの行事の他，普段の保育でも使われる。

・エプロンシアター
　お話をする人がつけたエプロンを舞台としてポケットからいろいろな物を取り出し，マジックテープのついた人形や小物をつけたり，外したりしながらお話をするもの。エプロンの上で話が繰り広げられるということで子どもたちが珍しさから興味を持って楽しむことができて，保育士が子どもと向き合っているため表情や声で物語が伝わりやすいという特徴がある。

一問一答編

ベスト過去問編

本試験編

次の【事例】を読んで,【設問】に答えなさい。

【令和2年後期・問19】

【事例】

児童自立支援施設で実習中のQさん(20歳,女性)は,施設に入所しているRさん(13歳,女児)の何事に対しても無関心な態度が気になり,積極的に声をかけ,会話をするようにしていた。Rさんは幼児期からネグレクトを受け,小学校高学年の時期には夜間徘徊や喫煙,窃盗を繰り返す生活を送っていたそうである。実習終盤になるとRさんはQさんに対して心を開き,気さくに話をしてくれるようになった。そんな中,RさんはQさんに,今でも隠れて喫煙していることを伝えた。さらに「Qさんを信頼して言ったんだから,職員に言わないでね。これくらいしか楽しみがないんだ。」と伝えた。

【設問】

次の文のうち,Qさんが実習生として取るべき対応として,適切な記述の組み合わせを一つ選びなさい。

A Rさんの信頼を裏切らないため,喫煙していることは誰にも言わない。

B Rさんの喫煙せざるを得ない気持ちを考える。

C 「そうでもしないとやってられないよね。」と支持する。

D Rさんに,実習生として喫煙といった行動を見逃すことができないことを伝える。

(組み合わせ)

1 A B
2 A C
3 A D
4 B D
5 C D

ポイント

現場実習では,施設について法令や運営指針などをしっかり確認した上で,有効かつ適切な実習活動を行うことができるように,丁寧に準備を進める必要がある。運営指針を通して,実習を行う上での心構えや考え方を再確認することが大切である。

解説

Ⓐ✕ 子どもの喫煙という行為について，施設の職員に相談することが必要。
　未成年の喫煙という行為は，心身への影響も考慮し，認められる行為ではない。Ｒが心を許し打ち明けた事実もふまえ，職員に**報告**，**相談**の必要がある。

Ⓑ〇 子どもの立場にたって，本人の心情を理解することは大切。
　喫煙という事実のみに目を向けるのではなく，喫煙に至ったＲの気持ちや辛さ等を，彼女の置かれている環境を**理解**しながら考えることは大切である。

Ⓒ✕ 喫煙という行為を肯定するのではなく，子どもの気持ちを受容する。
　「喫煙」という行為を肯定するのではなく，喫煙による体調への影響を気遣った上で，喫煙せざるを得ないＲの心情を**受け止める**ことが大切である。

Ⓓ〇 未成年の喫煙という行為自体は許されないことをしっかりと伝える。
　喫煙という行為を厳しく禁じて否定するのではなく，Ｒの気持ちを受け止め，職員も含めて**解決に向けて取り組む**ことを示唆してみる。

正答　**4**

 CHECK
施設実習

施設実習における事前準備として，子どもたちの状況や援助の考え方について，確認・理解しておくことが大切である。
「児童自立支援施設運営指針」より
●**生活の中の保護**
・施設は，子どもの健やかな成長・発達を阻害し，行動上の問題を引き起こすような**不適切な養育環境や社会的な有害環境から**，子どもを**保護**する。
・施設は，自ら希望して入所していない多くの子どもを，**安定性のある生活の**中で，保護する。
・子どもの示す行動上の問題は，自分自身にある課題の表現でもある。課題をより明確にし，適切な対応を生み出すには，一人で考えるだけでなく，**第三者，特に信頼できる大人との対話**が役立つ。施設は，こうした新しい関係性を構築する生活の場所でもある。
●**職員のチームワーク**
・施設における良きチームワークは，職員の心情や養育環境を豊かにするとともに，子どもが人の協調する姿に気づき，おとなへの信頼を学ぶ機会を生む。
・抱え込みを避けるためにも，相互補完的な関係のチームワークが必要である。

間違いやすい定義

児童福祉法	
児童	満18歳に満たない者（児童買春ポルノ法，児童虐待防止法の「児童」も同様）
乳児	満1歳に満たない者
幼児	満1歳から，小学校就学の始期に達するまでの者
少年	小学校就学の始期から，満18歳に達するまでの者
障害児	障害児とは，身体に障害のある児童，知的障害のある児童，精神に障害のある児童（発達障害児を含む）又は治療方法が確立していない疾病その他の特殊の疾病等の児童
妊産婦	妊娠中又は出産後1年以内の女子
保護者	親権を行う者，未成年後見人その他の者で，児童を現に監護する者
要保護児童	保護者のない児童又は保護者に監護させることが不適当であると認められる児童
要支援児童	保護者の養育を支援することが特に必要と認められる児童（要保護児童を除く）
特定妊婦	出産後の養育について出産前において支援を行うことが特に必要と認められる妊婦
母子及び父子並びに寡婦福祉法	
児童	20歳に満たない者
寡婦	配偶者のない女子であって，かつて配偶者のない女子として児童を扶養していたことのある者
母子家庭等	母子家庭及び父子家庭
児童扶養手当法	
児童	18歳に達する日以後の最初の3月31日までの間にある者又は20歳未満で政令で定める程度の障害の状態にある者
児童手当法	
児童	18歳に達する日以後の最初の3月31日までの間にある者

特別児童扶養手当等の支給に関する法律

障害児	20歳未満であって，政令に定める障害の状態にある者
重度障害児	重度障害の状態にあるため，常時介護を必要とする障害児
特別障害者	20歳以上の，重度の障害の状態にあり，常時特別の介護を必要とする者

民法

成年	年齢18歳をもって，成年とする

少年法

少年	20歳に満たない者（18・19歳を特定少年とする）
犯罪少年	14歳以上で犯罪を行った少年
触法少年	14歳未満で刑罰法令を触れる行為をした少年
虞犯少年	将来，犯罪や刑罰法令に触れる行為を行う虞（おそれ）のある少年

就学前の子どもに関する教育，保育等の総合的な提供の推進に関する法律

子ども	小学校就学の始期に達するまでの者

子ども・子育て支援法

子ども	18歳に達する日以後の最初の3月31日までの間にある者
保護者	親権を行う者，未成年後見人その他の者で，子どもを現に監護する者

母子保健法（妊産婦，乳児，幼児の定義は児童福祉法と同じ）

新生児	出生後28日を経過しない乳児
未熟児	身体の発育が未熟のまま出生した乳児であって，正常児が出生時に有する諸機能を得るに至るまでのもの
低体重児	出生時の体重が2,500グラム未満の乳児
保護者	親権を行う者，未成年後見人その他の者で，乳児又は幼児を現に監護する者

実務教育出版
JITSUMUKYOIKU-SHUPPAN

オンライン動画でわかる！
保育の実務 スキルアップ講座のご案内

保育士の方が、いざ現場に出る前に押さえておきたい、保育の実務や最新の保育事情が、オンラインで学べます。
経験の浅い保育士の方、ブランクのある方、学び直しをしたい方、短期間で保育の質、職員の質を上げたい保育所様の職員研修にも最適です。

現場で役立つ
保育の実務 スキルアップ テキスト

特典テキスト付き！
2色刷・B5判・144頁

●講座ラインナップ（全12講座）● 　1講座2,420円(税込)

01　知らないと損する保育所保育指針　講師：橋本 圭介
02　今の子どもたちが分かる！ダイバーシティ保育　講師：橋本 圭介
03　はじめての保護者対応　講師：橋本 圭介
04　男性保育士まるわかり　講師：橋本 圭介
05　乳児保育の基本　講師：橋口 美明
06　室内遊びと外遊び　講師：黒米 聖
07　子どもの安全を守る保健　講師：梅澤 あさみ
08　『食』でまもる子どもの安全　講師：喜多野 直子
09　ねらいが達成できる指導案とドキュメンテーションの作り方　講師：大城 玲子
10　初めての指導案の書き方　講師：大城 玲子
11　実は超大事！保育士が知っておきたい法律のこと　講師：宇都宮 遼平
12　知識ゼロから保育園を開業する6つのステップ　講師：島貫 征之

YouTubeでお試し動画公開中！ ▶

お得な 全講座見放題も あります！

―●講師紹介●―
橋本圭介：学校法人三幸学園大宮こども専門学校専任講師。社会福祉法人友愛会川口アイ保育園理事長。「保育士のためのスキルアップノートシリーズ」（秀和システム）。
その他7名の講師で担当。

お申し込みはこちらから　保育の実務スキルアップ講座サイト　jitsumu-web.stream-video.jp
各講座のお申し込みは当サイトよりお願いします。
実務教育出版　〒163-8671 東京都新宿区新宿1-1-12　hoiku-practice@jitsumu.co.jp

本試験 編
（令和6年前期試験）

本編の特徴と使い方

●2024（令和6）年前期試験について

2024（令和6）年前期試験は，全体的に基本問題から応用問題まで満遍なく出題され，例年と比べても，その出題傾向に大きな変化がなかったといえます。したがって，過去問題を分析しつつ，重要テーマを中心に丁寧に深めていくことが合格点突破のポイントです。また専門知識のみならず，これまでの経験や日常生活の中からイメージして解答を求める柔軟性も求められ，一定の知識の記憶に留まらない「想像力」や「発展力」が不可欠です。

●今後の試験対策について

2024（令和6）年後期試験より，解答方法について一部変更されることが，保育士養成協議会から発表されました（右のQRコード参照）。

しかし，試験に向けた学習の「基本」は変わりません。基礎事項を丁寧に押さえたうえで応用力をもって幅広く解答が求められるように準備が不可欠です。また，社会の動向や調査結果などの時事問題が出題されることから，日常生活におけるニュースや話題に目を向けながら学習することも大切です。本編を有効に活用し，試験に向けてのステップアップを目指しましょう。

●本編の使い方

本試験編は，2024年の後期試験および2025年の前期試験問題に出題範囲が重なることもあり，試験対策として大いに活用するべき内容です。一問一答編，ベスト過去問編に一通りチャレンジした後の仕上げに，本編の過去問に取り組んでみてください。

なお，解説では近年の法改正を反映させていますので，最近の情報をチェックできる内容となっています。復習のときには，結果や点数に関わらず，丁寧に重要事項をチェックし，法改正内容や新事項などプラスαの知識を深めていきましょう。

1 保育の心理学

60分
正解　　　／20

問1 次の文は，アタッチメントに関する記述である。（　A　）〜（　D　）にあてはまる語句の正しい組み合わせを一つ選びなさい。

（　A　）は，乳児が不安や不快を感じるとアタッチメント行動が（　B　）に生じ，特定の人物から慰めや世話を受けることで，安心感や安全感が取り戻されると，アタッチメント行動は（　C　）すると考えた。アタッチメントはこのような（　D　）を通して機能するものであり，（　A　）は，特定の人物にくっつくという形で示される，子どもから特定の人物への永続的で強固な絆のことを，アタッチメントと呼んだ。

（組み合わせ）

	A	B	C	D
1	エインズワース（Ainsworth, M.D.S.）	随意的	沈静化	刺激反応システム
2	エインズワース（Ainsworth, M.D.S.）	自動的	活性化	行動制御システム
3	ボウルビィ（Bowlby, J.）	随意的	活性化	刺激反応システム
4	ボウルビィ（Bowlby, J.）	自動的	沈静化	行動制御システム
5	ボウルビィ（Bowlby, J.）	自動的	活性化	刺激反応システム

問2 次のうち，音声知覚の発達に関する記述として，適切なものを○，不適切なものを×とした場合の正しい組み合わせを一つ選びなさい。

A 生後間もない乳児でも，母語とそれ以外の言語を聞き分けられるのは，養育者の話し声から，その言語特有のリズムパターンを学習しているからである。

B 乳児の視覚機能の発達が早いのに比べ，聴覚機能の発達は，生活リズムに適応する過程を経て生後1年までに徐々に発達していく。

C 乳児の音の好み（聴覚的選好）を調べた結果，女性の高い音域の声よりも，男性の低い音域の声によく反応することが分かった。

D 乳児に，同じ刺激を反復提示すると，慣れてきて注意が低下し反応が減少する。

（組み合わせ）

	A	B	C	D
1	○	○	×	×
2	○	×	○	○
3	○	×	×	○
4	×	○	○	×
5	×	×	×	○

問3 次のうち，心の理論の発達に関する記述として，適切なものを○，不適切なものを ×とした場合の正しい組み合わせを一つ選びなさい。

A 誤信念課題は，6歳頃から徐々に正答できるようになる。

B 自閉スペクトラム症の場合，知的な遅れがないのに誤信念課題の成績が低いことがあり，心の理論の獲得に困難があることが注目された。

C 生後9か月頃に成立する共同注意は，心の理論の前駆体とみなされている。

D 心の理論を獲得した子どもは，相手の行動を理解したり予測したりすることが可能になる。

（組み合わせ）

	A	B	C	D
1	○	○	○	○
2	○	○	○	×
3	○	×	×	○
4	×	○	○	○
5	×	×	○	×

問4 次の文は，社会情動的発達に関する記述である。A～Dに関連する語句を【語群】から選択した場合の正しい組み合わせを一つ選びなさい。

A 自分で自分の身体に触れているときは，触れている感覚と触れられている感覚がする。

B 生後間もない時期から，乳児が他者に示された表情と同じ表情をする。

C 1歳半頃から，子どもが大人と同じようなことをやりたがったり，大人に対してことごとく「イヤ」と言って頑として譲らなかったりする。

D 情動は，運動・認知・自己の発達と関連しながら分化していく，という考え方を提唱した。

【語群】

ア	ダブルバインド	イ	ダブルタッチ	ウ	共鳴動作	エ	トマセロ（Tomasello, M.）
オ	延滞模倣	カ	自己中心性	キ	自己主張	ク	ルイス（Lewis, M.）

（組み合わせ）

	A	B	C	D
1	ア	ウ	カ	エ
2	ア	オ	キ	ク
3	イ	ウ	カ	ク
4	イ	ウ	キ	ク
5	イ	オ	カ	エ

問5 次のうち，乳幼児の運動発達に関する記述として，適切なものを○，不適切なものを×とした場合の正しい組み合わせを一つ選びなさい。

A　二足歩行ができるようになると，子どもの行動範囲は広がり，両手で物を持って運ぶ，足で蹴るなどの操作的技能を獲得するようになる。

B　乳児の運動機能の発達は，頭部から尾部へ，身体の末梢から中心へ，粗大運動から微細運動へという方向性と順序がある。

C　4〜5歳頃になると，運動パターンの主要な構成要素が身につき，自分の運動をコントロールし，調和のとれたリズミカルな動きができるようになる。

D　一般に，運動遊びを好み，日常的にいろいろな種類の運動遊びをしている幼児の運動能力の水準は高い。しかし，幼児期の子どもについては，体力・運動能力テストによる測定は全く不可能である。

（組み合わせ）

	A	B	C	D
1	○	○	○	×
2	○	○	×	○
3	○	×	○	×
4	×	○	×	×
5	×	×	○	○

問6 次の文は，乳幼児期の学びに関する理論の記述である。（　A　）〜（　D　）にあてはまる語句を【語群】から選択した場合の正しい組み合わせを一つ選びなさい。

・ヴィゴツキー（Vygotsky, L.S.）は，子どもの認知発達には二つの水準が存在するとした。一つは，他者の援助がなくても独力で遂行できる現在の発達水準である。もう一つは大人や友だちの援助があればできる水準である。この二つの水準の間を（　A　）と呼んだ。

・パブロフ（Pavlov, I.P.）が提唱した，条件反射のメカニズムによって行動の変化を説明する理論を（　B　）と呼ぶ。日常的な例として，レモンを見ると唾液が出るといったことが挙げられる。

・バンデューラ（Bandura, A.）は，経験をしていなくても他者の行動を観察するだけで学習者の行動が変化するという（　C　）を提唱した。

・「学び」については，古くから多くの研究が行われており，「学び」の捉え方（学習観）自体も大きく転換してきた。現代にいたるまでの間に，学びの中心に教師を置く「教師中心」の行動主義から，学びを「知識の構築過程」と捉え，子どもを自らの知識を構築していく能動的な存在と考え，学びの中心に子どもを置く「子ども中心」の（　D　）に転換すると考えられている。

【語群】

ア	オペラント条件づけ	イ	内的作業領域	ウ	レスポンデント条件づけ
エ	発達の最近接領域	オ	モデリング	カ	機能主義
キ	認知的徒弟制	ク	構成主義		

（組み合わせ）

	A	B	C	D
1	イ	ア	オ	カ
2	イ	ウ	キ	ク
3	エ	ア	キ	カ
4	エ	ア	キ	ク
5	エ	ウ	オ	ク

 次の【事例】を読んで，【設問】に答えなさい。

【事例】

5歳児のMちゃんとRちゃんが積み木で遊んでいる。Rちゃんは積み木を高く積み，「いち，に，さん，よん，ご……じゅう」と自分が積んだ積み木を数えていく。そして，Mちゃんに「見て，10個も積めた」と話しかける。

Mちゃんは三角の積み木を床に置き，その上に三角の積み木をもう一つ積もうとするが，滑り落ちる。Mちゃんは「Rちゃん，見て。グラグラしてのらない」と笑いながら言って，Rちゃんに見せる。Rちゃんは「四角い積み木を下に置いて，その上に三角の積み木を置くと，グラグラしないよ」と教える。

その言葉を聞いて，Mちゃんは，四角い積み木を持ってくる。そして，四角い積み木の上に三角の積み木を積む。Mちゃんは，再びRちゃんに「四角い積み木の上に三角の積み木を置いたらお家みたいだね」と言う。今度は，いくつかの四角い積み木の上にそれぞれ三角の積み木を積む。Rちゃんは「街にしよう」と誘い掛け，「Mちゃんのお家の右側に道を作って，左側に他のお家を作ろう」とMちゃんに伝える。Mちゃんは「いいね。道の横にも，お家を作ろうよ」と言って，二人は積み木遊びを続ける。

【設問】

次のうち，事例の遊びの中でMちゃんとRちゃんが学んでいることとして，最も関連性の低い内容を一つ選びなさい。

1 計数
2 形の認識
3 計算
4 上下という空間に関する感覚
5 左右という空間に関する感覚

問8　次のうち，幼児の問題解決に関する記述として，適切なものを○，不適切なものを
×とした場合の正しい組み合わせを一つ選びなさい。

A　幼児は，遊びや生活において様々な問題に直面する。例えば，光る泥団子を作る際
に，どうやったら壊れない，表面がなめらかな泥団子になるか考え，自分の作りたい
泥団子のイメージに近いものを作っている友だちの作り方を見て参考にしたり，自分
で材料を工夫したりして，試行錯誤する。

B　問題解決とは，問題状況に直面したとき，「こうしたい」という目標をもち，手段
や方法を考えて実行し，目標に達しようとすることである。

C　幼児が問題解決をしようとしているとき，保育士は幼児の気持ちを推測し，常に解
決策を提示するとよい。

D　遊びにおける問題解決場面は，幼児の思考力が促される機会となり得る。幼児の思
考の特徴として，物事や人に関して，言語的な情報によってのみ思考が進むことがあ
げられる。

（組み合わせ）

	A	B	C	D
1	○	○	○	×
2	○	○	×	×
3	○	×	×	○
4	×	○	×	×
5	×	×	○	○

問9　次のうち，学童期の発達に関する記述として，適切なものを○，不適切なものを×
とした場合の正しい組み合わせを一つ選びなさい。

A　善悪の判断が，行為の意図を重視する判断から，行為の結果を重視する判断へと移
行する。

B　ピアグループと呼ばれる小集団を形成する。この集団は，多くの場合，同性，同年
齢のメンバーで構成され，強い閉鎖性や排他性をもち，大人からの干渉を極力避けよ
うとする。

C　保存概念を獲得し，外見的特徴や見かけに左右されずに，物事を論理的に考えて理
解することができるようになっていく。

D　エリクソン（Erikson, E.H.）は，学童期の心理社会的危機を「勤勉性 対 劣等感」
としている。

（組み合わせ）

	A	B	C	D
1	○	○	○	○
2	○	×	×	×
3	×	○	×	×
4	×	×	○	○
5	×	×	○	×

問10 次の文は，青年期に関する記述である。（　A　）～（　D　）にあてはまる語句を【語群】から選択した場合の正しい組み合わせを一つ選びなさい。

　青年は，自己探求の過程で「自分」という存在を問い続けることで，アイデンティティを確立していく。しかし，その過程では自分の存在意義や社会的役割を見失うことも多々ある。これは多くの青年が（　A　）に経験する自己喪失の状態であり，（　B　）と呼ばれる。

　（　C　）は，アイデンティティを獲得する過程において，危機と積極的関与に着目し，アイデンティティ・ステイタスを4つに分類した。このうち，（　D　）は危機を経験することなく，何かに積極的関与をしている状態とされる。

【語群】

ア	アイデンティティ拡散	イ	早期完了	ウ	ホリングワース（Hollingworth, L.S.）
エ	マーシア（Marcia, J.E.）	オ	一時的	カ	アイデンティティ達成
キ	永続的	ク	モラトリアム		

（組み合わせ）

	A	B	C	D
1	オ	ア	エ	イ
2	オ	ア	エ	ク
3	オ	カ	ウ	イ
4	キ	ア	ウ	ク
5	キ	カ	エ	ク

問11 次のうち，高齢期に関する記述として，適切なものを一つ選びなさい。

1 フレイルとは，老化の過程で生じる自立機能や健康を失いやすい状態であるが，要支援や要介護に移行する危険性は低いとされている。

2 機能を使わないことによる衰えは身体面だけでみられ，心理面ではみられない。そのため，高齢期においては，意識的に身体機能を活性化する必要がある。

3 バルテス（Baltes, P.B.）らが提唱した「補償を伴う選択的最適化」とは，身体機能，認知機能，対人関係が衰退したときに，労力や時間を使う領域や対象を選択し，望む方向へ機能を高める資源を獲得または調整し，新たな工夫をして補うというものである。

4 知能は流動性知能と結晶性知能という二つの主要な一般因子で構成されるというキャノン（Cannon, W.B.）が提唱した考え方に基づくと，流動性知能よりも結晶性知能のほうが，低下し始める時期が早い。

5 コンボイ・モデルでは，同心円の外側ほど身近で頼りにできる重要な他者を，内側ほど社会的な役割による人物を示す。加齢に伴って，配偶者や友人の死などにより，高齢者のコンボイの構成は大きく変化する。

問12 次のうち，トマス（Thomas, A.）らの気質に関する記述として，適切なものを○，不適切なものを×とした場合の正しい組み合わせを一つ選びなさい。

A　乳幼児から青年まで，幅広い年代の気質について横断的に研究したものである。

B　気質の分類によると，「扱いやすい子（easy child）」は全体の約20％だった。

C　気質の分類によると，「扱いにくい子（difficult child）」の養育者の養育態度は，他のタイプとは大きな違いはみられなかった。

D　気質の種類として9つの特徴カテゴリを抽出し，そのうち5つのカテゴリを評定によって組み合わせて3つの気質タイプに分類した。

（組み合わせ）

	A	B	C	D
1	○	○	×	○
2	○	×	○	○
3	○	×	○	×
4	×	○	○	×
5	×	×	×	○

問13 次のうち，産後うつ病に関する記述として，適切なものを○，不適切なものを×とした場合の正しい組み合わせを一つ選びなさい。

A　産後うつ病などのメンタルヘルス上の問題を抱えると，母子相互作用が適切に行われないことで，子どもの発達に影響が及ぶことがある。

B　産後うつ病は，出産後の女性の自殺の原因や乳児虐待にはつながらない。

C　産後うつ病は，出産後急激なホルモンの変化によって発症するものであり，1〜2週間程度で自然に消失するものである。

D　産後うつ病のスクリーニングに用いられるEPDS（エジンバラ産後うつ病質問票）は，10項目で構成される自己記入式質問紙である。

（組み合わせ）

	A	B	C	D
1	○	○	○	×
2	○	×	○	○
3	○	×	×	○
4	×	○	×	×
5	×	×	○	○

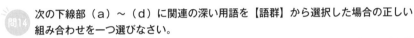

問14 次の下線部（a）～（d）に関連の深い用語を【語群】から選択した場合の正しい組み合わせを一つ選びなさい。

ソーシャルサポートとは，一般的には対人関係において他者から得られる種々の援助をさす。例えば（a）ストレスを引き起こす出来事や刺激に直面している者に対して，（b）励ましや愛情など感情への働きかけ，（c）問題解決のための助言などがあり，当事者の精神的・身体的健康に良い影響を与える効果と，（d）高いストレスに対して，健康度の低下を軽減する効果があるとされている。

【語群】

ア	ストレッサー	イ	情緒的サポート	ウ	評価的サポート	エ	促進効果
オ	コーピング	カ	情報的サポート	キ	道具的サポート	ク	緩衝効果

（組み合わせ）

	a	b	c	d
1	ア	イ	カ	ク
2	ア	イ	キ	エ
3	ア	ウ	カ	エ
4	オ	イ	カ	エ
5	オ	ウ	キ	ク

問15 次のうち，家族や家庭に関する記述として，適切なものを○，不適切なものを×とした場合の正しい組み合わせを一つ選びなさい。

A アロマザリングとは，家庭において，母親が一人で子育てを担うことである。

B ファミリー・アイデンティティの考え方によれば，誰を「家族」と感じるかは個々人が決めることであり，同一家庭においても，ファミリー・アイデンティティはそれぞれ異なることがある。

C 家族の誕生から家族がなくなるまでのプロセスをたどる理論では，個人のライフサイクルに発達段階や発達課題があるように，家族のライフサイクルにも発達段階と発達課題があると考える。

D ジェノグラムは，当事者と家族と社会資源の関係性を図示するものである。

（組み合わせ）

	A	B	C	D
1	○	○	×	×
2	○	×	○	○
3	○	×	×	○
4	×	○	○	×
5	×	×	○	×

一問一答編

ベスト過去問編

本試験編

問16 次のうち，家族心理学と家族システム理論に関する記述として，適切なものを○，不適切なものを×とした場合の正しい組み合わせを一つ選びなさい。

A 家族心理学では，家族を一つのまとまりをもつシステムとして捉える。

B 家族システム理論では，家族をサポートする人的資源をサブシステムと捉える。

C 家族療法では，子どもの問題行動を単に個人の問題だけで捉えるのではなく，家族の関係性をアセスメントし，家族が抱えている問題の解決に介入する。

D 家族療法では，不適応行動や症状をみせている個人をIP（Identified Patient）と呼ぶ。

（組み合わせ）

	A	B	C	D
1	○	○	×	○
2	○	×	○	○
3	○	×	○	×
4	×	○	×	×
5	×	×	×	○

問17 次の文は，人と環境に関する記述である。これに該当する理論として，最も適切なものを一つ選びなさい。

情報が環境の中に存在し，人がその情報を環境の中から得て行動していると考える。この理論を踏まえると，保育環境は，子どもが関わるものというだけにとどまらず，環境が子どもに働きかけているといえる。つまり，子どもが環境を捉える時には，行動を促進したり，制御したりするような環境の特徴を，子どもが読み取っているといえる。

1 生態学的システム論

2 発生的認識論

3 正統的周辺参加論

4 社会的学習理論

5 アフォーダンス理論

問18 次のうち，DSM-5において「神経発達症群／神経発達障害群」に含まれないものを一つ選びなさい。

1 自閉スペクトラム症

2 選択性緘黙

3 知的能力障害

4 チック症群

5 限局性学習症

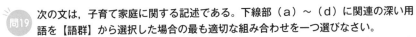

問19 次の文は，子育て家庭に関する記述である。下線部（a）〜（d）に関連の深い用語を【語群】から選択した場合の最も適切な組み合わせを一つ選びなさい。

人の発達は，ある社会・文化・時代においては，（a）おおよそ決まった規則的な一生の推移を示すものである。（b）就学や就労，結婚や出産という，個人にとって重要な事柄は，人の社会生活や発達過程に影響を与える。仕事と結婚・子育ての両立を目指す場合，（c）職業役割と家族役割（配偶者役割，親役割等）を担う。仕事と家庭との関係性において，（d）一方の役割が上手くいけば，他方の役割が上手くいく場合がある。

【語群】

ア ライフストーリー	イ ライフステージ	ウ 多重役割
エ ワーク・ライフ・バランス	オ ライフサイクル	カ ライフイベント
キ 多重関係	ク ポジティブ・スピルオーバー	

（組み合わせ）

	a	b	c	d
1	ア	イ	キ	エ
2	ア	カ	ウ	エ
3	オ	イ	ウ	ク
4	オ	イ	キ	エ
5	オ	カ	ウ	ク

問20 次のうち，巡回相談に関する記述として，適切なものを○，不適切なものを×とした場合の正しい組み合わせを一つ選びなさい。

A 巡回相談は，アウトリーチ型支援として，保育や教育現場において重要で効果的なものである。

B コンサルテーションとは，異なる専門性をもつ複数の者が，支援対象である問題状況について検討し，よりよい支援のあり方について話し合う取り組みである。

C 支援対象に，直接支援するのはコンサルタントであり，間接支援するのがコンサルティである。

D 保育における巡回相談では，知識の提供，精神的支え，新しい視点の提示，ネットワーキングの促進などが行われる。

（組み合わせ）

	A	B	C	D
1	○	○	○	×
2	○	○	×	○
3	○	×	○	×
4	×	○	○	×
5	×	×	○	○

2 保育原理

60分
正解 　／20

問1 次のうち，「保育所保育指針」に関する記述として，適切なものを○，不適切なものを×とした場合の正しい組み合わせを一つ選びなさい。

A 「総則」，「保育の内容」，「食育の推進」，「子育て支援」，「職員の資質向上」，の全5章から構成されている。

B 「総則」に記載される「職員の研修等」の内容は，「幼稚園教育要領」及び「幼保連携型認定こども園教育・保育要領」と共通になっている。

C 「保育の内容」には，「家庭及び地域社会との連携」に関することが記載されている。

D 「子育て支援」には，地域の保護者等に対して，保育所保育の専門性を生かした子育て支援を積極的に行うよう努めることが記載されている。

（組み合わせ）

	A	B	C	D
1	○	○	○	×
2	○	×	○	×
3	○	×	×	×
4	×	○	×	○
5	×	×	○	○

問2 次の文は，「保育所保育指針」第1章「総則」（2）「保育の目標」の一部である。（ A ）〜（ E ）にあてはまる語句を【語群】から選択した場合の正しい組み合わせを一つ選びなさい。

・十分に（ A ）の行き届いた環境の下に，くつろいだ雰囲気の中で子どもの様々な欲求を満たし，生命の保持及び情緒の安定を図ること。

・人との関わりの中で，人に対する愛情と信頼感，そして（ B ）を大切にする心を育てるとともに，自主，自立及び協調の態度を養い，道徳性の芽生えを培うこと。

・（ C ）についての興味や関心を育て，それらに対する豊かな心情や思考力の芽生えを培うこと。

・（ D ）の中で，言葉への興味や関心を育て，話したり，聞いたり，相手の話を理解しようとするなど，言葉の豊かさを養うこと。

・様々な体験を通して，豊かな（ E ）を育み，創造性の芽生えを培うこと。

【語群】

ア 養育	イ 人権	ウ 生命，自然及び社会の事象	エ 生活
オ 感性や表現力	カ 養護	キ 規範	ク 生命，自然など周囲の環境
ケ 対話	コ 思考や判断力		

（組み合わせ）

	A	B	C	D	E
1	ア	イ	ウ	エ	オ
2	ア	キ	ウ	エ	コ
3	ア	キ	ク	ケ	コ
4	カ	イ	ウ	エ	オ
5	カ	キ	ク	ケ	コ

問3 次のうち，「保育所保育指針」に照らし，保育所における3歳以上児の戸外での活動として，適切な記述を○，不適切な記述を×とした場合の正しい組み合わせを一つ選びなさい。

A　子どもの関心が戸外に向けられるようにし，戸外の空気に触れて活動する中で，その楽しさや気持ちよさを味わえるようにすることが必要である。

B　園庭ばかりではなく，近隣の公園や広場などの保育所の外に出かけることも考えながら，子どもが戸外で過ごすことの心地よさや楽しさを十分に味わうことができるようにすることが大切である。

C　室内での遊びと戸外での遊びは内容や方法も異なるため，室内と戸外の環境を常に分けて考える必要がある。

D　園庭は年齢の異なる多くの子どもが活動したり，交流したりする場であるので，園庭の使い方や遊具の配置の仕方を必要に応じて見直すことが求められる。

（組み合わせ）

	A	B	C	D
1	○	○	○	×
2	○	○	×	○
3	×	○	○	×
4	×	×	○	○
5	×	×	×	○

問4 次のうち、「保育所保育指針」第2章「保育の内容」4「保育の実施に関して留意すべき事項」の一部として、正しいものを○、誤ったものを×とした場合の正しい組み合わせを一つ選びなさい。

A 子どもの心身の発達及び活動の実態などの個人差を踏まえるとともに、一人一人の子どもの気持ちを受け止め、援助すること。

B 子どもが自ら周囲に働きかけ、試行錯誤しつつ自分の力で行う活動を見守りながら、適切に援助すること。

C 子どもの国籍や文化の違いを認め、互いに尊重する心を育てるようにすること。

D 子どもの入所時の保育に当たっては、できるだけ個別的に対応し、子どもが安定感を得て、次第に保育所の生活になじんでいくようにするとともに、既に入所している子どもに不安や動揺を与えないようにすること。

E 保育所保育が、小学校以降の生活や学習の基盤の育成につながることに配慮し、保育所においては、小学校のカリキュラムに適応するため、創造的な思考や集団生活の基礎を培うようにすること。

（組み合わせ）

	A	B	C	D	E
1	○	○	○	○	×
2	○	○	○	×	×
3	○	×	×	○	○
4	×	×	○	○	○
5	×	×	×	×	○

問5 次の文は、「保育所保育指針」第2章「保育の内容」2「1歳以上3歳未満児の保育に関わるねらい及び内容」の一部である。（　A　）～（　C　）にあてはまる語句の正しい組み合わせを一つ選びなさい。

（　A　）が形成され、子どもが自分の感情や気持ちに気付くようになる重要な時期であることに鑑み、（　B　）の安定を図りながら、子どもの（　C　）的な活動を尊重するとともに促していくこと。

（組み合わせ）

	A	B	C
1	自我	精神	自発
2	人格	精神	協働
3	人格	情緒	協働
4	自我	情緒	協働
5	自我	情緒	自発

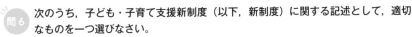

問6 次のうち，子ども・子育て支援新制度（以下，新制度）に関する記述として，適切なものを一つ選びなさい。

1 新制度とは，2015（平成27）年に施行した「児童福祉法」「こども基本法」「子ども・子育て支援法」の子ども・子育て関連3法に基づく制度のことをいう。

2 新制度の趣旨は，地域が子育てについての第一義的責任を有するという基本的認識の下に，幼児期の学校教育・保育，地域の子ども・子育て支援を個別に充実させることである。

3 新制度では，都道府県が，地方版子ども・子育て会議の意見を聴きながら，地域型保育基本計画を策定し，実施することとなった。

4 新制度では，教育・保育を利用する子どもについて3つの認定区分が設けられた。そのうち1号認定は，保育を必要とする事由に該当する0～2歳児が受けられる。

5 新制度では，地域の実情に応じた子ども・子育て支援として，利用者支援，地域子育て支援拠点，放課後児童クラブなどの「地域子ども・子育て支援事業」の充実がはかられた。

問7 次の保育所の【事例】を読んで，【設問】に答えなさい。

【事例】
　5歳児クラスの子どもたちが水着に着替え，保育士と一緒に園庭に大きなたらいを出して水遊びの用意を始める。保育士が大きなたらいやバケツにホースで水を入れる。ホースを持つ子どももいる。水がたまってくると，子どもたちは水鉄砲やマヨネーズなどの空き容器に水を入れる。水鉄砲を上に向けて水を出して，雨のように水を降らせて，水をかぶったり，友達に「かけて」と伝えて自分のお腹に水鉄砲の水をあててもらったりする。そのうちに，走って追いかけながら，互いに水鉄砲で水をかける。水が顔にかかるのは嫌だという子どももいて，保育士は友達の顔や頭にかけないようにしようと伝える。そこにいる子どもたち全員分の水鉄砲はない。空き容器でも水を飛ばしてみるが，水鉄砲のようにうまく飛ばすことができない。水鉄砲がない子どもは，たらいのそばで大きな声で「だれかー，かわってー」と声をかける。まわりの子どもに水鉄砲を渡してもらって，また別の子どもが「かわって」と声をかけて，水鉄砲を交替して使いながら水かけっこは続く。

【設問】
　次のうち，「保育所保育指針」第1章「総則」及び第2章「保育の内容」に照らし，担当保育士の振り返りとして，適切な記述を○，不適切な記述を×とした場合の正しい組み合わせを一つ選びなさい。

A　水鉄砲の数が少ないために，同じ物を同じように使う経験が十分にできなかった。人数分の水鉄砲を用意できるまでは，水遊びは控えよう。

B　水鉄砲を代わってもらうことがスムーズにいくように，保育士が厳密にルールを設定するべきだった。

C　水鉄砲の数が人数分なかったことで，子ども達同士で互いに代わったり，共有して使いながら遊ぶことができていた。

D　自分の気持ちを言葉にして相手に伝えながら，遊ぶことができていた。

E　顔や頭に水がかかると嫌そうな子どももいたため，友達の顔や頭にはかけないようにしようと伝えたが，もっと子どもに任せて保育士は一切入るべきではなかった。

（組み合わせ）

	A	B	C	D	E
1	○	○	×	○	○
2	○	○	×	×	×
3	×	○	○	○	×
4	×	×	○	○	×
5	×	×	○	×	○

問8　次のうち，保育所，幼稚園及び認定こども園に関する記述として，適切なものを○，不適切なものを×とした場合の正しい組み合わせを一つ選びなさい（改題）。

A　保育所は「児童福祉法」に基づく児童福祉施設，幼稚園は「学校教育法」に基づく学校，そして認定こども園は「児童福祉法」及び「学校教育法」に基づく教育施設であり，3歳以上児の教育に関わる側面のねらい及び内容はそれぞれ大きく異なる。

B　保育所は，「児童福祉法」第39条に「日々保護者の委託を受けて，保育に欠けるその乳児又は幼児を保育することを目的とする」と示されている。

C　保育士となる資格を有する者が保育士となるには，現住所のある市町村にあらかじめ保育士の登録をしておかなければならない。

D　「児童福祉施設の設備及び運営に関する基準」（昭和23年厚生省令第63号）では，保育所の保育士の数は乳児おおむね3人につき1人以上，満1歳以上満3歳未満の幼児おおむね6人につき1人以上，満3歳以上満4歳未満の幼児おおむね15人につき1人以上，満4歳以上の幼児おおむね25人につき1人以上とされている。

E　「児童福祉施設の設備及び運営に関する基準」（昭和23年厚生省令第63号）では，乳児又は満2歳未満の幼児を入所させる保育所には，乳児室又はほふく室，医務室，調理室及び便所を設けることとされている。

（組み合わせ）

	A	B	C	D	E
1	○	×	○	×	○
2	○	×	○	×	×
3	×	○	○	○	○
4	×	×	○	○	×
5	×	×	×	○	○

問9 次のうち，「保育所保育指針」第5章「職員の資質向上」の一部として，（a）〜（d）の下線部分が正しいものを○，誤ったものを×とした場合の正しい組み合わせを一つ選びなさい。

・保育所においては，当該保育所における保育の課題や各職員の（a）キャリアアップも見据えて，初任者から管理職員までの（b）職位や職務内容等を踏まえた体系的な研修計画を作成しなければならない。

・外部研修に参加する職員は，自らの（c）専門性の向上を図るとともに，保育所における保育の課題を理解し，その解決を実践できる力を身に付けることが重要である。また，研修で得た（d）知識及び判断力を他の職員と共有することにより，保育所全体としての保育実践の質及び専門性の向上につなげていくことが求められる。

（組み合わせ）

	a	b	c	d
1	○	○	○	×
2	○	×	×	○
3	×	○	○	×
4	×	○	×	○
5	×	×	○	×

問10 次の保育所の【事例】を読んで，【設問】に答えなさい。

【事例】

Mちゃんは，この4月に1歳児クラスに進級したばかりで，朝の登園時に泣くことが続いている。今朝も母親に抱っこされて保育室に入ってくるが，Mちゃんの表情は硬く，母親にしがみついている。保育士がMちゃんを抱っこすると，母親を求めてのけぞって大声で泣く。母親が保育室から出ていき，泣いているMちゃんを保育士が抱っこしてあやすが，Mちゃんはなかなか泣き止まない。母親は保育室から出てもMちゃんの泣く声が聞こえてきて心配なようで，しばらく廊下で立ち止まっている。

【設問】

次のうち，「保育所保育指針」第1章「総則」及び第2章「保育の内容」，第4章「子育て支援」に照らし，Mちゃんの母親への保育士の対応として，適切な記述を○，不適切な記述を×とした場合の正しい組み合わせを一つ選びなさい。

A Mちゃんが泣かずに登園できるよう，家庭でよくいい聞かせるように伝える。

B Mちゃんを受け入れた後，Mちゃんがどう泣き止んだか，落ち着いてから保育士や友達と1日をどう過ごしているのか，具体的な姿を伝える。

C 今は母親との別れに大泣きしてしまう状況であるが，今後のMちゃんの育ちの見通しを伝える。

D 泣いている子どもと別れる母親の気持ちを受けとめ，共感する言葉をかける。

（組み合わせ）

	A	B	C	D
1	○	○	○	×
2	○	×	○	○
3	×	○	○	○
4	×	○	×	○
5	×	×	○	○

問11 次のうち，世界における保育の歴史に関する記述として，適切なものを○，不適切なものを×とした場合の正しい組み合わせを一つ選びなさい。

A　ルソー（Rousseau, J.-J.）は，フランスの啓蒙思想家であり，近代教育思想の古典とされる『エミール』を著した。

B　ペスタロッチ（Pestalozzi, J.H.）はスイスの教育思想家であり，幼児教育における家庭の役割，特に母親の役割を重視した。その実践は教育界に多大な影響を与えた。

C　フレーベル（Fröbel, F.W.）は，ドイツの作曲家であり，民俗音楽をもとにした音楽教育をすることで子どもの人間形成を図った。

（組み合わせ）

	A	B	C
1	○	○	×
2	○	×	○
3	×	○	○
4	×	○	×
5	×	×	○

問12 次のうち，日本における保育の歴史に関する記述として，適切なものを○，不適切なものを×とした場合の正しい組み合わせを一つ選びなさい。

A　1876（明治9）年，幼稚園が創設されると同時に保姆資格が法律で規定された。

B　1890（明治23）年に赤沢鍾美が創設した新潟静修学校では，子守をしながら通う生徒のために次第に乳幼児を別室で預かるようになり，これがのちの保育事業へと発展した。

C　1900（明治33）年，経済的に恵まれない家庭の子どもたちのために野口幽香と森島峰の二人が二葉幼稚園を創設した。

D　1947（昭和22）年，幼児教育への期待が高まり，幼稚園に関する最初の独立した法律である「幼稚園令」が制定された。

（組み合わせ）

	A	B	C	D
1	○	○	×	×
2	○	×	×	○
3	×	○	○	×
4	×	×	○	×
5	×	×	×	○

問13 次のうち，「保育所保育指針」第1章「総則」（2）「幼児期の終わりまでに育ってほしい姿」に関する記述として，適切なものを一つ選びなさい。

1 2008（平成20）年の「保育所保育指針」の改定において具体的な10項目が定められ，2017（平成29）年の改定によって総合的な内容に再定義された。

2 小学校入学前までに身につけるべき資質・能力について記されている。

3 この育ってほしい姿は，到達すべき目標として定められているわけではない。

4 年齢，発達段階ごとにおおむねの到達の目安が示されている。

5 育ってほしい姿の一つとして示されている「やり遂げる心」とは，困難な課題を主体的に解決しながら取り組む姿を想定したものである。

問14 次のうち，「保育所保育指針」に照らし，保育の計画に関する記述として，適切なものを○，不適切なものを×とした場合の正しい組み合わせを一つ選びなさい。

A 保育所の全体的な計画は，長期・短期の指導計画や保健計画・食育計画といった計画に基づいて作成されるべきものである。

B 全体的な計画は，子どもや家庭の状況，地域の実態，保育時間などを考慮し，子どもの育ちに関する長期的見通しをもって作成される必要がある。

C 異年齢で構成される組やグループでの保育においては，一人一人の子どもの生活に配慮できない状況が多くみられるため，集団で一律に食事や午睡ができるよう指導計画を作成する必要がある。

D 3歳未満児については，一人一人の子どもの生育歴，心身の発達，活動の実態等に即して，個別的な計画を作成することが求められる。

（組み合わせ）

	A	B	C	D
1	○	○	○	×
2	○	○	×	×
3	×	○	×	○
4	×	×	○	○
5	×	×	×	○

問15 次の文は，「保育所保育指針」第2章「保育の内容」1「乳児保育に関わるねらい及び内容」の一部である。（　A　）～（　E　）にあてはまる語句の正しい組み合わせを一つ選びなさい。

　乳児期の発達については，視覚，（　A　）などの感覚や，座る，（　B　），歩くなどの運動機能が著しく発達し，（　C　）との（　D　）な関わりを通じて，情緒的な（　E　）が形成されるといった特徴がある。これらの発達の特徴を踏まえて，乳児保育は，愛情豊かに，（　D　）に行われることが特に必要である。

（組み合わせ）

	A	B	C	D	E
1	聴覚	はう	担当保育士	応答的	信頼関係
2	聴覚	はう	特定の大人	応答的	絆
3	聴覚	立つ	担当保育士	積極的	絆
4	触覚	はう	担当保育士	積極的	信頼関係
5	触覚	立つ	特定の大人	応答的	絆

問16 次の文は，「保育所保育指針」第2章「保育の内容」4「保育の実施に関して留意すべき事項」(2)「小学校との連携」の一部である。（　A　）～（　D　）にあてはまる語句を【語群】から選択した場合の正しい組み合わせを一つ選びなさい。

　保育所保育において育まれた（　A　）を踏まえ，（　B　）が円滑に行われるよう，小学校教師との意見交換や合同の（　C　）の機会などを設け，(中略)「幼児期の終わりまでに育って欲しい姿」を共有するなど連携を図り，保育所保育と（　B　）との円滑な（　D　）を図るよう努めること。

【語群】

ア	生きる力	イ	研修	ウ	小学校教育	エ	繋がり
オ	研究	カ	資質・能力	キ	接続	ク	義務教育

（組み合わせ）

	A	B	C	D
1	ア	ウ	イ	エ
2	ア	ウ	オ	キ
3	ア	ク	イ	エ
4	カ	ウ	オ	キ
5	カ	ク	オ	キ

問17 次のうち，発達障害に関する記述として，正しいものを一つ選びなさい。

1 「発達障害者支援法」において，発達障害とは，「知的障害，アスペルガー症候群，学習障害，注意欠陥多動性障害，過敏性障害その他これに類する脳機能の障害である」と定められている。

2 「発達障害者支援法」では，「市町村は，発達障害児が早期の発達支援を受けることができるよう，発達障害児の保護者に対し，（中略）適切な措置を講じるものとする」と定めている。

3 発達障害は一つの個性として捉えることができ，保育所等での配慮は特に必要としない。

4 発達障害の子どもがパニックを起こしたら，大勢で協力して止めにいくのがよい。

5 発達障害の子どもには，学習障害と注意欠陥多動性障害とが重複している例は存在しない。

問18 次のうち，障害児保育に関する記述として，「保育所保育指針」第1章「総則」3「保育の計画及び評価」(2)「指導計画の作成」に照らし，適切なものを○，不適切なものを×とした場合の正しい組み合わせを一つ選びなさい。

A 保育所では，障害など特別な配慮を必要とする子どもの保育を指導計画に位置付けることが求められている。

B 障害のある子どもとの関わりにおいては，個に応じた関わりと集団の中の一員としての関わりの両面を大事にしながら，職員相互の連携の下，組織的かつ計画的に保育を展開する。

C 保育所では，障害のある子どもを含め，全ての子どもが自己を十分に発揮できるよう見通しをもって保育することが必要であるため，クラス等の指導計画と切り離して，個別の指導計画を作成する必要がある。

D 障害など特別な配慮を必要とする子どもは，他の子どもに比べて発達や成長に時間を要することが多いため，個別の指導計画を作成する際には，長期間の計画を作成することが重要であり，短期間の計画を作成する必要はない。

E 障害や発達上の課題のある子どもが，他の子どもと共に成功する体験を重ね，子ども同士が落ち着いた雰囲気の中で育ち合えるようにするための工夫が必要である。

（組み合わせ）

	A	B	C	D	E
1	○	○	○	×	×
2	○	○	×	×	○
3	○	×	○	○	×
4	×	○	○	×	○
5	×	×	×	○	○

問19 次のうち，「保育所保育指針」第4章「子育て支援」（3）「不適切な養育等が疑われる家庭への支援」に関する記述として，適切なものの組み合わせを一つ選びなさい。

A 保護者に育児不安等が見られる場合には，保護者の希望に応じて個別の支援を行うよう努める。

B 保護者に不適切な養育等が疑われる場合には，市町村や関係機関と連携し，要保護児童対策地域協議会で検討するなど適切な対応を図る。

C 虐待が疑われる場合には，速やかに警察に相談し，適切な対応を図る。

D 虐待に対しては秘密保持の観点からできるだけ少人数の保育士が関わり，虐待に関する事実関係の記録も最小限にとどめる。

（組み合わせ）

1 A B
2 A C
3 A D
4 B C
5 C D

問20 次の表は，令和4年4月の年齢区分別の保育所等利用児童数および待機児童数を示したものである。この表を説明した記述として，誤ったものを一つ選びなさい。ただし，ここでいう「保育所等」は，従来の保育所に加え，平成27年4月に施行した子ども・子育て支援新制度において新たに位置づけられた幼保連携型認定こども園等の特定教育・保育施設と特定地域型保育事業（うち2号・3号認定）を含むものとする。

表 年齢区分別の利用児童数・待機児童数

	利用児童数		待機児童数	
3歳未満児（0～2歳）	1,100,925人	（40.3％）	2,576人	（87.5％）
うち0歳児	144,835人	（5.3％）	304人	（10.3％）
うち1・2歳児	956,090人	（35.0％）	2,272人	（77.2％）
3歳以上児	1,628,974人	（59.7％）	368人	（12.5％）
全年齢児計	2,729,899人	（100.0％）	2,944人	（100.0％）

出典：厚生労働省「保育所等関連状況取りまとめ（令和4年4月1日）」（令和4年8月30日発表）

1 利用児童数は，3歳未満児（0～2歳）よりも3歳以上児の方が多い。

2 待機児童数は，1・2歳児が最も多い。

3 待機児童数は，3,000人を下回っているが，そのうち3歳未満児（0～2歳）が9割以上を占めている。

4 利用児童数の割合は，3歳未満児（0～2歳）が4割を超えている。

5 待機児童数は，3歳以上児が3歳未満児（0～2歳）よりも少ない。

正答と解説はP388～

本試験編 令和6年前期試験

3 子ども家庭福祉

60分
正解 ／20

問1 次のうち，「児童福祉法」に関する記述として，適切なものを○，不適切なものを×とした場合の正しい組み合わせを一つ選びなさい。

A　乳児とは，満1歳に満たない者をいう。

B　幼児とは，満1歳から，小学校就学の始期に達するまでの者をいう。

C　少年とは，小学校就学の始期から，満20歳に達するまでの者をいう。

D　妊産婦とは，妊娠中又は出産後2年以内の女子をいう。

（組み合わせ）

	A	B	C	D
1	○	○	×	○
2	○	○	×	×
3	○	×	○	○
4	×	○	○	×
5	×	×	○	○

問2 次のA～Eは，児童の権利に関する歴史的事項である。これらを年代の古い順に並べた場合の正しい組み合わせを一つ選びなさい。

A　児童の権利に関するジュネーブ宣言の採択

B　国際児童年を宣言

C　世界人権宣言の採択

D　児童の権利に関する条約の採択

E　児童の権利に関する宣言の採択

（組み合わせ）

1　A→B→C→E→D

2　A→C→E→B→D

3　C→A→E→D→B

4　C→E→D→A→B

5　E→A→B→D→C

問3 次のうち，**放課後児童健全育成事業（放課後児童クラブ）**に関する記述として，<u>不適切なもの</u>を一つ選びなさい。

1 放課後児童健全育成事業者は，運営の内容について，自ら評価を行い，その結果を公表するよう努めなければならない。

2 放課後児童健全育成事業者の職員は，正当な理由がなく，その業務上知り得た利用者又はその家族の秘密を漏らしてはならない。

3 放課後児童健全育成事業に携わる放課後児童支援員は，保育士資格を有していなければならない。

4 厚生労働省が公表した「令和4年（2022年）放課後児童健全育成事業（放課後児童クラブ）の実施状況（令和4年（2022年）5月1日現在）」によると，登録児童数が1,392,158人となり，過去最高値となっている。

5 厚生労働省が公表した「令和4年（2022年）放課後児童健全育成事業（放課後児童クラブ）の実施状況（令和4年（2022年）5月1日現在）」によると，当該事業を利用できなかったいわゆる待機児童数は前年に比べ増加したことが報告されている。

問4 次のうち，人物と関連の深い事項の組み合わせとして，適切なものを一つ選びなさい。

A バーナード（Barnardo, T.J.） ―――― ハル・ハウス
B 石井十次 ―――――――――― 岡山孤児院
C 留岡幸助 ―――――――――― 池上感化院
D エレン・ケイ（Key, E.） ―――― 『児童の世紀』

（組み合わせ）
1 A B
2 A C
3 B C
4 B D
5 C D

問5 次の文は，「児童買春，児童ポルノに係る行為等の規制及び処罰並びに児童の保護等に関する法律」の第1条である。（ A ）～（ C ）にあてはまる語句の正しい組み合わせを一つ選びなさい。

この法律は，児童に対する性的（ A ）及び性的虐待が児童の権利を著しく侵害することの重大性に鑑み，あわせて児童の権利の擁護に関する（ B ）動向を踏まえ，児童買春，児童ポルノに係る行為等を規制し，及びこれらの行為等を処罰するとともに，これらの行為等により（ C ）に有害な影響を受けた児童の保護のための措置等を定めることにより，児童の権利を擁護することを目的とする。

（組み合わせ）
	A	B	C
1	搾取	国際的	心身
2	強要	教育的	精神
3	暴力	教育的	発達
4	暴力	道徳的	心身
5	搾取	国際的	発達

 問6 次のうち，子ども家庭福祉の専門職についての記述として，適切なものを○，不適切なものを×とした場合の正しい組み合わせを一つ選びなさい。

A 家庭相談員は，福祉事務所の家庭児童相談室に配置されている。

B 母子・父子自立支援員は，配偶者のない者で現に児童を扶養しているもの及び寡婦に対して，相談に応じている。

C 児童委員は，児童相談所に配置され，子どもの保護や福祉に関する相談に応じている。

D 児童福祉司は，精神保健福祉士や公認心理師からも任用することができる。

（組み合わせ）
	A	B	C	D
1	○	○	×	○
2	○	×	○	○
3	○	×	×	○
4	×	○	○	×
5	×	×	○	○

問7 次の文は，「児童虐待の防止等に関する法律」第14条の一部である。（ A ）～（ C ）にあてはまる語句の正しい組み合わせを一つ選びなさい。

児童の（ A ）を行う者は，児童のしつけに際して，児童の（ B ）を尊重するとともに，その年齢及び発達の程度に配慮しなければならず，かつ，（ C ）その他の児童の心身の健全な発達に有害な影響を及ぼす言動をしてはならない。

（組み合わせ）
	A	B	C
1	親権	権利	体罰
2	親権	人格	懲戒
3	親権	人格	体罰
4	養育	権利	体罰
5	養育	人格	懲戒

問8 次のうち，若者のための支援に関する記述として，適切なものを○，不適切なものを×とした場合の正しい組み合わせを一つ選びなさい。

A 地域若者サポートステーションは，就労に向けた支援を行う機関であるため，18歳未満の児童は対象外である。

B 「ヤングケアラー」とは，本来大人が担うと想定されている家事や家族の世話などを日常的に行っている子どものことをいう。

C ひきこもり地域支援センターは，ひきこもりに特化した専門的な相談窓口として，都道府県及び指定都市に設置されている。

D 社会的養護自立支援事業は，社会的養護の措置解除後，個々の状況に応じて引き続き必要な支援を提供するものである。

（組み合わせ）

	A	B	C	D
1	○	○	×	×
2	○	×	○	×
3	×	○	○	○
4	×	○	×	○
5	×	×	○	○

問9 次のうち，「児童養護施設入所児童等調査の概要（令和5年2月1日現在）」（厚生労働省）における児童福祉施設等に関する記述として，適切なものを○，不適切なものを×とした場合の正しい組み合わせを一つ選びなさい（改題）。

A 児童養護施設に入所している児童の入所時の年齢で最も多いのは，6歳である。

B 入所（措置）児童数が最も多いのは児童養護施設であるが，次に多いのは乳児院である。

C 被虐待経験がある児童が入所している割合が最も高いのは児童心理治療施設である。

D 児童養護施設・児童心理治療施設・児童自立支援施設・自立援助ホーム入所児童の，入所時の保護者の状況が両親又は一人親ありの児童では「実父母有」が最も多いが，乳児院は「実母のみ」が最も多い。

（組み合わせ）

	A	B	C	D
1	○	○	○	×
2	○	○	×	×
3	○	×	×	×
4	×	×	○	○
5	×	×	○	×

問10 次の文は，「児童館ガイドライン」（平成30年10月1日　厚生労働省）の一部である。（　A　）～（　C　）にあてはまる語句の正しい組み合わせを一つ選びなさい。

　児童館は，子どもの（　A　）の拠点と居場所となることを通して，その活動の様子から，必要に応じて家庭や地域の子育て環境の（　B　）を図ることによって，子どもの安定した日常の生活を支援することが大切である。

　児童館が子どもにとって日常の安定した生活の場になるためには，最初に児童館を訪れた子どもが「来てよかった」と思え，利用している子どもがそこに自分の求めている場や活動があって，必要な場合には援助があることを実感できるようになっていることが必要となる。そのため，児童館では，訪れる子どもの（　C　）に気付き，子どもと信頼関係を築く必要がある。

（組み合わせ）

	A	B	C
1	遊び	構築	衣服の汚れなど
2	遊び	調整	心理と状況
3	学び	構築	衣服の汚れなど
4	学び	調整	不審な言動
5	遊び	構築	心理と状況

問11 次のうち，「令和3年度雇用均等基本調査」（2022（令和4）年　厚生労働省）の育児休業に関する記述として，適切なものを○，不適切なものを×とした場合の正しい組み合わせを一つ選びなさい。

A　2021（令和3）年度の女性の育児休業取得率は，90％を超えている。

B　2021（令和3）年度の男性の育児休業の取得期間は，「12か月～18か月未満」が最も多くなっている。

C　2021（令和3）年度の女性の有期契約労働者の育児休業取得率は，50％以下である。

D　2020（令和2）年4月1日から2021（令和3）年3月31日までの1年間に育児休業を終了し，復職予定であった女性のうち，実際に復職した者の割合は90％を超えている。

（組み合わせ）

	A	B	C	D
1	○	○	×	×
2	○	×	○	×
3	○	×	×	○
4	×	○	×	○
5	×	×	×	○

問12 次のうち,「産前・産後サポート事業ガイドライン　産後ケア事業ガイドライン」（令和2年8月　厚生労働省）の産後ケア事業に関する記述として,適切なものを○,不適切なものを×とした場合の正しい組み合わせを一つ選びなさい。

A　実施主体は市町村で,産後ケア事業の趣旨を理解し,適切な実施が期待できる団体等に事業の全部又は一部を委託することができる。

B　対象者は,当該自治体に住民票のある産婦に限られる。

C　実施担当者は,原則医師を中心とした実施体制とする。

D　事業の種類は,短期入所（ショートステイ）型,通所（デイサービス）型,居宅訪問（アウトリーチ）型である。

（組み合わせ）

	A	B	C	D
1	○	○	○	×
2	○	×	○	×
3	○	×	×	○
4	×	○	×	○
5	×	×	×	○

問13 次のうち,放課後等デイサービス事業に関する記述として,適切なものの組み合わせを一つ選びなさい。

A　放課後等デイサービス事業は,小学校に就学している児童であって,その保護者が労働等により昼間家庭にいないものに,授業の終了後に児童厚生施設等の施設を利用して適切な遊び及び生活の場を与えて,その健全な育成を図る事業である。

B　放課後等デイサービス事業所数は,2021（令和3）年は,2020（令和2）年から比べて減少している。

C　機能訓練を行う場合には機能訓練担当職員を置かなければならない。

D　子どもに必要な支援を行う上で,学校との役割分担を明確にし,連携を積極的に図る必要がある。

（組み合わせ）

1　A　B
2　A　C
3　B　C
4　B　D
5　C　D

問14 次の【事例】を読んで，【設問】に答えなさい。

【事例】

　T保育所のS保育士は，N君（5歳，男児）の担当をしている。N君は父親，兄（9歳，小学4年生，男児），父方祖母と4人で暮らしている。父親は夜遅くまで仕事をしており，父方祖母がN君と兄の面倒を見ている。最近，父方祖母が入院してしまい，父と兄がN君のT保育所への送り迎えをしている。父が仕事の時は，22時頃まできょうだいだけで留守番をしており，夕飯を食べないで寝てしまうこともあるらしい。S保育士は，兄が迎えに来た時，N君が兄の言うことを聞かないため，兄がN君の腕をつねっている場面を目撃した。

【設問】

　次のうち，S保育士の対応として，適切なものの組み合わせを一つ選びなさい。

A　兄にN君の腕をつねるのは虐待行為なのでやめるようにきつく注意をする。

B　兄がN君を虐待しているので児童相談所に通告するよう兄の学校に要請する。

C　送迎時，兄に声をかけ，N君や家のことで困ったことがないか尋ね，兄の気持ちに寄り添う。

D　N君と兄の養育状況が心配であると保育所長に相談し，要保護児童対策地域協議会担当者に連絡する。

E　父親に兄がN君を虐待しているので指導するよう伝える。

（組み合わせ）

1　A　B
2　B　D
3　B　E
4　C　D
5　C　E

問15 次の文は,「子ども虐待による死亡事例等の検証結果等について（第18次報告）」（2022（令和4）年9月　厚生労働省）の2020（令和2）年4月から2021（令和3）年3月までの1年間の死亡事例についての記述である。適切なものの組み合わせを一つ選びなさい。

A 「心中以外の虐待死」と,「心中による虐待死」を比較すると「心中による虐待死」の方が多い。

B 「心中以外の虐待死」で,加害者で最も多いのは「実母」である。

C 「心中以外の虐待死」で,最も多い子どもの年齢は「3歳」である。

D 「心中による虐待死」における加害の動機（背景）は,「保護者自身の精神疾患,精神不安」が最も多い。

（組み合わせ）

1 A　B
2 A　C
3 B　C
4 B　D
5 C　D

問16 次の図は,令和4年の保育所等の施設・事業数である。（　A　）～（　C　）にあてはまる施設名・事業名の正しい組み合わせを一つ選びなさい。

図　保育所等数

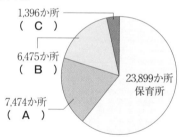

1,396か所
（　C　）

6,475か所
（　B　）

7,474か所
（　A　）

23,899か所
保育所

出典：「保育所等関連状況取りまとめ（令和4年4月1日）」（令和4年　厚生労働省）

（組み合わせ）

	A	B	C
1	特定地域型保育事業	幼保連携型認定こども園	幼稚園型認定こども園等
2	幼稚園型認定こども園等	幼保連携型認定こども園	特定地域型保育事業
3	特定地域型保育事業	幼稚園型認定こども園等	幼保連携型認定こども園
4	幼保連携型認定こども園	特定地域型保育事業	幼稚園型認定こども園等
5	幼保連携型認定こども園	幼稚園型認定こども園等	特定地域型保育事業

問17 次のうち，子育て支援に関する記述として，「保育所保育指針」に照らし，適切なものを○，不適切なものを×とした場合の正しい組み合わせを一つ選びなさい。

A 保育所における保護者に対する子育て支援は，子どもの最善の利益を念頭に置きながら，保育と密接に関連して展開されるところに特徴があることを理解して行う必要がある。

B 保護者自身の主体性，自己決定を尊重することが子育て支援の基本となる。

C 子育て支援に当たり保育士等は，保護者に対する指導的態度が求められる。

D 保育者と保護者の援助関係は，安心して話をすることができる状態が保障されていること，プライバシーの保護や守秘義務が前提となる。

（組み合わせ）

	A	B	C	D
1	○	○	○	○
2	○	○	×	○
3	○	×	○	×
4	×	×	○	○
5	×	×	×	○

問18 次の文は，「令和3年度　全国ひとり親世帯等調査結果報告」（2022（令和4）年厚生労働省）に示された2021（令和3）年11月1日現在のひとり親世帯の状況についての記述である。適切なものを○，不適切なものを×とした場合の正しい組み合わせを一つ選びなさい。

A 母子世帯になった理由別の構成割合をみると，離婚などの「生別」が全体の約9割を占めている。

B 調査時点の父子世帯の父の88.1％が就業しており，このうち「正規の職員・従業員」が48.8％と最も多く，次いで「パート・アルバイト等」が38.8％となっている。

C ひとり親世帯になった時の末子の年齢をみると，母子世帯では平均年齢が4.6歳となっている。一方，父子世帯では平均年齢は7.2歳となっており，母子世帯の方が末子の年齢が低いうちにひとり親世帯になっている。

D 母子世帯の母自身の2020（令和2）年の平均年間収入は約520万円，母自身の平均年間就労収入は約500万円となっている。

E 養育費の取り決めについて，ひとり親世帯になってからの年数が短い方が，「取り決めをしている」と回答した世帯の割合が高い傾向となっている。

（組み合わせ）

	A	B	C	D	E
1	○	○	○	○	×
2	○	○	×	○	×
3	○	×	○	○	×
4	×	×	○	×	○
5	×	×	×	○	○

次のうち，養育支援訪問事業の事業内容として，**誤ったもの**を一つ選びなさい。

1 若年の養育者に対する育児相談・支援

2 児童養護施設等の退所後，アフターケアを必要とする児童の家庭等に対する養育相談・支援

3 出産後間もない時期の養育者の育児不安の解消や養育技術に関する相談・支援

4 産褥期の母子に対する育児支援や簡単な家事等の援助

5 障害児に対する療育・栄養指導

 次の【事例】を読んで，【設問】に答えなさい。

【事例】

　H保育所では，週に１回園庭開放と子育て相談を実施している。そこに母親のMさんとK君（２歳，男児）が何度かやってきて園庭開放を利用している。園庭開放を担当するN保育士は，K君が他の子どもと関わらずに，園庭の隅で耳を塞いでじっと座っている姿が多いことが気になっていた。

　ある日，N保育士がMさんに声をかけ，話を始めた。子育てのことに話が及ぶと，１歳６か月児健診の時に，Mさんが保健師にK君の発達の遅れについて相談すると，保健師に「様子を見ましょう」と言われたことを教えてくれた。

【設問】

　次のうち，N保育士の対応として，適切なものを一つ選びなさい。

1 MさんにK君の発達障害の可能性を伝え，すぐに療育手帳の取得を勧める。

2 Mさんの話を傾聴し，母親のK君の発達の遅れに対する不安を受け止める。

3 他の子どもと遊ぶよう，K君の手を引っ張って集団の中に連れていく。

4 「発達に関することは分からない」と言ってMさんの相談をさえぎる。

5 「発達の遅れの心配はないですよ」とMさんを励ます。

本試験編 令和6年前期試験

正答と解説はP397〜

4 社会福祉

60分
正解 ／20

問1 次のうち，「社会福祉法」に関する記述として，適切なものを○，不適切なものを
×とした場合の正しい組み合わせを一つ選びなさい。

A 「社会福祉法」は，社会福祉を目的とする事業の全分野における共通的基本事項，
社会福祉事業の定義や社会福祉に関する具体的な事項等を定めた法律である。

B 「社会福祉法」第3条では，福祉サービスの基本的理念について定められている。

C 「社会福祉法」第4条では，福祉サービスを必要とする地域住民のあらゆる分野へ
の社会参加を推進する旨が定められている。

D 「社会福祉法」では，福祉サービス提供に関して，情報の提供や福祉サービスの利
用の援助，運営適正化委員会等について定められている。

（組み合わせ）

	A	B	C	D
1	○	○	○	○
2	○	×	×	○
3	○	×	×	×
4	×	○	○	×
5	×	○	×	○

問2 次のうち，社会福祉の歴史に関する記述として，**不適切なもの**を一つ選びなさい。

1 イギリスでは，1942年に「社会保険と関連サービス」（通称「ベヴァリッジ報告」）
が示された。

2 生存権及び国民生活の社会的進歩向上に努める国の義務について定めた「日本国憲
法」第25条は，日本の社会福祉に関する法制度の発展に寄与した。

3 社会福祉は，近代社会の発展の中で成立したが，それ以前の相互扶助や宗教的な慈
善事業も重要な役割を担っていた。

4 イギリスのCOS（慈善組織協会）の創設は，都市に急増した貧困者，浮浪者等に対
する慈善の濫救，漏救を防ぎ，効率的に慈善を行う意図があった。

5 ブース（Booth, C.J.）らによる19世紀末から20世紀初頭にかけてのイギリスで行わ
れた貧困調査では，貧困の原因は個人の責任であり，社会の責任ではないことを明ら
かにした。

問3 次のうち，「児童福祉法」に関する記述として，適切なものを○，不適切なものを
×とした場合の正しい組み合わせを一つ選びなさい。

A　全て国民は，児童が良好な環境において生まれ，かつ，社会のあらゆる分野におい
て，児童の年齢及び発達の程度に応じて，その意見が尊重され，その最善の利益が優
先して考慮され，心身ともに健やかに育成されるよう努めなければならない。

B　国及び地方公共団体は，児童が家庭において心身ともに健やかに養育されるよう，
児童の保護者を支援しなければならない。

C　児童を心身ともに健やかに育成することについての第一義的責任は保護者にあり，
国や地方公共団体は責任を一切負わない。

D　保育士とは，登録を受け，保育士の名称を用いて，専門的知識及び技術をもって，
児童の保育及び児童の保護者に対する保育に関する指導を行うことを業とする者をい
う。

（組み合わせ）

	A	B	C	D
1	○	○	×	○
2	○	×	×	○
3	○	×	×	×
4	×	○	○	○
5	×	○	×	○

問4 次のうち，地域福祉を推進しようとする専門職や団体などが，生活問題を抱えた住
民に直面した場合の対応として，適切なものを○，不適切なものを×とした場合の
正しい組み合わせを一つ選びなさい。

A　町内会や自治会は，地域の支え合いの仕組みをつくって対応した。

B　民生委員は，援助を必要とする住民に対して福祉サービス等の利用について情報提
供や援助などの対応を行った。

C　ボランティア・コーディネーターは，生活問題の解決につながる活動を行っている
ボランティアを紹介するという対応を行った。

D　社会福祉専門職は，社会福祉に関する制度改善を求める住民の行動を支えた。

（組み合わせ）

	A	B	C	D
1	○	○	○	○
2	○	×	○	○
3	×	○	×	○
4	×	○	×	×
5	×	×	×	○

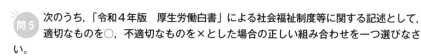

問5 次のうち，「令和4年版　厚生労働白書」による社会福祉制度等に関する記述として，適切なものを○，不適切なものを×とした場合の正しい組み合わせを一つ選びなさい。

A　社会福祉法人は，社会福祉事業を行うことを目的とする法人として，長年，福祉サービスの供給確保の中心的な役割を果たしてきた。

B　生活困窮者自立支援制度は，福祉事務所を設置する地方自治体において，複雑かつ多様な課題を背景とする生活困窮者に対し，各種支援等を実施するほか，地域のネットワークを構築し，生活困窮者の早期発見や包括的な支援につなげている。

C　介護保険制度が定着し，サービス利用者の増加に伴い，介護費用が増大し，介護保険制度開始当時2000（平成12）年度の介護費用が，2020（令和2）年度には約6倍となった。

D　成年後見制度は，認知症，知的障害その他の精神上の障害があることにより，財産の管理または日常生活等に支障がある者を支える重要な手段である。

（組み合わせ）

	A	B	C	D
1	○	○	○	×
2	○	○	×	○
3	○	×	○	○
4	×	○	○	×
5	×	×	×	○

問6 次のうち，機関とその業務内容として，適切なものを○，不適切なものを×とした場合の正しい組み合わせを一つ選びなさい。

〈機関〉　　　　　　　　　　　〈業務内容〉

A　市町村の福祉事務所　──　知的障害者援護

B　児童相談所　──────　児童福祉施設への入所措置

C　身体障害者更生相談所　──　障害者支援施設への入所措置

D　精神保健福祉センター　──　精神保健及び精神障害者の福祉に関する知識の普及

（組み合わせ）

	A	B	C	D
1	○	○	×	○
2	○	○	×	×
3	○	×	○	×
4	×	○	○	○
5	×	×	○	○

次のうち，社会保険制度に関する記述として，適切なものを○，不適切なものを×
とした場合の正しい組み合わせを一つ選びなさい。

A 国民年金の保険給付には，老齢基礎年金，障害基礎年金，遺族基礎年金等がある。

B 健康保険の保険給付には，療養の給付，訪問看護療養費，出産育児一時金等がある。

C 労働者災害補償保険の業務災害に関する保険給付には，療養補償給付，休業補償給付，障害補償給付等がある。

D 介護保険の介護給付におけるサービスには，訪問介護，居宅療養管理指導，訪問入浴介護，訪問リハビリテーション等がある。

（組み合わせ）

	A	B	C	D
1	○	○	○	○
2	○	×	○	×
3	○	×	×	○
4	×	○	○	×
5	×	×	×	○

 次の文は，日本の高齢化社会対策に関する記述である。A～Dの法律が制定された順に並べた場合の正しい組み合わせを一つ選びなさい。

A 「老人福祉法」の制定によって，高齢者福祉対策は積極的な進展を果たした。

B 介護に対する社会的支援，社会保険方式の導入，利用者本位とサービスの総合化等を目的として，「介護保険法」が制定された。

C 「高齢者虐待の防止，高齢者の養護者に対する支援等に関する法律」が制定され，高齢者虐待の防止等に関する施策が推進されるようになった。

D 「高齢社会対策基本法」の制定によって，高齢社会対策の基本的枠組みがつくられた。

（組み合わせ）

1 A→C→D→B

2 A→D→B→C

3 B→D→C→A

4 C→A→D→B

5 D→B→A→C

問9 次のうち，相談援助の展開過程の中の「アセスメント」に関する記述として，<u>不適切なものを一つ選びなさい。</u>

1 アセスメントでは，利用者の状況を包括的に評価するために，利用者の心身の状況，心理・情緒的状況，利用者を取り巻く環境や社会資源に関する情報が必要である。

2 アセスメントでは，利用者の情報を整理する上で，ジェノグラムやエコマップなどが活用される。

3 アセスメントは，利用者の抱える問題や課題を分析するため，利用者の持っているストレングスに注目することは必要としない。

4 アセスメントで，利用者の抱える問題が複数ある場合，どれから取り組むのかといった優先順位をつけることが重要である。

5 アセスメントは，プランニングのための重要な過程であるため，ケースによっては モニタリング等を通して何度も繰り返し行われる。

問10 次のうち，相談援助の原理・原則に関する記述として，適切なものを○，不適切な ものを×とした場合の正しい組み合わせを一つ選びなさい。

A 人権を尊重し擁護することは，相談援助における重要な原理である。

B 相談援助は，差別，貧困，抑圧，排除，暴力などのない，自由，平等，共生に基づ く社会正義の実現を目指す。

C 相談援助は，利用者の多様性を承認し，尊重しなければならない。

D 相談援助に際しての原則としては，バイステック（Biestek, F.P.）の7つの原則が 重要である。

（組み合わせ）

	A	B	C	D
1	○	○	○	○
2	○	○	○	×
3	○	○	×	○
4	○	×	○	○
5	×	○	○	○

問11 次のうち，相談援助の展開過程の中の「エバリュエーション」についての説明とし て，適切なものを○，不適切なものを×とした場合の正しい組み合わせを一つ選び なさい。

A エバリュエーションとは，事前評価のことをいう。

B エバリュエーションでまず行うことは，利用者との信頼関係の構築である。

C エバリュエーションでは，援助・支援のためのプログラムを作成する。

D エバリュエーションでは，実施した支援が適切であったか，あるいは支援の効果が あったかどうかを評価する。

（組み合わせ）

	A	B	C	D
1	○	×	○	×
2	○	×	×	×
3	×	○	×	○
4	×	×	×	○
5	×	×	×	×

問12 次のうち，福祉における相談援助の過程についての記述として，適切なものを○，不適切なものを×とした場合の正しい組み合わせを一つ選びなさい。

A 相談援助の開始期において，地域社会に潜在している多くのケースを発見するようにアウトリーチを行うことは重要である。

B アセスメントにおいて，利用者のニーズを評価したり，利用者のストレングスなどを評価したりする。

C プランニングは，アセスメントに基づき，問題解決に向けての目標を設定し，具体的な支援内容を計画する。

D モニタリングは，支援計画実施後の事後評価において不可欠な経過観察である。

（組み合わせ）

	A	B	C	D
1	○	○	○	○
2	○	○	○	×
3	○	×	×	×
4	×	○	○	○
5	×	×	×	○

問13 次のうち，福祉サービス第三者評価に関する記述として，適切なものを○，不適切なものを×とした場合の正しい組み合わせを一つ選びなさい。

A 保育所は，第三者評価の受審が義務づけられている。

B 児童養護施設は，第三者評価の受審が義務づけられている。

C 乳児院は，第三者評価の受審が義務づけられていない。

D 福祉サービス第三者評価の所轄庁は，法務省である。

（組み合わせ）

	A	B	C	D
1	○	○	○	○
2	○	○	×	×
3	○	×	○	×
4	×	○	×	×
5	×	○	×	×

問14 次のうち，成年後見制度に関する記述として，適切なものを○，不適切なものを×とした場合の正しい組み合わせを一つ選びなさい。

A 成年後見制度は，それまでの「禁治産・準禁治産制度」にかわり，2000（平成12）年4月から新たに施行されたものである。

B 成年後見制度の所轄庁は，内閣府である。

C 成年後見制度を利用する際に申し立てができるのは，本人と配偶者，四親等以内の親族に限られる。

D 「成年後見人，保佐人，補助人」は，家庭裁判所が選任する。

（組み合わせ）

	A	B	C	D
1	○	○	×	×
2	○	×	○	○
3	×	○	○	○
4	×	○	×	×
5	×	×	○	○

一問一答編

問15 次のうち，福祉サービス利用援助事業（日常生活自立支援事業）に関する記述として，適切なものを○，不適切なものを×とした場合の正しい組み合わせを一つ選びなさい。

A 実施主体は，市町村社会福祉協議会に限られる。

B 支援内容に，日常的な金銭管理は含まれない。

C 原則として，生活保護受給世帯は利用することができない。

D 利用料は，実施主体により異なる。

（組み合わせ）

	A	B	C	D
1	○	○	×	×
2	○	×	○	×
3	×	○	○	○
4	×	○	×	○
5	×	×	×	○

ベスト過去問編

問16 次のうち，福祉サービスにおける苦情解決に関する記述として，適切なものを○，不適切なものを×とした場合の正しい組み合わせを一つ選びなさい。

A 「社会福祉法」第82条では，社会福祉事業の経営者に対して，提供する福祉サービスについて，利用者等からの苦情の適切な解決に努めなければならないと規定されている。

B 苦情の申し出は，福祉サービス利用者が都道府県や運営適正化委員会に直接行うことはできない。

C 「保育所保育指針」では，保護者の苦情などに対し，その解決を図るよう努めなければならないとされている。

D 社会福祉事業者には，苦情解決のための第三者委員の設置が義務づけられている。

（組み合わせ）

	A	B	C	D
1	○	○	○	○
2	○	○	○	×
3	○	○	×	○
4	○	×	○	×
5	×	×	×	○

本試験編

問17 次のうち，「令和４年版男女共同参画白書」（2022（令和４）年　内閣府）における男女共同参画の実態に関する記述として，適切なものを○，不適切なものを×とした場合の正しい組み合わせを一つ選びなさい。

A　雇用者の共働き世帯数は増加傾向にある。一方で，2021（令和３）年における専業主婦世帯は，妻が64歳以下の世帯では，夫婦のいる世帯全体の23.1％となっている。

B　近年，男性の育児休業取得率は上昇しているが，2020（令和２）年度における民間企業の男性の育児休業取得率は５％未満である。

C　男女間賃金格差の国際比較によると，日本は2020（令和２）年においてフルタイム労働者の男性の賃金を100とすると女性の賃金は77.5であり，OECD諸国の平均を下回っている。

D　「男女共同参画社会基本法」第14条では，市町村男女共同参画計画策定の努力義務を定めているが，2021（令和３）年における市区町村全体の策定率は50.0％を下回っている。

（組み合わせ）

	A	B	C	D
1	○	○	○	×
2	○	○	×	×
3	○	×	○	×
4	×	○	×	○
5	×	×	○	○

問18 次のうち，「社会福祉法」に基づく市町村社会福祉協議会の活動や事業に関する記述として，適切なものの組み合わせを一つ選びなさい。

A　社会福祉に関する活動への住民の参加を援助するために，ボランティアセンターの設置が義務づけられている。

B　社会福祉を目的とする事業に調査，普及，宣伝，連絡，調整及び助成を行うこととされている。

C　市町村社会福祉協議会は，生活困窮者に対する相談援助は行っていない。

D　社会福祉を目的とする事業の企画や実施を通して地域福祉の推進を図ることとされている。

（組み合わせ）

1　A　B
2　A　C
3　A　D
4　B　C
5　B　D

問19 次のうち，共同募金に関する記述として，適切なものを○，不適切なものを×とした場合の正しい組み合わせを一つ選びなさい。

A 共同募金及び共同募金会に関する基本的な事項は，「共同募金法」に規定されている。

B 毎年12月に実施される「歳末たすけあい運動」は，共同募金の一環として行われている。

C 共同募金は，地域福祉の推進を図るために行われている。

D 共同募金による寄附金の公正な配分を行うために，共同募金会に配分委員会が置かれている。

（組み合わせ）

	A	B	C	D
1	○	○	○	×
2	○	○	×	×
3	○	×	×	○
4	×	○	○	○
5	×	×	○	○

問20 次の文は，「こども基本法」第3条の一部である。（ A ）～（ C ）にあてはまる語句の正しい組み合わせを一つ選びなさい。

・全てのこどもについて，個人として尊重され，その基本的人権が保障されるとともに，（ A ）的取扱いを受けることがないようにすること。

・全てのこどもについて，その年齢及び発達の程度に応じて，自己に直接関係する全ての事項に関して意見を表明する機会及び多様な社会的活動に（ B ）する機会が確保されること。

・全てのこどもについて，その年齢及び発達の程度に応じて，その（ C ）が尊重され，その最善の利益が優先して考慮されること。

（組み合わせ）

	A	B	C
1	画一	参加	個性
2	画一	参加	意見
3	差別	参画	個性
4	差別	参加	個性
5	差別	参画	意見

5 教育原理

30分
正解 ／10

 問1 次のうち，「教育基本法」の一部として，正しいものを○，誤ったものを×とした場合の正しい組み合わせを一つ選びなさい。

A 学問の自由は，これを保障する。

B 教育は，人格の完成を目指し，平和で民主的な国家及び社会の形成者として必要な資質を備えた心身ともに健康な国民の育成を期して行われなければならない。

C 学校を設置しようとする者は，学校の種類に応じ，文部科学大臣の定める設備，編制その他に関する設置基準に従い，これを設置しなければならない。

（組み合わせ）

　　　 A　B　C
1　　○　○　×
2　　○　×　×
3　　×　○　○
4　　×　○　×
5　　×　×　○

問2 次の文は，「児童憲章」の一部である。（　A　）・（　B　）にあてはまる語句の正しい組み合わせを一つ選びなさい。

すべての児童は，家庭で，正しい（　A　）と知識と技術をもつて育てられ，家庭に恵まれない児童には，これにかわる（　B　）が与えられる。

（組み合わせ）

　　　 A　　　　　　B
1　　愛着形成　　　環境
2　　愛着形成　　　支援の場
3　　かかわり　　　環境
4　　愛情　　　　　支援の場
5　　愛情　　　　　環境

次の図は，「諸外国の教育統計　令和3（2021）年版」（文部科学省）からある国の学校系統図を示したものである。正しい国名を一つ選びなさい。

学校系統図

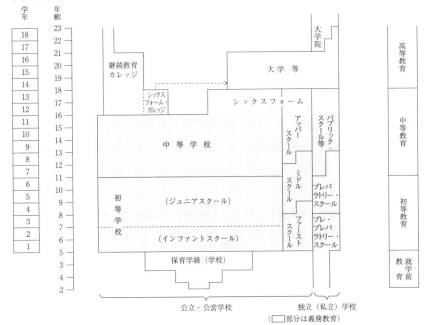

1 オーストラリア
2 フィンランド
3 フランス
4 イギリス
5 アメリカ

問4 次の文は，モンテッソーリ（Montessori, M.）が著した『幼児の秘密』の一部である。（　　　）に入る人名を一つ選びなさい。

　おとなはそんな子らを，散漫な関連のない動作の仕方のためには罰しはしますが，しかしおとなが，創造に達するかも知れない，子どもの知恵の発芽とも見られる，子どもの空想活動を，感心し推奨します。誰しも知っているように，たとえば（　　　）は彼の遊戯の多くを，まさにこの象徴的空想の発達にねらいを定めました。彼は区別して整頓した立方体や直方体の中に，馬や砦や汽車を見るように子どもに手伝います。実際象徴的なものへのこんな傾向は，子どもに何をでも，自分の頭脳の空想的イメージを照らす電気のスイッチでもあるかのように，利用することを可能にします。（中略）おもちゃは活動をさせますが，ことに錯覚を起こさせて，ただ不完全な実を結ばない現実の模型にすぎません。

1 フレーベル

2 ルソー

3 ペスタロッチ

4 アリエス

5 デューイ

 問5 次の記述に該当する人物として，正しいものを一つ選びなさい。

　日本において最も早く体系的ともいえる教育論をまとめた儒学者である。ロック（Locke, J.）とほぼ同時代の人であり，ともに医学を修め，しかも自分自身健康に恵まれなかったことに共通したものがあるため，「日本のロック」と称されることもある。

　子育ての書として晩年にまとめた著作では，6歳から20歳に至るまでの成長過程に即して，教育方法と学習教材とが「随年教法」として提示されている。彼は，「小児の教は早くすべし」と，早い時期からの善行の習慣形成の必要性を主張した。

1 荻生　徂徠

2 貝原　益軒

3 佐藤　信淵

4 伊藤　仁斎

5 太田　道灌

問6 次の【Ⅰ群】の人名と，【Ⅱ群】の語句を結びつけた場合の正しい組み合わせを一つ選びなさい。

【Ⅰ群】

A 世阿弥

B 北条　実時

C 広瀬　淡窓

【Ⅱ群】

ア 咸宜園

イ 翁問答

ウ 金沢文庫

エ 風姿花伝

（組み合わせ）

	A	B	C
1	ア	ウ	イ
2	イ	ア	エ
3	ウ	イ	エ
4	エ	ア	イ
5	エ	ウ	ア

 問7　次の文の著者として，正しいものを一つ選びなさい。

　教育目的なくして教育はありません。しかも，その目的を必ずしもこちらから押しつけなくとも，幼児の生活それ自身が自己充実の大きな力を持っていることによって，すでにそこに教育の目的に結びつくつながりが見い出せるはずです。つまり，幼児の生活をさながらにしておくのは，ただうっちゃり放しにしておくということでなく，幼児自身の自己充実を信頼してのことです。

1　澤柳　政太郎
2　羽仁　もと子
3　城戸　幡太郎
4　倉橋　惣三
5　小原　國芳

 問8　次の記述に該当する語句として，正しいものを一つ選びなさい。

　学ぶ内容をそれぞれの分野に分けて系統的に教えるような編成をしたカリキュラム。すべての分野において身に付けさせたいとおとなが考えていることがバランスよく配置でき，かつその習得状況の把握が容易である。また，系統的に教えることができるため，既習事項の把握を行いながら，学習者にとっても効率的に多くのことを学ぶことができる。一方で，子どもの興味関心とのずれが生じやすいこと，教えられる内容の間で関連性がみえにくいことがある。

1　経験カリキュラム
2　潜在的カリキュラム
3　教科カリキュラム
4　合科カリキュラム
5　統合カリキュラム

問9 次の文は,「保育所保育指針」第1章「総則」4「幼児教育を行う施設として共有すべき事項」(2)「幼児期の終わりまでに育ってほしい姿」の一部である。(A)〜(C)にあてはまる語句を【語群】から選択した場合の正しい組み合わせを一つ選びなさい。

家族を大切にしようとする気持ちをもつとともに,(A)の身近な人と触れ合う中で,人との様々な関わり方に気付き,相手の気持ちを考えて関わり,自分が役に立つ喜びを感じ,(A)に親しみをもつようになる。また,保育所内外の様々な(B)に関わる中で,遊びや生活に必要な(C)を取り入れ,(C)に基づき判断したり,(C)を伝え合ったり,活用したりするなど,(C)を役立てながら活動するようになるとともに,公共の施設を大切に利用するなどして,社会とのつながりなどを意識するようになる。

【語群】 ア 地域　イ 郷土　ウ 情報　エ 環境　オ 知識

（組み合わせ）

	A	B	C
1	ア	ウ	オ
2	ア	エ	ウ
3	ア	エ	オ
4	イ	ウ	オ
5	イ	エ	ウ

問10 次の文は,「学びや生活の基盤をつくる幼児教育と小学校教育の接続について〜幼保小の協働による架け橋期の教育の充実〜」(令和5年2月　中央教育審議会　初等中等教育分科会　幼児教育と小学校教育の架け橋特別委員会)の一部である。(A)・(B)にあてはまる語句の正しい組み合わせを一つ選びなさい。

幼児教育と小学校教育の教育課程の構成原理等の違いは,子供の発達の段階に応じた教育を行うために必要な違いではあるが,子供一人一人の発達や学びは幼児期と児童期ではっきりと分かれるものではなく,(A)ため,必ずしも合致しない場合があるためである。また,合致しない場合に,小学校入学当初の子供が,小学校での学習や生活に関する自らの不安や不満を自覚し大人に伝えることは難しいと考えられ,一人で戸惑いや悩みを抱えこむことにより,その後の小学校での学習や生活に支障をきたすおそれがある。子供にとっては,初めての進学であり,この時期につまずいてしまうことは,その後の学校生活や成長に大きな負の影響を与えかねない。そして,ひいては(B)の要因にもなりかねず,低学年の(B)の子供への支援の観点からも,幼児教育と小学校教育の円滑な接続が重要であることが指摘されているところである。

（組み合わせ）

	A	B
1	重なりがある	不登校
2	重なりがある	学力不足
3	つながっている	学習意欲不足
4	つながっている	学力不足
5	つながっている	不登校

本試験編 令和6年前期試験　　　　　　　　　正答と解説は410〜

6 社会的養護

30分
正解　　／10

問1 次の文は、「児童養護施設運営指針」（平成24年3月　厚生労働省）の一部である。（　A　）〜（　C　）にあてはまる語句の正しい組み合わせを一つ選びなさい。

・社会的養護は、その始まりから（　A　）までの継続した支援と、できる限り（　B　）の養育者による一貫性のある養育が望まれる。

・児童相談所等の行政機関、各種の施設、里親等の様々な社会的養護の担い手が、それぞれの専門性を発揮しながら、巧みに（　C　）し合って、一人一人の子どもの社会的自立や親子の支援を目指していく社会的養護の（　C　）アプローチが求められる。

（組み合わせ）

	A	B	C
1	リービングケア	複数	連携
2	アフターケア	特定	連携
3	リービングケア	特定	媒介
4	アフターケア	複数	媒介
5	リービングケア	特定	連携

問2 次の文は、「社会的養護関係施設における親子関係再構築支援ガイドライン」（平成26年　厚生労働省）に示された「親子関係再構築」についての考え方を説明したものである。（　A　）〜（　C　）にあてはまる語句の正しい組み合わせを一つ選びなさい。

このガイドラインでは、（　A　）の回復を支えるという視点で親子関係再構築を捉えている。そのため、その内容は、内的イメージから外的現実まで幅広く、家族形態や問題の程度も様々なものを含む等、多面的で重層的に考える必要がある。ガイドラインでは、親子関係再構築を「子どもと親がその相互の（　B　）すること」と定義する。

親子関係再構築支援を家族の状況によって2つに分類すると、分離となった家族に対するものと、（　C　）親子に対するものとがある。

（組み合わせ）

	A	B	C
1	親自身	肯定的なつながりを主体的に回復	代替養育による新たな
2	親自身	親愛の情を自然発生的に醸成	代替養育による新たな
3	子ども	肯定的なつながりを主体的に回復	代替養育による新たな
4	子ども	肯定的なつながりを主体的に回復	ともに暮らす
5	子ども	親愛の情を自然発生的に醸成	ともに暮らす

問3 次のうち，「新しい社会的養育ビジョン」（平成29年　厚生労働省）に示された内容として，適切なものを○，不適切なものを×とした場合の正しい組み合わせを一つ選びなさい。

A　社会的養育の対象は全ての子どもであり，家庭で暮らす子どもから代替養育を受けている子ども，その胎児期から自立までが対象となる。

B　新たな社会的養育という考え方では，そのすべての局面において，子ども・家族の参加と支援者との協働を原則とする。

C　子どもに永続的な家族関係をベースにしたパーマネンシーを保障するために，特別養子縁組や普通養子縁組は実父母の死亡などの場合に限られる。

D　施設で培われた豊富な体験による子どもの養育の専門性をもとに，施設が地域支援事業やフォスタリング機関事業等を行う多様化を，乳児院から始め，児童養護施設，児童心理治療施設，児童自立支援施設でも行う。

（組み合わせ）

	A	B	C	D
1	○	○	×	○
2	○	×	○	○
3	○	×	○	×
4	×	○	○	×
5	×	×	×	○

問4 次の文は，「児童養護施設運営ハンドブック」（平成26年３月　厚生労働省）の「地域支援」の一部である。（　A　）～（　C　）にあてはまる語句の正しい組み合わせを一つ選びなさい。

・地域住民に対する相談事業を実施すること等を通じて，具体的な（　A　）の把握を行う。

・施設が有する専門性を活用し，地域の子育ての相談・助言や（　B　）の子育て事業の協力をする。

・地域の里親支援，子育て支援等に取組など，施設の（　C　）機能を活用し，地域の拠点となる取組を行う。

（組み合わせ）

	A	B	C
1	福祉ニーズ	市町村	ソーシャルワーク
2	福祉ニーズ	市町村	マネジメント
3	福祉ニーズ	都道府県	ソーシャルワーク
4	問題	市町村	マネジメント
5	問題	都道府県	マネジメント

問5 次のうち，「児童養護施設運営指針」（平成24年3月　厚生労働省）における家族への支援に関する記述として，適切なものを○，不適切なものを×とした場合の正しい組み合わせを一つ選びなさい。

A　親子が必要な期間を一緒に過ごせるような宿泊設備を施設内に設ける。

B　子どもと家族の関係づくりの支援として，家族に学校行事等への参加を働きかける。

C　家族等との交流の乏しい子どもには，週末里親やボランティア家庭等での家庭生活を体験させるなど配慮する。

D　子どもの一時帰宅は，保護者の意向により決定する。

（組み合わせ）

	A	B	C	D
1	○	○	○	×
2	○	○	×	○
3	○	×	×	×
4	×	○	×	×
5	×	×	○	○

問6 次のうち，「里親及びファミリーホーム養育指針」（平成24年3月　厚生労働省）で示された養育・支援に関する記述として，適切なものを○，不適切なものを×とした場合の正しい組み合わせを一つ選びなさい。

A　里親及びファミリーホームに委託される子どもは，原則として新生児から義務教育終了までの子どもが対象である。

B　児童相談所は，子どもが安定した生活を送ることができるよう自立支援計画を作成し，養育者はその自立支援計画に基づき養育を行う。

C　里親に委託された子どもは，里親の姓を通称として使用することとされている。

D　里親やファミリーホームは，特定の養育者が子どもと生活基盤を同じ場におき，子どもと生活を共にする。

（組み合わせ）

	A	B	C	D
1	○	○	○	×
2	○	×	○	○
3	×	○	○	×
4	×	○	×	○
5	×	×	×	○

問7 次のうち，「被措置児童等虐待対応ガイドライン」（令和4年　厚生労働省）に示された虐待防止のための施設運営に関する記述として，**不適切なもの**を一つ選びなさい。

1 組織全体が活性化され，風通しのよい組織づくりを進める。
2 第三者評価の積極的な受審や活用など，外部の目を取り入れる。
3 施設内で生じた被措置児童等虐待に関する情報提供は，当該施設等で生活を送っている他の被措置児童等に対しては行わない。
4 自立支援計画の策定や見直しの際には，子どもの意見や意向等を確認し，確実に反映する。
5 経験の浅い職員等に対し，施設内外からスーパービジョンを受けられるようにする。

問8 次のうち，明治時代以降に，育児救済等を目的として長崎に創設された施設とその創設者の組み合わせとして，正しいものを一つ選びなさい。

（組み合わせ）
1 博愛社　　　―　　松方正義
2 浦上養育院　―　　岩永マキ
3 家庭学校　　―　　石井亮一
4 日田養育院　―　　小橋勝之助
5 滝乃川学園　―　　池上雪枝

問9 次の【事例】を読んで，【設問】に答えなさい。

【事例】
　児童養護施設のグループホームに勤務する新任のU保育士は，主任のH児童指導員から，「K君（13歳，男児）は職員の気を引いて自分を見てほしいときにわざと嘘をつくことがあるから，あまり取り合わないように」と助言を受けた。確かにK君の話には事実でないことが後からわかったこともあったが，U保育士はK君なりの事情があったのだろうと考えていた。H児童指導員は，K君の話に矛盾があると厳しく問いただしたり，無視することがあった。K君はH児童指導員に叱られるとU保育士に助けを求めてくるので，U保育士は対応に困ってしまった。

【設問】
　次のうち，U保育士の対応として，適切な記述の組み合わせを一つ選びなさい。

A 職員によって対応が異なるのは周囲の子どもたちにとっても良くないので，U保育士もK君が嘘をついている時には厳しく問いただし，叱責した。
B グループホームのホーム会議に心理療法担当職員にも出席してもらい，K君の言動や成育歴について取り上げ，自立支援計画の見直しを提案した。
C K君に対して，「H児童指導員はK君のためを思って言ってくれているのだから，自分の行動を振り返りなさい」とH児童指導員の意図を説明し，反省を促した。
D K君と個別に関わる時間を増やし，「K君の話をちゃんと聞いているから，話したいことがあったらいつでも言ってきてね」と繰り返し伝えた。

（組み合わせ）

1　A　B
2　A　D
3　B　C
4　B　D
5　C　D

問10　次の文は，「児童養護施設運営指針」（平成24年３月　厚生労働省）に示された「養育のあり方の基本」の一部である。（　A　）～（　C　）にあてはまる語句の正しい組み合わせを一つ選びなさい。

　子どもの養育を担う専門性は，養育の場で（　A　）過程を通して培われ続けなければならない。経験によって得られた知識と技能は，現実の養育の場面と過程のなかで絶えず見直しを迫られることになるからである。養育には，子どもの生活を（　B　）にとらえ，日常生活に根ざした（　C　）な養育のいとなみの質を追求する姿勢が求められる。

（組み合わせ）

	A	B	C
1	相互的な	部分的	平凡
2	相互的な	部分的	特別
3	相互的な	トータル	特別
4	生きた	トータル	特別
5	生きた	トータル	平凡

7 子どもの保健

60分
正解 □／20

問1 次の文は，「保育所保育指針」第1章「総則」（2）「保育の目標」の一部である。（　A　）〜（　D　）にあてはまる語句の正しい組み合わせを一つ選びなさい。

（　A　），（　B　）など生活に必要な基本的な（　C　）や（　D　）を養い，心身の（　A　）の基礎を培うこと。

（組み合わせ）

	A	B	C	D
1	活気	安全	習慣	態度
2	活気	安心	行動様式	姿勢
3	健康	安心	行動様式	姿勢
4	健康	安全	習慣	態度
5	健康	安全	習慣	姿勢

問2 次のうち，日本におけるこれまでと現在の母子保健に関する記述として，適切なものを一つ選びなさい。

1 母子保健は，妊娠・出産・育児という一連の時期にある母親のみを対象としている。

2 現在行われている母子保健に関する様々なサービスや活動にかかわる法的根拠は，1937（昭和12）年施行の「保健所法」である。

3 母子保健施策の成果の一つとして，乳児死亡率の著しい減少があげられる。

4 現在の「母子保健法」には児童虐待防止に関する条文はない。

5 妊産婦登録制度の発端となった法律は，「児童福祉法」である。

問3 次のうち，児童虐待の発生予防・防止をねらいの一つとした制度等として，最もあてはまらないものを一つ選びなさい。

1 産後ケア事業

2 乳児家庭全戸訪問事業

3 要保護児童対策地域協議会

4 新生児スクリーニング検査

5 地域子育て支援拠点事業

問4 次のうち，身体的発育に関する記述として，適切なものを○，不適切なものを×とした場合の正しい組み合わせを一つ選びなさい。

A 脳細胞の役割に情報伝達があるが，軸索の髄鞘化により脳細胞が成熟し，情報を正確に伝えるようになっても伝達の速さは変わらない。

B 運動機能の発達には個人差があるが，一定の方向性と順序性をもって進む。

C 発育をうながすホルモンには，成長ホルモンのほか，甲状腺ホルモン，副腎皮質ホルモンなどがある。

D 原始反射は，通常の子どもでは成長とともにほとんどみられなくなる。

E 出生時，頭蓋骨の縫合は完全ではなく，前方の骨の隙間を大泉門という。

（組み合わせ）

	A	B	C	D	E
1	○	×	○	×	×
2	○	×	×	○	×
3	×	○	×	○	○
4	×	○	×	×	○
5	×	×	○	×	○

問5 次の【Ⅰ群】の脳の構造と【Ⅱ群】の機能を結びつけた場合の正しい組み合わせを一つ選びなさい。

【Ⅰ群】

A 前頭葉
B 側頭葉
C 延髄
D 小脳

【Ⅱ群】

ア 運動に関連する領域と精神に関連する領域に大別される。

イ 呼吸や循環などの生命維持に直接関与する部分である。

ウ 聴覚や嗅覚などの中枢，記憶の中枢，感覚性言語中枢を含んでいる。

エ 身体の姿勢や運動の制御，眼球運動に関係している。

（組み合わせ）

	A	B	C	D
1	ア	ウ	イ	エ
2	ア	ウ	エ	イ
3	イ	ア	ウ	エ
4	ウ	ア	イ	エ
5	ウ	ア	エ	イ

問6 次のうち，乳幼児の排尿・排便の自立に関する記述として，適切なものを○，不適切なものを×とした場合の正しい組み合わせを一つ選びなさい。

A 新生児期の膀胱は未熟であり，1回の排尿量は少なく，排尿回数は1日5回程度である。

B 尿がたまった感覚がある程度わかるようになるのは3歳頃である。

C 生後6か月未満では，多くに1日2回以上の排便がある。

D 4歳以上では，ほとんどが便意を伴うようになり，排便が自立する。

（組み合わせ）

	A	B	C	D
1	○	○	×	×
2	○	×	○	×
3	○	×	×	○
4	×	○	×	×
5	×	×	○	○

問7 次のうち，乳幼児の健康診査に関する記述として，適切なものを一つ選びなさい。

1 乳幼児健康診査は，全て法律に基づき市区町村において定期健康診査として実施されている。

2 「令和3年度地域保健・健康増進事業報告の概況」（令和5年3月　厚生労働省）によると，日本における乳幼児健康診査の受診率は，年月齢を問わず70％前後である。

3 乳幼児健康診査は疾病の異常や早期発見のために重要であり，必要に応じて，子育て支援対策が講じられる。

4 保育所では，入所時健康診断及び少なくとも1年に2回の定期健康診断を行うことと，「母子保健法」に定められている。

5 保育所における定期健康診断や入所時健康診断は，定型的な業務なので実施後の評価は行わない。

問8 次のうち，「保育所における感染症対策ガイドライン（2018年改訂版）（2022（令和4）年10月一部改訂）」（厚生労働省）の別添1「具体的な感染症と主な対策（特に注意すべき感染症）」にあげられている「RSウイルス感染症」に関する記述として，適切なものの組み合わせを一つ選びなさい。

A 生後6か月未満の乳児では重症な呼吸器症状を生じ，入院管理が必要となる場合も少なくない。

B 一度かかれば十分な免疫が得られるため，何度も罹患する可能性は低い。

C 大人がかかると重症化することが多い。

D 流行期には，0歳児と1歳児以上のクラスは互いに接触しないよう離しておき，互いの交流を制限する。

（組み合わせ）
1　A　B
2　A　C
3　A　D
4　B　C
5　B　D

 問9 次のうち，感染症に関する記述として，<u>不適切なもの</u>を一つ選びなさい。

1　水痘は，水痘・帯状疱疹ウイルスによっておこり，紅斑，水疱，膿疱，痂皮などいろいろな段階の発疹が混在していることが特徴である。

2　インフルエンザは主に冬に流行し，肺炎，気管支炎，脳症などを合併することがある。

3　咽頭結膜熱は，エコー・ウイルスによっておこり，プールの水を介して感染することが多い。

4　手足口病は，コクサッキー・ウイルスA16型，A10型，A6型やエンテロウイルス71型等によっておこる水疱を伴う発疹性感染症で，回復期に爪が脱落することがある。

5　伝染性紅斑（りんご病）は，ヒトパルボウイルスB19によっておこり，風邪症状に引き続いて両頬に紅斑が現れる。

 問10 次のうち，学校において予防すべき感染症に関する記述として，適切なものを○，不適切なものを×とした場合の正しい組み合わせを一つ選びなさい。

A　各感染症の出席停止の期間は，感染様式と疾患の特性を考慮して，人から人への感染力の程度を考えて算出している。

B　他人に容易に感染させる状態の期間は，集団の場を避け，感染症の拡大を防ぐ必要がある。

C　健康が回復するまで治療や休養の時間を確保することが必要である。

D　学校において予防すべき感染症は，「学校保健安全法施行規則」で定められている。

（組み合わせ）
　　A　B　C　D
1　○　○　○　○
2　○　○　○　×
3　○　×　×　○
4　×　○　○　×
5　×　×　○　○

問11 次のうち，保育所における防災に関する記述として，適切なものを○，不適切なものを×とした場合の正しい組み合わせを一つ選びなさい。

A 万が一に備え，保育所内では最低3日分の必需品を備蓄しておくとよい。

B 保育所では，避難及び消火に対する訓練は少なくとも毎月1回実施すること，消火器などの消防用設備の定期点検が義務づけられている。

C 火災防止のため，カーテンには防炎加工が必要である。

D 災害時は保護者に確実に情報が伝わるよう連絡手段は一つに決めて保護者に知らせておくとよい。

E 園児を移動させる手押し車は，緊急時には使用を控えたほうがよいとされている。

（組み合わせ）

	A	B	C	D	E
1	○	○	○	○	○
2	○	○	○	×	×
3	○	○	×	×	○
4	○	×	×	○	○
5	×	×	○	○	○

問12 次のうち，保育所等における防災・防犯訓練に関する記述として，適切なものを一つ選びなさい。

1 事前に訓練について指導すると，防災訓練にならないため，事前指導は行わない。

2 防災訓練は，保護者のお迎えを考え，毎回同じ曜日や時間帯に設定する。

3 年間を通して指導計画の中に位置づけ，実践的な訓練を計画する。

4 防災訓練は保護者の負担にならないように保護者の参加を計画の中に入れず，保育者だけで行う。

5 不審者が侵入した場合の防犯訓練は，子ども達に恐怖を与えるため行わない。

問13 次のうち，小児のけいれんに関する記述として，適切なものの組み合わせを一つ選びなさい。

A　けいれんは様々な原因で起こり，ときには脳炎などの重大な病気による場合がある。

B　けいれんが起こった時はいかなる場合でも適切に対処しなければならないので，けいれんがおさまった場合でも，医師の診察を受ける必要がある。

C　小児がけいれんを起こした時，緊急の処置として，スプーンなどを噛ませ，歯で舌などを傷つけないようにしなければならない。

D　発熱を伴うけいれんは熱性けいれんであり，解熱剤を飲ませて様子をみれば短時間で消失する。

E　けいれんを起こした時は，強い刺激を与えないように注意して，意識の状態を確かめる必要がある。

（組み合わせ）

1　A　B　C
2　A　B　E
3　B　C　D
4　B　D　E
5　C　D　E

 問14 次のうち，体調不良や事故等に関する記述として，適切なものの組み合わせを一つ選びなさい。

A　子どもの感電事故があった場合，電源の供給を止め，絶縁性の高いゴム手袋などを着用して感電箇所から子どもを遠ざける。

B　溺水した子どもを発見した場合，呼吸をしていなければ，一次救命処置を行う。

C　子どもに起こりがちな肘内障は，肘の関節の腱が抜けるために起こるもので，手を上にあげると痛がる。

D　日本スポーツ協会による「熱中症予防のための運動指針」によれば，暑さ指数が28〜31℃で激しい運動をするときの必要最小限の休息は，1時間に1回程度である。

（組み合わせ）

1　A　B
2　A　C
3　A　D
4　B　C
5　B　D

問15 次の【事例】を読んで,【設問】に答えなさい。

【事例】

　T保育所に通園しているS君（5歳,男児）は,保育室内で遊んでいるうちに「気持ちが悪い」と言い出し,その場で嘔吐してしまった。嘔吐物は保育室の床だけでなく,S君の衣服にも付着した。K保育士がそのことに気づき,他の保育士と協力・分担して,S君への対応と嘔吐物処理等を行った。

【設問】

　次のうち,S君への対応および嘔吐物処理を含んだ事後の対応として,「保育所における感染症対策ガイドライン（2018年改訂版）（2022（令和4）年10月一部改訂）」に照らして,適切なものを○,不適切なものを×とした場合の正しい組み合わせを一つ選びなさい。

A S君にうがいができるか確認したところ,できると言ったので,うがいをさせた。

B 嘔吐した後,脱水症状になることが心配だったので,嘔吐した後なるべく早く経口補水液を200ml程度飲ませた。

C S君が横になりたいと言ったので,嘔吐物が気管に入らないように体を横向きにして寝かせた。

D 嘔吐物が付着した床は,嘔吐物を取り除いてから,製品濃度6％の次亜塩素酸ナトリウムを0.02％濃度に希釈して消毒した。

E 嘔吐物が付着したS君の衣服は,嘔吐物をよく落として保育所内で洗濯し,よく乾燥してからS君の保護者に返却した。

（組み合わせ）

	A	B	C	D	E
1	○	○	○	○	×
2	○	×	○	×	×
3	○	×	×	×	×
4	×	○	×	○	×
5	×	×	○	○	○

 問16 次の【事例】を読んで,【設問】に答えなさい。

【事例】

　Wちゃん（生後6か月,女児）は,朝お母さんが保育所に連れて来たときに,珍しくぐずっていた。10時頃,Wちゃんがぐずっていて機嫌が悪いので,Y保育士が抱き上げるとかなり体が熱くなっており,熱を測ったところ38.5℃の高熱になっていた。Wちゃんは,その後も大量の水様便を何度もしていた。

【設問】

　次のうち,Wちゃんのかかっている可能性のある感染症を考慮したうえでの保育所の対応として,適切な記述の組み合わせを一つ選びなさい。

A できるだけ早く,保護者に迎えに来てもらうよう連絡をした。

B Wちゃんを他児と同室でY保育士の目が届きやすい場所で保育した。

C Wちゃんを他児とは別室で保育しながら,保護者が迎えに来るのを待った。

D おむつ交換は，いつも通り保育している部屋で行った。
E 高熱でぐずっていて，水分を摂取させようとしたが飲まないので，そのまま様子を
　見た。
（組み合わせ）
1 A C
2 A D
3 B D
4 B E
5 C E

問17 次のうち，病児保育事業に関する記述として，適切なものを○，不適切なものを×
とした場合の正しい組み合わせを一つ選びなさい。
A 病児保育事業には，法的根拠がある。
B 制度上，対象は未就学児に限られている。
C 医師及び看護師の配置が義務づけられている。
D 体調不良児対応型の病児保育は保育所等で行う。
（組み合わせ）

	A	B	C	D
1	○	○	×	×
2	○	×	○	×
3	○	×	×	○
4	×	○	×	○
5	×	×	○	○

問18 次のうち，「保育所におけるアレルギー対応ガイドライン（2019年改訂版）」（厚生
労働省）における「エピペン®」の使用に関する記述として，適切なものを○，不
適切なものを×とした場合の正しい組み合わせを一つ選びなさい。
A 「エピペン®」は，原則，体重15kg未満の子どもには処方されない。
B 保管する場合は，冷蔵庫で保管する。
C 「エピペン®」を使用した後は，速やかに医療機関を受診する必要がある。
D 「エピペン®」を保育所で預かる場合は，緊急時の対応内容について保護者と協議の
　うえ，「生活管理指導表」を作成する。
（組み合わせ）

	A	B	C	D
1	○	○	×	×
2	○	○	○	×
3	×	○	○	×
4	×	○	×	○
5	×	×	○	○

問19 次のうち，「保育所におけるアレルギー対応ガイドライン（2019年改訂版）」（厚生労働省）における食物アレルギーに関する記述として，適切なものを○，不適切なものを×とした場合の正しい組み合わせを一つ選びなさい。

A 食物アレルギーとは，特定の食物を摂取した後にアレルギー反応を介して皮膚・呼吸器・消化器あるいは全身に生じる症状のことをいう。

B 食物アレルギーのある幼児の割合は，年齢が上がるにつれて上昇する。

C 最も多い症状は皮膚・粘膜症状である。

D 治療の基本は薬物療法である。

（組み合わせ）

	A	B	C	D
1	○	○	×	×
2	○	×	○	×
3	×	○	○	×
4	×	○	×	○
5	×	×	○	○

問20 次のうち，3歳の中等症の血友病の子どもを保育所で受け入れるにあたり，適切なものを○，不適切なものを×とした場合の正しい組み合わせを一つ選びなさい。

A 血友病は遺伝性疾患で父親が保因者であることが多く，保護者の気持ちに寄り添いながら話を聞く。

B 血友病は小児慢性特定疾病で，医療費助成の対象となっている。

C 歩いたり走ったりすることで目に見えない足の関節の出血が増えてくるため，運動を伴う活動や遊びをすべて制限することの理解を保護者に求める。

D 注射による予防接種は出血の原因になるため禁止されているので，感染症予防が必要となる。

E 目に見える出血があったときは，圧迫止血，冷却，安静を保って医療機関を受診することを決めておく。

（組み合わせ）

	A	B	C	D	E
1	○	○	×	○	○
2	○	×	○	×	○
3	×	○	×	○	×
4	×	○	×	×	○
5	×	×	○	○	×

本試験編 令和6年前期試験

正答と解説はP423〜

8 子どもの食と栄養

60分
正解 ／20

問1 次の文は，炭水化物に関する記述である。（ **A** ）〜（ **D** ）にあてはまる語句の正しい組み合わせを一つ選びなさい。

炭水化物には，ヒトの消化酵素で消化されやすい（ **A** ）と消化されにくい（ **B** ）がある。（ **A** ）は，1gあたり（ **C** ）kcalのエネルギーを供給し，一部は，肝臓や筋肉でエネルギー貯蔵体である（ **D** ）となって体内に蓄えられる。

（組み合わせ）

	A	B	C	D
1	糖質	食物繊維	4	グリコーゲン
2	糖質	食物繊維	7	グリコーゲン
3	糖質	食物繊維	9	ガラクトース
4	食物繊維	糖質	4	グリコーゲン
5	食物繊維	糖質	7	ガラクトース

問2 次のうち，ビタミンの主な働きに関する記述として，適切なものの組み合わせを一つ選びなさい。

A ビタミンCは，糖質代謝に関与する。
B ビタミンB_1は，鉄の吸収を促進する。
C ビタミンKは，血液の凝固に関与する。
D ビタミンDは，カルシウムの吸収を促進する。

（組み合わせ）

1 A B
2 A C
3 A D
4 B C
5 C D

問3 次の【Ⅰ群】の「日本人の食事摂取基準（2020年版）」における栄養素の指標と【Ⅱ群】のその目的を結びつけた場合の正しい組み合わせを一つ選びなさい。

【Ⅰ群】

    A 推定平均必要量，推奨量
    B 目標量
    C 耐容上限量

【Ⅱ群】

    ア 生活習慣病の発症予防
    イ 過剰摂取による健康障害の回避
    ウ 摂取不足の回避

    （組み合わせ）

    　 A　B　C
    1　ア　イ　ウ
    2　ア　ウ　イ
    3　イ　ア　ウ
    4　ウ　ア　イ
    5　ウ　イ　ア

問4 次のうち，「食品表示法」において，容器包装に入れられた加工食品及び添加物に表示が義務づけられていないものを一つ選びなさい。

    1 カルシウム
    2 たんぱく質
    3 熱量
    4 ナトリウム（食塩相当量で表示）
    5 脂質

問5 次のうち，調乳方法に関する記述として，適切なものを○，不適切なものを×とした場合の正しい組み合わせを一つ選びなさい。

    A 調乳の際に使用する湯は，沸騰させた後30分以上放置しない。
    B 調製粉乳の調整用として推奨された水の場合でも，沸騰させて使用する。
    C 調乳の際には，一度沸騰させた後50℃以上に保った湯を使用する。
    D 常温で保存していた場合，調乳後2時間以内に使用しなかったミルクは廃棄する。

    （組み合わせ）
    　 A　B　C　D
    1　○　○　○　×
    2　○　○　×　○
    3　×　○　○　○
    4　×　×　○　×
    5　×　×　×　○

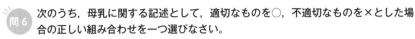

問6 次のうち，母乳に関する記述として，適切なものを○，不適切なものを×とした場合の正しい組み合わせを一つ選びなさい。

A 分娩後，最初に分泌される母乳を初乳といい，その後，移行乳を経て成乳となる。

B 初乳は成乳に比べ，たんぱく質，ミネラルが少なく，乳糖は多い。

C 母乳分泌時にはプロラクチンが分泌され，排卵が促進される。

D 母乳栄養児は人工栄養児に比べ，乳幼児突然死症候群（SIDS）の発症率が低いとされている。

（組み合わせ）

	A	B	C	D
1	○	○	○	×
2	○	○	×	○
3	○	×	×	○
4	×	○	○	×
5	×	×	○	○

問7 次の文は，「授乳・離乳の支援ガイド」（2019年改定版　厚生労働省）の離乳の支援の一部である。（　A　）〜（　D　）にあてはまる語句の正しい組み合わせを一つ選びなさい。

　離乳の開始とは，（　A　）の食物を初めて与えた時をいう。開始時期の子どもの発達状況の目安としては，（　B　）のすわりがしっかりして寝返りができ，5秒以上座れる，スプーンなどを口に入れても（　C　）ことが少なくなる（哺乳反射の減弱），食べ物に興味を示すなどがあげられる。その時期は生後（　D　）頃が適当である。ただし，子どもの発育及び発達には個人差があるので，月齢はあくまでも目安であり，子どもの様子をよく観察しながら，親が子どもの「食べたがっているサイン」に気がつくように進められる支援が重要である。

（組み合わせ）

	A	B	C	D
1	舌でつぶせる状態	腰	舌で押し出す	3〜4か月
2	舌でつぶせる状態	腰	舌で押し出す	5〜6か月
3	歯ぐきでつぶせる状態	首	噛む	3〜4か月
4	なめらかにすりつぶした状態	首	舌で押し出す	5〜6か月
5	なめらかにすりつぶした状態	首	噛む	3〜4か月

一問一答編

ベスト過去問編

本試験編

次のうち，幼児の食生活に関する記述として，適切なものを○，不適切なものを×とした場合の正しい組み合わせを一つ選びなさい。

A ほとんどの子どもは3歳頃になるまでにすべての乳歯が生え揃う。

B スプーンやフォークの握り方は，手のひら握り，鉛筆握り，指握りへと発達していく。

C 唾液中には，でんぷん分解酵素のプチアリンが含まれる。

D 「楽しく食べる子どもに～食からはじまる健やかガイド～」（平成16年 厚生労働省）における「発育・発達過程に応じて育てたい"食べる力"」の一つとして，幼児期では「家族や仲間と一緒に食べる楽しさを味わう」をあげている。

（組み合わせ）

	A	B	C	D
1	○	○	×	×
2	○	×	○	○
3	○	×	×	○
4	×	○	○	×
5	×	×	○	×

問9 次のうち，「学校給食法」に示された「学校給食の目標」として，正しいものを○，誤ったものを×とした場合の正しい組み合わせを一つ選びなさい。

A 日本の食料自給率を向上させること。

B 適切な栄養の摂取による体力の向上を図ること。

C 食生活が自然の恩恵の上に成り立つものであることについての理解を深め，生命及び自然を尊重する精神並びに環境の保全に寄与する態度を養うこと。

D 食料の生産，流通及び消費について，正しい理解に導くこと。

（組み合わせ）

	A	B	C	D
1	○	○	×	○
2	○	×	×	×
3	×	○	○	×
4	×	○	×	○
5	×	×	○	○

問10 次のうち，学童期・思春期の肥満とやせに関する記述として，適切なものの組み合わせを一つ選びなさい。

A 「令和3年度学校保健統計調査」（文部科学省）における小学校の肥満傾向児の割合は，男女ともに2％未満である。

B 神経性やせ症（神経性食欲不振症）の思春期女子の発症頻度は，思春期男子と差がない。

C 小児期のメタボリックシンドロームの診断基準における腹囲の基準は，男女とも同じである。

D 学童期・思春期の体格の判定は，性別・年齢別・身長別の標準体重に対しての肥満度を算出し，肥満度が20％以上の場合を肥満傾向児とする。

（組み合わせ）
1　A　　B
2　A　　C
3　A　　D
4　B　　C
5　C　　D

問11 次のうち，妊娠期の栄養と食生活に関する記述として，適切なものを○，不適切なものを×とした場合の正しい組み合わせを一つ選びなさい。

A　「日本人の食事摂取基準（2020年版）」（厚生労働省）において，妊婦にカルシウムの付加量は設定されていない。

B　「妊産婦のための食事バランスガイド」（令和3年　厚生労働省）において，妊娠中期の1日分付加量は，主食，副菜，主菜，牛乳・乳製品，果物の5つの区分すべてにおいて，＋1（SV：サービング）である。

C　妊娠期間中の推奨体重増加量は，妊娠前の体格別に設定されている。

D　妊娠中は胎児のために安静にし，ウォーキングなどの運動はしないようにする。

（組み合わせ）
　　　A　B　C　D
1　○　○　○　×
2　○　○　×　○
3　○　×　○　×
4　×　○　×　○
5　×　×　○　○

問12 次の文は，「食育基本法」の前文の一部である。（　A　）・（　B　）にあてはまる語句を【語群】から選択した場合の正しい組み合わせを一つ選びなさい。

　子どもたちに対する食育は，心身の成長及び人格の形成に大きな影響を及ぼし，生涯にわたって（　A　）を培い（　B　）をはぐくんでいく基礎となるものである。

【語群】

ア　生きる力	イ　健全な心と身体	ウ　適切な判断力
エ　豊かな人間性	オ　「食」を選択する力	

（組み合わせ）
　　　A　B
1　ア　ウ
2　ア　エ
3　イ　エ
4　イ　オ
5　ウ　オ

問13 次のうち，「第4次食育推進基本計画」（令和3年　農林水産省）の3つの重点事項として，適切なものの組み合わせを一つ選びなさい。

A 持続可能な食を支える食育の推進
B 家庭における共食を通じた子どもへの食育の推進
C 「新たな日常」やデジタル化に対応した食育の推進
D 若い世代を中心とした食育の推進
E 生涯を通じた心身の健康を支える食育の推進

（組み合わせ）
1 A B C
2 A C D
3 A C E
4 B C D
5 B D E

問14 次のうち，「保育所保育指針」第3章「健康及び安全」2「食育の推進」の一部として，正しいものを○，誤ったものを×とした場合の正しい組み合わせを一つ選びなさい。

A 子どもと調理員等との関わりや，調理室など食に関わる保育環境に配慮すること。
B 栄養士が配置されている場合は，専門性を生かした対応を図ること。
C 食事の提供を含む食育計画を全体的な計画に基づいて作成し，その評価及び改善に努めること。
D 保育所における食育は，健康な生活の基本としての「生きる力」の育成に向け，その基礎を培うことを目標とすること。

（組み合わせ）
　　 A B C D
1 ○ ○ ○ ×
2 ○ ○ × ○
3 ○ × ○ ○
4 × ○ ○ ×
5 × × × ○

次のうち，大豆からできる食べ物として，<u>不適切なもの</u>を一つ選びなさい。

1 しょうゆ
2 豆苗
3 きな粉
4 油揚げ
5 豆乳

 次のうち，「家庭でできる食中毒予防の6つのポイント」（厚生労働省）に関する記述として，<u>不適切な記述</u>を一つ選びなさい。

1 表示のある食品は，消費期限などを確認し，購入する。
2 食中毒予防の三原則は，食中毒菌を「付けない，増やさない，やっつける（殺す）」である。
3 購入した肉・魚は，水分のもれがないように，ビニール袋などにそれぞれ分けて包み，持ち帰る。
4 残った食品は，早く冷えるように浅い容器に小分けして保存する。
5 冷蔵庫は，15℃以下に維持することが目安である。

問17 次のうち，「食品による子どもの窒息・誤嚥事故に注意！」（令和3年1月　消費者庁）の窒息・誤嚥事故防止に関する記述として，適切なものを○，不適切なものを×とした場合の正しい組み合わせを一つ選びなさい。

A　硬い豆やナッツ類を乳幼児に与える場合は，小さく砕いて与える。
B　食べているときは，姿勢をよくし，食べることに集中させる。
C　節分の豆まきは個包装されたものを使用するなど工夫して行い，子どもが拾って口に入れないように，後片付けを徹底する。
D　ミニトマトやブドウ等の球状の食品を乳幼児に与える場合は，4等分する，調理して軟らかくするなどして，よく噛んで食べさせる。

（組み合わせ）

	A	B	C	D
1	○	○	○	○
2	○	×	○	×
3	×	○	○	○
4	×	○	×	○
5	×	×	×	×

一問一答編

ベスト過去問編

本試験編

問18 次のうち，食品ロス及び食料自給率に関する記述として，適切なものを○，不適切なものを×とした場合の正しい組み合わせを一つ選びなさい。

A 「食品ロス」とは，本来食べられるのに捨てられてしまう食品のことをいう。

B 食品ロスを減らすための例として，陳列されている商品を奥からとらずに，賞味期限が切れるのが早い順番に買うことがあげられる。

C 「令和3年度食料需給表」（農林水産省）による，日本の供給熱量ベースの総合食料自給率は約60％である。

D 令和2年度の食品ロス量推計値（農林水産省）では，家庭系食品ロス量（各家庭から発生する食品ロス）の方が，事業系食品ロス量（事業活動を伴って発生する食品ロス）よりも多い。

（組み合わせ）

	A	B	C	D
1	○	○	○	×
2	○	○	×	×
3	○	×	×	○
4	×	○	×	×
5	×	×	○	○

 問19 次のうち，乳児ボツリヌス症の原因となる食品として，1歳を過ぎるまで<u>与えてはいけない食品</u>を一つ選びなさい。

1 卵

2 レバー

3 バター

4 はちみつ

5 白身魚

 問20 次のうち，食物アレルギーに関する記述として，適切なものの組み合わせを一つ選びなさい。

A 「食品表示法」により容器包装された加工食品において，アレルギー表示が義務づけられている原材料は，卵，乳，小麦，大豆の4品目である。

B 卵アレルギーの場合，基本的に鶏肉は除去する必要はない。

C 食物アレルギーであっても，離乳食の開始や進行を遅らせる必要はない。

D アレルギーを起こす原因物質をアナフィラキシーという。

（組み合わせ）

1 A B

2 A C

3 A D

4 B C

5 C D

正答と解説はP431〜

9 保育実習理論

60分
正解 ⬜ ／20

問1 次の曲の伴奏部分として，A〜Dにあてはまるものの正しい組み合わせを一つ選びなさい。

JASRAC 出 2405064-401

（組み合わせ）

	A	B	C	D
1	ア	ウ	イ	エ
2	イ	ア	ウ	エ
3	イ	ウ	エ	ア
4	ウ	ア	エ	イ
5	ウ	エ	イ	ア

一問一答編

ベスト過去問編

本試験編

次のA～Dの音楽用語の意味を【語群】から選択した場合の正しい組み合わせを一つ選びなさい。

A dim.

B andante

C D.S.

D rit.

【語群】

ア	コーダにとぶ	イ	やさしく	ウ	少し弱く
エ	だんだん遅く	オ	ゆっくり歩くような速さで	カ	だんだん弱く
キ	セーニョに戻る	ク	強く	ケ	音を短く切って
コ	中ぐらいの速さで				

（組み合わせ）

	A	B	C	D
1	エ	オ	ア	ケ
2	エ	コ	キ	ウ
3	カ	イ	ア	エ
4	カ	オ	キ	エ
5	コ	イ	ク	オ

 次の楽譜から長三和音（メジャーコード）を抽出した正しい組み合わせを一つ選びなさい。

（組み合わせ）

1	ア	イ	エ
2	ア	ウ	カ
3	イ	エ	オ
4	イ	エ	カ
5	ウ	オ	カ

問4 次の曲を4歳児クラスで歌ってみたところ，最高音が歌いにくそうであった。そこで短3度下げて歌うことにした。その場合，下記のコードはどのように変えたらよいか。正しい組み合わせを一つ選びなさい。

JASRAC 出 2405064-401

（組み合わせ）

	F	Am	B$^\flat_6$
1	E$^\flat$	Gm	A$^\flat_6$
2	E$^\flat$	Gm	A$_6$
3	D	Fm	G$^\flat_6$
4	D	F$^\sharp$m	G$_6$
5	C	Em	F$_6$

問5 次のリズムは，ある曲の歌い始めの部分である。それは次のうちのどれか，一つ選びなさい。

1 春の小川（文部省唱歌，作詞：高野辰之　作曲：岡野貞一）
2 かたつむり（文部省唱歌）
3 春がきた（文部省唱歌，作詞：高野辰之　作曲：岡野貞一）
4 虫のこえ（文部省唱歌）
5 茶つみ（文部省唱歌）

問6 次のうち，**不適切なもの**を一つ選びなさい。

1 『赤い鳥』は，大正時代に鈴木三重吉が創刊した雑誌である。
2 マザーグースとは，イギリスの伝承童謡である。
3 大太鼓や小太鼓は，膜鳴楽器である。
4 「むすんでひらいて」の旋律を作曲したのは，ルソー（Rousseau, J.-J.）である。
5 移調とは，曲の途中で，調が変化することである。

問7 次の文は，「保育所保育指針」第２章「保育の内容」３「３歳以上児の保育に関するねらい及び内容」オ「表現」の一部である。（　A　）～（　C　）にあてはまる語句の正しい組み合わせを一つ選びなさい。

豊かな感性は，身近な（　**A**　）と十分に関わる中で美しいもの，優れたもの，心を動かす出来事などに出会い，そこから得た（　**B**　）を他の子どもや保育士等と共有し，様々に表現することなどを通して養われるようにすること。その際，（　**C**　）の音や雨の音，身近にある草や花の形や色など自然の中にある音，形，色などに気付くようにすること。

（組み合わせ）

	A	B	C
1	自然	感動	風
2	自然	情報	虫
3	環境	知識	波
4	環境	感動	風
5	自然	知識	虫

問8 次のうち，幼児期の描画表現の発達に関する記述として，適切な記述を○，不適切な記述を×とした場合の正しい組み合わせを一つ選びなさい。

A 描画表現において見られる地面のような線（基底線表現）は，空間認識の表れや描かれているものの位置関係の表現と考えることができる。

B 人物表現の初期に見られる，頭から手足が出ているような表現は，一般的に「頭足人」とよばれる。

C 描画表現の発達段階については，発達の指標と考え，年齢段階に達するための技術指導を行う。

D 描画表現の発達は，文化的な影響が強いため，海外の幼児の描画発達との共通性は見られない。

（組み合わせ）

	A	B	C	D
1	○	○	○	×
2	○	○	×	×
3	○	×	×	○
4	×	○	○	○
5	×	○	×	○

問9 次の【事例】を読んで，【設問】に答えなさい。

【事例】

　子どもたちが透明な容器に水を入れ，絵の具をつけた筆を入れて色水を作って遊んでいます。その様子を見ながら，新任のP保育士（以下，P）と主任のQ保育士（以下，Q）が話し合っています。

P：Mさんは，黄色のついた筆と，同じ量の（　A　）色のついた筆を水の入った容器に入れて，よくかき混ぜました。すると，きれいな橙色になりました。

Q：きれいな橙色になったのは，（　B　）色同士を混ぜたからですね。

P：Nさんは，（　C　）色のついた筆と，同じ量の黄色のついた筆を水の入った容器に入れて，よくかき混ぜたのですが，できた色は黒ずみました。

Q：黒ずんだのは，（　D　）関係に近い色を混ぜたからですね。混ぜ合わせる色同士を，色相環の中にイメージすると，どんな色が生まれるかが分かるようになりますね。

【設問】

　（　A　）～（　D　）にあてはまる語句の正しい組み合わせを一つ選びなさい。

　（組み合わせ）

	A	B	C	D
1	赤	類似	紫	補色
2	紫	反対	緑	補色
3	赤	類似	緑	補色
4	紫	反対	緑	対比
5	赤	類似	紫	対比

問10 次のうち，でんぷん糊の説明として，適切な記述を○，不適切な記述を×とした場合の正しい組み合わせを一つ選びなさい。

A　主に，紙同士を接着する時に使われる。

B　天然の凝固物であるカゼインでできている。

C　古来より，穀物などを用いて作られてきた。

D　水と混ぜると硬化し固着する。

　（組み合わせ）

	A	B	C	D
1	○	○	○	×
2	○	○	×	×
3	○	×	○	×
4	×	○	○	○
5	×	×	×	○

問11 次の【事例】を読んで，【設問】に答えなさい。

【事例】
　3歳児クラス担当のK保育士（以下，K）とY保育士（以下，Y）は，明日の保育についての打ち合わせをしています。

K：この前，ボードに絵を付着させて演じる（　**A**　）を子どもたちと一緒に楽しみましたが，明日は保育者のコスチュームが舞台となる（　**B**　）を使ってお話をしたいと思います。

Y：そうですね。フェルトで作った人形を使うので，演じた後に実際に触れることができるのがいいですね。（　**C**　）を使った人形の出し入れを，子どもたちもやってみたいと思うかもしれませんね。

K：子どもたちと演じる遊びを楽しむために，その他にも動かせる人形である（　**D**　）をいろいろな素材で作ってみたいと思います。

【設問】
　（　**A**　）〜（　**D**　）にあてはまる語句の正しい組み合わせを一つ選びなさい。
　（組み合わせ）

	A	B	C	D
1	ペープサート	パネルシアター	ステープラー	パレット
2	ペープサート	パネルシアター	ポケット	パレット
3	パネルシアター	エプロンシアター	ポケット	パペット
4	パネルシアター	エプロンシアター	ステープラー	パペット
5	ペープサート	パネルシアター	ポケット	ペレット

問12 切り紙遊びで図1のように紙を折って，図2の実線にはさみで切り込みを入れたのち，開くとできる模様として，図3の1～5のうち，正しいものを一つ選びなさい。（紙などを実際に折ったり切ったりしないで考えること。）

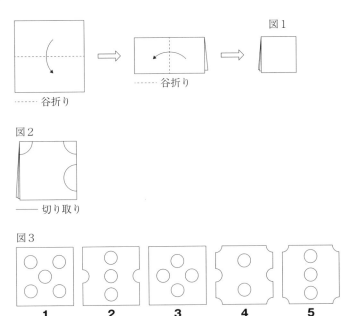

問13 次の【事例】を読んで，【設問】に答えなさい。

【事例】

　P保育所の施設長は，今年度の研修について検討している。現在，P保育所には，食育に関心があると日頃から話しているK保育士，保護者対応に困難を感じているL保育士，ダウン症の子どもを担当しているM保育士などが在籍している。

【設問】

　次のうち，研修の取り組みとして，適切なものを○，不適切なものを×とした場合の正しい組み合わせを一つ選びなさい。

　A　昨年度，食育の園外研修に参加したK保育士を食育の推進リーダーに任命し，園内研修で他の保育士に対して情報提供を行う機会を設ける。

　B　保護者対応について園内研修としてカンファレンスを行うことにしたが，L保育士には守秘義務があるため自身が抱える事例に関しては触れないように伝える。

　C　自治体が主催する知的障害・発達障害に関する今年度の研修会への参加募集の案内が届いたため，M保育士にのみ，その情報を伝える。

（組み合わせ）

	A	B	C
1	○	○	○
2	○	○	×
3	○	×	×
4	×	○	○
5	×	×	○

問14 次の【事例】を読んで，【設問】に答えなさい。

【事例】

　保育所に勤務して2年目になるS保育士は，5歳児クラスの担当をしている。昼食の前にクラスで絵本の読み聞かせをしている時に，T君は興味が続かず，一人で廊下に飛び出してしまい，S保育士が何度声を掛けても，保育室に戻らないことがたびたびあった。

【設問】

　次のうち，絵本の読み聞かせの際のS保育士の対応として，適切なものを○，不適切なものを×とした場合の正しい組み合わせを一つ選びなさい。

　A　T君が絵本に集中できるように，掲示物がないシンプルな壁などを背景にして，読み聞かせを行う。

　B　T君の様子を見守りつつすぐに声を掛けられるように，S保育士の近くにT君が座れるよう配慮する。

　C　飛び出しそうになったら，T君をすぐに厳しく注意する。

　D　読み聞かせをしている時には，S保育士はその場を離れられないので，月齢が高く，クラスのリーダー的役割を担っている子どもに，毎回T君を追いかけてもらうように頼む。

（組み合わせ）

	A	B	C	D
1	○	○	×	×
2	○	×	○	×
3	○	×	×	○
4	×	○	×	×
5	×	×	○	○

問15 次のうち，「保育所保育指針」第2章「保育の内容」2「1歳以上3歳未満児の保育に関わるねらい及び内容」エ「言葉」の内容に照らし，適切なものを○，不適切なものを×とした場合の正しい組み合わせを一つ選びなさい。

A 子どもは，応答的な大人との関わりによって，自ら相手に呼びかけたり，承諾や拒否を表す片言や一語文を話したり，言葉で言い表せないことは指差しや身振りなどで示したりして，親しい大人に自分の欲求や気持ちを伝えようとする。

B 子どもは，保育所での集団生活を送る中で，様々な生活に必要な言葉に出会う。例えば「マンマ」や「ネンネ」など，生活習慣や慣れ親しんだ活動内容を表す言葉がある。一方，「散歩」「着替える」などのように，毎日の同じ生活場面で繰り返し耳にすることで，次第に気付くようになる言葉もある。

C 子どもは，家庭や地域の生活の中で，文字などの記号の果たす役割とその意味を理解するようになると，自分でも文字などの記号を使いたいと思うようになる。また，保育所の生活においては，複数のクラスや保育士等，さらには，多くの友達などがいるために，その所属や名前の文字を読んだり，理解したりすることが必要になる。

D 「当番の仕事」という言葉を耳にしても初めは何をどうすることなのか理解できない子どもも，保育士等や友達と一緒に行動することを通して，次第にその言葉を理解し，戸惑わずに行動できるようになっていく。

（組み合わせ）

	A	B	C	D
1	○	○	○	×
2	○	○	×	×
3	○	×	○	×
4	×	○	○	○
5	×	×	×	○

次の【事例】を読んで，【設問】に答えなさい。

【事例】
　M保育所は，この地域で唯一休日保育を実施している認可保育所である。現在，M保育所の所長は，災害発生時等の保育所の安全対策や対応についての確認を行っているところである。

【設問】
　次のうち，安全対策の取り組みとして，適切なものを○，不適切なものを×とした場合の正しい組み合わせを一つ選びなさい。

A　園庭にある遊具は，毎年専門の業者に点検に来てもらっているため，保育士は点検しない。

B　毎年運動会で使用する入退場門が園舎の横に置かれていたが，子どもが避難する際の避難経路の幅が確保できないため，撤去することとした。

C　休日保育は，通常保育とは勤務する保育士の人数が異なるため，休日保育を想定した避難訓練を計画する必要はない。

（組み合わせ）

	A	B	C
1	○	○	×
2	○	×	×
3	×	○	○
4	×	○	×
5	×	×	○

 次のうち，保育所で保育実習を行っている実習生Jさんの行動や態度として，適切なものを○，不適切なものを×とした場合の正しい組み合わせを一つ選びなさい。

A　実習日誌の園児の個人の記録は詳細に書かなければならないため，子どもの氏名や家族構成，連絡先なども必ず書く。

B　保育者同士の連携が必要なので，帰り道にカフェなどを利用して，同じ期間に実習しているKさんと実習日誌を見せ合い，担当している子どもや家族についての情報交換を行う。

C　実習日誌に書いたことが正しいかわからないときは，SNSに実習先の保育所の情報や日誌の具体的な内容を書き込みし，色々な人から意見をもらって指摘してもらう。

D　実習先の子どもを街中で見かけた時には，積極的に声をかけ，その子どもの保育所での様子などを保護者に伝え，子どもへの接し方を改善するよう指導する。

（組み合わせ）

	A	B	C	D
1	○	○	×	×
2	○	×	○	○
3	○	×	×	○
4	×	○	○	×
5	×	×	×	×

問18 次のうち，保育場面で紙芝居を演じる際の留意点等として，適切な記述を○，不適切な記述を×とした場合の正しい組み合わせを一つ選びなさい。

A 場面に応じて，ぬき方のタイミングを工夫する。
B 声の大きさ，強弱，トーンなどの演出はしない。
C 演じ手は子どもの反応を受け止めずに進める。
D 舞台や幕を使うことが効果的である。

（組み合わせ）

	A	B	C	D
1	○	○	○	○
2	○	○	×	×
3	○	×	×	○
4	×	×	○	○
5	×	×	×	×

問19 次の【事例】を読んで，【設問】に答えなさい。

【事例】
　Sちゃん（7歳，女児）は，児童養護施設で生活している。実習生のMさんが実習を始めた当初は，声をかけると穏やかに応答していたが，しばらく経つと「早く来てよ」「これ終わるまで一緒にいてくれないとダメ」などと強い命令口調で言うようになった。MさんがSちゃんの要求に応えないと「なんでよ！もうここに来ないで！」などと怒鳴る一方で，翌日には抱っこをせがむこともある。ある日，Sちゃんがぬいぐるみを投げたことを注意したところ，Sちゃんは「お姉さん嫌い！お姉さんもどうせ私のこと嫌いなんでしょ！」と言って泣き出し，近くにあった他のぬいぐるみも投げ続けた。

【設問】
　次のうち，実習生MさんがとるべきSちゃんへの対応として，適切なものを○，不適切なものを×とした場合の正しい組み合わせを一つ選びなさい。

A 「あなたがぬいぐるみを投げたことが悪いんでしょう」と伝える。
B 「Sちゃんが良い子にしていれば，みんなあなたのことを好きになるんだよ」と伝える。
C Sちゃんが落ち着くまでしばらく見守りながら一緒にいる。
D Sちゃんの言動について，その日の実習終了時に実習指導者に相談する。

（組み合わせ）

	A	B	C	D
1	○	○	○	×
2	○	×	○	×
3	×	○	×	○
4	×	×	○	○
5	×	×	×	×

問20 次の【事例】を読んで,【設問】に答えなさい。

【事例】

児童養護施設のグループホームで実習をしているGさんは,Uさん(高校2年生,女児)から次のような相談を受けた。Uさんが,担当のP保育士に「高校卒業後に進学したい」と相談したところ,P保育士からは「親族の経済的な支援が期待できない中,学費について苦労をするから就職する方向で検討した方が良いと思うよ」と言われたため,「どうしたら良いかわからない」とのことだった。なお,実習開始時からGさんは,Q実習指導者に指導を受けている。

【設問】

次のうち,GさんのUさんへの対応として,適切な記述を○,不適切な記述を×とした場合の正しい組み合わせを一つ選びなさい。

A P保育士はUさんのことを思い助言しているのだから,就職するよう伝える。
B 相談内容について,Q実習指導者に伝えても良いかUさんに確認する。
C Uさんの気持ちを理解しようと努める。
D 「親族も支援してくれないのはひどいよね」と話す。

（組み合わせ）

	A	B	C	D
1	○	○	○	×
2	○	○	×	×
3	○	×	×	○
4	×	○	○	×
5	×	×	○	○

本試験解説

使い方

　本章では，2024（令和6）年前期試験の解説を掲載しています。知識を覚えるインプットの作業に対し，問題を解くことはアウトプットの作業です。

アウトプットの目的は，主に3つあります。

① 答え合わせをして，自分の習熟度を確認。

② 覚えた知識がどのような形，スタイルで出題されるかを確認。

③ 何が解答ポイントとして出題されるのか？　キーポイントを確認。

　大切なのは，正解できた問題も含めすべての問題に対して解説を照らし合わせ，丁寧に復習すること。これが合格への近道です。

本試験解説（令和6年前期試験）

● 正答番号

1 保育の心理学

問1	問2	問3	問4	問5	問6	問7	問8	問9	問10	問11	問12	問13	問14	問15	問16	問17	問18	問19	問20
4	3	4	4	3	5	3	2	4	1	3	5	3	1	4	2	5	2	5	2

2 保育原理

問1	問2	問3	問4	問5	問6	問7	問8	問9	問10	問11	問12	問13	問14	問15	問16	問17	問18	問19	問20
5	4	2	1	5	5	4	5	3	3	1	3	3	3	2	4	2	2	1	3

3 子ども家庭福祉

問1	問2	問3	問4	問5	問6	問7	問8	問9	問10	問11	問12	問13	問14	問15	問16	問17	問18	問19	問20
2	2	3	4	1	1	3	3	5	2	5	3	5	4	4	1	2	3	5	2

4 社会福祉

問1	問2	問3	問4	問5	問6	問7	問8	問9	問10	問11	問12	問13	問14	問15	問16	問17	問18	問19	問20
1	5	1	1	2	1	1	2	3	1	4	1	5	2	5	4	3	5	4	5

5 教育原理

問1	問2	問3	問4	問5	問6	問7	問8	問9	問10
4	5	4	4	5	5	4	3	2	5

6 社会的養護

問1	問2	問3	問4	問5	問6	問7	問8	問9	問10
2	4	1	1	1	4	3	2	4	5

7 子どもの保健

問1	問2	問3	問4	問5	問6	問7	問8	問9	問10	問11	問12	問13	問14	問15	問16	問17	問18	問19	問20
4	3	4	3	1	5	3	3	3	1	2	3	2	1	2	1	3	2	2	4

8 子どもの食と栄養

問1	問2	問3	問4	問5	問6	問7	問8	問9	問10	問11	問12	問13	問14	問15	問16	問17	問18	問19	問20
1	5	4	1	2	3	4	2	5	5	3	3	1	2	5	3	2	4	4	

9 保育実習理論

問1	問2	問3	問4	問5	問6	問7	問8	問9	問10	問11	問12	問13	問14	問15	問16	問17	問18	問19	問20
3	4	3	4	5	4	2	1	3	2	1	3	2	1	2	4	5	3	4	4

1 保育の心理学

 問1 アタッチメント（愛着）　　　難易度★★　頻出度★★★　正答4

A-ボウルビィ，B-自動的，C-沈静化，D-行動制御システムが入る。

愛着は，主に乳幼児期の子どもと養育者との間で築かれる心理的な絆のこと。

アタッチメント（愛着）について研究したのは**ボウルビィ**であり，**愛着**とは「人間や動物が，特定の個体に対して持つ情愛的な絆」のこととした。人間は不安や恐れの感情が強くなると，特定の人物にしっかりとくっつく，あるいはくっついてもらうことにより，安心感や安全感を回復，維持しようとする行動制御システムを有しているとした。

エインズワースはストレンジ・シチュエーション法（新奇場面法）の実験から，愛着の質について研究した。

問2 乳児の音声知覚の発達　　難易度★★　頻出度★★　正答3

Ⓐ ○ 新生児は人の音声がもついろいろな特徴を弁別できる。

新生児が類似した音の聞き分けができるのは，音声に対する感受性が生得的に備わっているのと併せて，養育者の話し声から言語特有の特徴を学習しているためだと考えられている。

Ⓑ × 乳児の聴覚機能の発達は早いが，視覚機能は徐々に発達していく。

新生児聴覚検査が実施されているように，乳児の聴覚機能の発達は早い時期からみられる。一方，新生児は焦点を合わせることが上手にできず，視力は0.02くらいといわれている。

Ⓒ × 乳児は女性の高い音域の声を好む傾向がある。

乳児は人間の音声と他の音を区別し，人間の音声を好む傾向がある。また，男性の声に比べて女性の音声や心音を好み，女性の音声の中でも自分の母親の音声を好む傾向を示す。

Ⓓ ○ 同じ刺激を反復提示すると注意が低下して反応が減少することを馴化という。

乳児は新奇な刺激を好んで見る（新奇選好）が，しばらくすると同じ刺激に退屈してしまう（**馴化**）。この性質を利用して，刺激の弁別を調べる方法に**馴化・脱馴化法**がある。

問3 心の理論の発達　　難易度★　頻出度★★★　正答4

Ⓐ × 誤信念課題に正答できるのは4歳以降である。

誤信念課題は**心の理論**の検査法である。ある事実を自分は知っているが，その事実を知らない他者はどのように考えるかを問う検査であり，「サリーとアンの課題」が有名である。

Ⓑ ○ 自閉スペクトラム症は心の理論の獲得に困難があることが指摘されている。

自閉スペクトラム症のコミュニケーションや社会性の障害は，他者の視点や意図，感情や考えを推測する能力である心の理論に歪みや欠損があると考えられている。

Ⓒ ○ 共同注意は心の理論の獲得，理解の前駆体となっていると考えられている。

共同注意とは他者との間で共通の対象に注意を向けること。共同注意が成立するためには，注意を向けるという心的状態の理解が必要であり，これが心の理論の前駆体（土台）とみなされている。

Ⓓ ○ 心の理論とは自分や他者の行動を予測，説明するための推論システムのこと。

心の理論という用語は，チンパンジーの実験研究を行っていた**プレマック**が

用いた。心の理論における「心」には，外からは直接観察できない心的状態や認知的活動（考える，思うなど）についての知識などが含まれる。

(問4) 社会情動的発達　　　　　　　難易度★★　　頻出度★★　　正答4

A-ダブルタッチ，B-共鳴動作，C-自己主張，D-ルイスが入る。

A-イ ダブルタッチとは自分を触る感覚と触られている感覚の両方を感じること。
指しゃぶりの場合の**ダブルタッチ**は，指のほうは触った感覚，口のほうは触られた感覚となる。

B-ウ 共鳴動作は目の前の人の行動を模倣しているように見える乳児の応答行動。
メルツォフは乳児に対面して口の開け閉めをすると，乳児も自分の口を開け閉めすることを観察した。また**コンドン**らは大人が新生児に声がけすると，声のリズムに合わせて身体を動かす様子を観察している。これらは**共鳴動作**によるものである。

C-キ 自己主張は外部の圧力に対抗して自己の欲求を実現しようとする行為のこと。
幼児期には，大人の禁止や制約に対する反抗や拒否によって**自己主張**することが多い。この自己主張が目立つのは1歳半頃～3歳代で，**第一反抗期**と呼ばれる時期である。

D-ク ルイスは，情動は運動や認知などの発達と関連しながら分化するとした。
ルイスは，人は誕生時には「充足，興味，苦痛」という情動を備えており，生後3か月頃までに充足から分岐して「喜び」が，苦痛から「哀しみ」と「嫌悪」が分岐するとした。生後4～6か月頃になると興味から分岐して「驚き」が，苦痛から「怒り」「恐れ」が分岐するとした。この9つの感情を**原初的感情**と呼んだ。

(問5) 乳幼児の運動発達　　　　　　　難易度★★　　頻出度★★　　正答3

A ○ ひとり歩きは生後1歳3～4か月末満の幼児の90％以上が可能である。
ひとり歩き（二足歩行）ができると自分で好きな所に行けるので，行動範囲が広がる。また，ハイハイのように移動に手を使うことはないので，両手で物を持って運ぶことも可能となる。

B ✕ 乳児の運動機能の発達は身体の中心部から末梢部へという方向性がある。
身体の発達には，**頭部から尾部へ**，**身体の中心部から末梢部へ**という**方向性**がみられる。また，ハイハイ→つかまり立ち→伝い歩き→ひとり歩きや，身体全体のバランスを要する大きな動きの**粗大運動**→手先の細かい動きである**微細運動**という**順序性**もある。

C ○ 幼児期後期では基礎的な運動が可能となり，より複雑な動きも身につける。
幼児期後期（約3歳～6歳頃）になると，走る，跳ぶ，投げるなどの基礎的

な運動が可能となる。さらにブランコの立ち乗りやスキップなどの動きを身につけていく。

Ⓓ ✕ 幼児期の子どもについての体力・運動能力テストは実施されている。
文部科学省は実践的研究を実施した（平成19年度～21年度）。その中で幼児の「走る，跳ぶ，投げる，捕る，つく，転がる」について調査し，その結果を報告書としてまとめている。

問6 乳幼児期の学びに関する理論　　難易度★★　頻出度★★★　正答5

A-発達の最近接領域，B-レスポンデント条件づけ，C-モデリング，D-構成主義が入る。

Ⓐ-エ　ヴィゴツキーは発達の最近接領域への働きかけを重視した。
ヴィゴツキーは，子どもが一人でできる水準（すでに完成した水準）と，大人などの援助があれば解決可能な水準（成熟しつつある水準）の差分を**発達の最近接領域**と呼んだ。今はできないが，次はその子一人でできるようになる発達領域のことである。

Ⓑ-ウ　パブロフは犬の実験からレスポンデント条件づけを説明した。
レスポンデント条件づけは古典的条件づけともいう。条件刺激と無条件刺激の対呈示により，条件刺激に対して条件反応がみられるようになる現象である。

Ⓒ-オ　バンデューラはモデリングについて研究した。
モデリングは観察学習ともいう。学習者が実際に行動せずに，他者の行動とその結果を観察することで学習が成立するものである。

Ⓓ-ク　構成主義では「知るという行為はその人自身の能動的な活動による」とする。
ピアジェは，外界の対象に働きかける際に，その対象が自分に合わない場合は自分のほうをその対象に合わせて修正することを「**調節**」と呼んだ。この調節は他者に言われて行うものではなく，自ら行っている点に注目したピアジェの考えを**構成主義**や**構築説**という。

問7 幼児期の認知発達　　難易度★★　頻出度★★　正答3

計数や空間知覚などの認知発達は，遊びや日常生活と関連している。
計数とは，「いち，に，さん‥‥」のように何らかの項目を数えることである。形の認識は，三角や四角などの形の違いを識別，理解することである。**計算**は足し算や引き算といった数式を用いることを示すもので，本問の内容には適さない。**空間知覚**については，上下の感覚の理解は比較的早いといわれている。上下が理解できると，次に前後の感覚，そして左右の感覚の順番で発達していく。

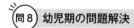

(問8) 幼児期の問題解決 難易度★★ 頻出度★ 正答2

Ⓐ ○ 幼児は日々の生活や遊びの中で，問題解決のために試行錯誤している。

　試行錯誤とは，問題解決場面においていろいろなことを試しているうちに，結果的に解決方法にたどり着くことである。

Ⓑ ○ 問題解決とは目標に到達できるよう，手段や方法を考えて実行すること。

　問題とは，目標を達成したいのに，そのための手段や方法が明白ではない状況のことである。光る泥団子を作りたい（目標）が，作り方がわからないことが「問題」となる。

Ⓒ ✕ 保育士は子どもの活動を見守ることも必要である。

　保育所保育指針1章には「子どもが自ら周囲に働きかけ，試行錯誤しつつ自分の力で行う活動を見守りながら，適切に援助すること」とある。問題解決しようとしている子どもを**見守る**ことも，保育士の関わり方の一つである。

Ⓓ ✕ 幼児期は言語的情報のみの思考は難しい。

　ピアジェの認知発達理論では，具体物がなく文字や記号だけで抽象的思考が可能となるのは**形式的操作期**（11歳以降）としている。

(問9) 学童期の発達 難易度★★ 頻出度★★★ 正答4

Ⓐ ✕ 学童期の善悪の判断は行為の背後にある意図や動機を重視する。

　ピアジェは，**道徳的判断**は行為の結果を重視する判断（悪意をもってコップを1つ壊すのと，たまたま5個のコップを割ってしまった場合，5個割ったほうが悪い）から，行為の背後にある意図や動機を重視する判断（悪意をもっているほうが悪い）へと移行するとした。

Ⓑ ✕ 学童期の仲間関係はギャンググループと呼ばれる。

　ギャンググループは，同性で同年齢のメンバーで構成され，強い閉鎖性や排他性を示し，大人からの干渉を避けるなどの特徴がある。高校生以降にみられる**ピアグループ**は他者尊重ができる関係である。

Ⓒ ○ 学童期になると保存概念を獲得，理解し，外見的特徴に左右されなくなる。

　保存概念とは，配置状態や形を変えるなど対象の見た目を変化させても，その対象の数量は一定であることを理解できること。**ピアジェ**は学童期に当たる**具体的操作期**に保存概念を獲得，理解するとした。

Ⓓ ○ エリクソンは学童期の特徴を「勤勉性 対 劣等感」とした。

　エリクソンは人間の一生を**8段階**に分け，各時期に「**発達課題**対**心理社会的危機**」があるとした。勤勉性とは1つのことにコツコツ真面目に取り組むこと，劣等感とは自分は劣っているという感覚である。

問10 青年期の発達　　　難易度★★　頻出度★★　正答1

A-一時的，B-アイデンティティ拡散，C-マーシア，D-早期完了が入る。

Ⓐ-オ 青年期には一時的に自分の存在意義や社会的役割を見失うことがある。
思春期に出現する**第二次性徴**は，自分の身体のことなのに自分でコントロールができない。それに伴い「自分はどういう存在なのか？」と自分に意識が向き，悩みや不安を抱える。

Ⓑ-ア エリクソンは青年期の心理社会的危機を「アイデンティティ拡散」とした。
青年期の発達課題である**アイデンティティ**は，「自分とは何者か」「どう生きていくのか」についての答えである。アイデンティティを模索したが失敗した，または探索せずアイデンティティが獲得されない状態が**アイデンティティ拡散**である。

Ⓒ-エ マーシアはアイデンティティ・ステイタスを4つに分類した。
アイデンティティ・ステイタスには「**アイデンティティ達成**」「**早期完了**」「**モラトリアム**」「**アイデンティティ拡散**」がある。青年が大人から自立しようとすることを心理的離乳と表現したのはホリングワースである。

Ⓓ-イ 早期完了とは危機的状況の経験はないが，積極的関与をしている状態のこと。
マーシアはエリクソン理論に基づき，「自分で自分がわからない」などの**危機**的状況の有無と，「将来は○○の職業につきたい」などの**関与**の有無からアイデンティティ・ステイタスを分類した。

問11 高齢期　　　難易度★★　頻出度★★　正答3

❶ ✕ フレイルは加齢により心と体の働きが弱くなってきた状態のこと。
フレイルは健康な状態と要介護状態の中間に位置する。フレイルの状態になると身体機能の低下や日常生活でのストレスに対処することが難しくなり，要支援や要介護状態に移行する可能性がある。

❷ ✕ フレイルには精神・心理的フレイルや社会的フレイルもある。
フレイルは筋肉が衰える，移動機能が低下する**身体的フレイル**だけではない。うつ状態や軽度の認知症の状態の**精神・心理的フレイル**や，社会とのつながりが希薄化する**社会的フレイル**もある。

❸ ◯ バルテスは補償を伴う選択的最適化理論を提唱した。
バルテスは目標達成のためのプロセスを，**目標の選択**，**資源の最適化**，**補償**の3つの要素に分けた。加齢に伴う喪失を3つの要素を動員することで元の状態に近づけようとするのが**補償を伴う選択的最適化理論**（SOC理論）である。

❹ ✕ 流動性知能と結晶性知能を提唱したのはキャッテルである。
流動性知能は，新しい場面への適応や情報処理の速度・能力に関連する知能

本試験解説

であり，低下し始める時期が早い。**結晶性知能**はこれまでの経験によって形成される知能であり，高齢になっても安定している。キャノンは感情の中枢起源説（キャノン－バード説）を提唱した。

❺ ✕ コンボイ・モデルはソーシャルサポートネットワーク（社会的支援）のこと。
コンボイ・モデルは個人を中心とした**多層的な社会的ネットワーク**であり，内側の層ほど親密度が高く（配偶者や家族など），外側の層ほど役割と関連していて，時間的な変化が生じやすい（職場の同僚など）。

(問12) 気質　　　　　　　　　　　難易度★★　　頻出度★★　　正答5

Ⓐ ✕ トマス達が行った研究は「ニューヨーク縦断研究」である。
気質は**生得的**なものであり，その人の行動特徴を形成する基礎となる。トマス達の研究により，子どもの気質には個人差があることが示された。

Ⓑ ✕ 扱いやすい子（睡眠や食事習慣が規則的，新しい状況に適応的）は約40%。
トマス達の研究結果では，**扱いやすい子**が約40%，**扱いにくい子**が約10%，**立ち上がりが遅い子**（エンジンがかかりにくい子）が約15%，平均的な子が約35%であった。

Ⓒ ✕ 扱いにくい子は感情の起伏が激しく，新しい状況への慣れにくさがある。
養育者が子どもをなだめようとしても泣き続ける場合，養育者は子どもに対して否定的な感情を抱き，それが養育態度に現れることもある。**養育態度**は子どもと養育者の相互作用によって異なるものとなる。

Ⓓ ○ 気質には9つの特徴カテゴリー（特性）がある。
9つの特徴カテゴリー（特性）は，活動水準，体内リズムの周期性，接近-回避，順応性，反応の閾値，反応の強さ，気分の質，気の散りやすさ，注意の質と持続性である。この9つの特性を得点化して，3つの気質類型（気質のタイプ）に分類した。

(問13) 産後うつ病　　　　　　　　　難易度★★　　頻出度★★　　正答3

Ⓐ ○ 産後うつ病など，保護者の状態は子どもの発達に影響を及ぼすことがある。
産後うつ病は産後3か月以内に発症することが多く，うつ病の既往がなくても発症する。気分の落ち込みや自責感，自己評価の低下などを訴え，赤ちゃんに対する愛情を抱けず母子相互作用が適切に行われないこともある。

Ⓑ ✕ 産後うつ病は出産後の女性の自殺などの原因となりうる。
産後うつ病の症状として**育児不安**が強くなる場合がある。子どもの発達を悲観的にとらえ，希死念慮（死にたい気持ち）が強くなり自殺に至ることもある。

Ⓒ ✕ 産後うつ病の症状は2週間以上持続する。
マタニティブルーズは一過性のもので，症状が発現してから通常1〜2週間

でおさまる。涙もろさや抑うつ，不眠や疲労などがみられる。産後うつ病は自然治癒することは少なく，医療的ケアが重要となる。

D ○ エジンバラ産後うつ病質問票は産後うつ病のスクリーニングのための質問紙。
エジンバラ産後うつ病質問票は10種類の質問項目に対して，患者自身が記入していくものである。質問項目には過去７日間に「はっきりした理由もないのに不安になったり心配した。」「することがたくさんあって大変だった。」などがある。

問14 ソーシャルサポート　　　難易度★★　　頻出度★　　　正答 1

a-ストレッサー，b-情緒的サポート，c-情報的サポート，d-緩衝効果となる。**ソーシャルサポートとは，対人関係において他者から得られる援助のこと。**サポートの内容分類には励ましや愛情などの「**情緒的サポート**」，助力や金銭などの「道具的サポート」，情報やアドバイスなどの「**情報的サポート**」，フィードバックや評価などの「評価的サポート」がある。またソーシャルサポートには，当事者の精神的・身体的健康に直接プラスの影響を与える「直接効果」と，ストレッサー（ストレスを引き起こすもの）により健康状態が悪化するプロセスにおいてサポートが作用する「**緩衝効果**」がある。

問15 家族や家庭　　　難易度★★　　頻出度★★　　正答4

Ⓐ ✕ アロマザリングは母親以外の人が子育てに積極的に関わることである。
アロマザリングは「他」を表すアロと，「子育てする」の意味をもつマザリングが結びついた言葉である。母親の子育ての負担をシェアする意味でも重要であるが，若年者の子育ての学習機会という意味ももっている。

Ⓑ ○ 家族は夫婦関係を基盤として，感情的融合を結合の絆とする。
家族は血縁的つながりのみで成立するものではなく，感情的つながりも重要となる。血縁関係はなくても感情的なつながりを感じている他者を家族とみなすこともある。

Ⓒ ○ 個人のライフサイクルと同様に家族にもライフサイクルがある。
家族のライフサイクルは，結婚により新しい家族が誕生し，その家族が老化するまでの時間的変遷となる。家族のライフサイクルに影響するものとして，子どもの誕生，子どもの家族外社会への参加，父母関係の再構成，父母の祖父母化などがある。

Ⓓ ✕ ジェノグラムは３世代以上の情報を含む家族の歴史の図解である。
ジェノグラムを描くことで家族関係や世代間でくり返されるパターンが見え，問題を整理するのに有効である。当事者をとりまく環境について，相関関係をメインに図にしたものはエコマップという。

本試験解説

問16 家族心理学，家族システム理論　　難易度★★　頻出度★★　正答2

A ○ 家族心理学では，家族を互いに影響を与え合う一つの単位として考える。

家族心理学は人と人との相互作用をとらえるシステム論が背景にあるので，**家族システム論**という。家族を一つのまとまりをもった複合的なシステムとしている。

B ✕ 家族システム論ではシステムの下位概念としてサブシステムがある。

サブシステム（下位システム）とは，全体システムに対しての部分的なシステムのこと。家族でいうと，家族という全体は夫婦や兄弟，姉妹という部分が集まって構成されている。サブシステムは夫婦や兄弟，姉妹となる。

C ○ 家族療法では個人だけを治療するのではなく，家族全体に働きかける。

主なアプローチは家族のコミュニケーションの仕方を変える，家族の構造を変える，世代間にわたる葛藤を解決するなどである。

D ○ 家族療法では症状や問題を抱えている人物をIPと呼ぶ。

IP（Identified Patient）の抱える問題はその人個人の問題ではなく，その家族の問題がIPに現れたと考える。個人が示している症状は家族全体がうまく機能していないことを示すサインととらえる。

問17 環境に関する理論　　難易度★★　頻出度★★★　正答5

アフォーダンスとは，環境が人間や動物に対して与える意味や価値のこと。

アフォーダンスはアフォード（afford：与える）を名詞化したもので，**ギブソン**の造語である。アフォーダンス理論では，人間や動物は環境の中にある情報（アフォーダンス）を知覚し，それにより行動を調整していると考える。

問18 神経発達症群　　難易度★★　頻出度★★　正答2

神経発達症群は，背景に神経系の発達の不具合があると想定されている疾患。

DSM-5は『精神疾患の診断・統計マニュアル』のことで，アメリカ精神医学会が刊行している。**選択性緘黙**は「不安症群／不安障害群」に分類される。症状としては家族などの前では話せるが，特定の社会状況（保育所や学校など）では話すことができない。

問19 子育て中の家庭，家族　　難易度★★　頻出度★　正答5

a-ライフサイクル，b-ライフイベント，c-多重役割，d-ポジティブ・スピルオーバーとなる。

a-オ ライフサイクルは人が一定の段階をたどって誕生から死に至る過程のこと。

ライフサイクルには個人の**一生涯**だけでなく，次世代に生命を受け継ぐ循環

的性質も含まれる。**ライフストーリー**は，インタビューや日記などから特定の人物の人生について述べたもの。

b-カ ライフイベントは個人の生活に変化を起こさせるさまざまな出来事のこと。
就学や就労，結婚などの**ライフイベント**は，その人の社会生活や発達過程に影響を与える。**ライフステージ**とは，乳児期，幼児期，青年期などの発達段階のことである。

c-ウ 多重役割とは一人の人間が複数の役割に従事することである。
役割には**職業役割**や**家族役割**（配偶者役割りや親役割など）などがある。特に子育て中や介護が必要な親と同居している就労者の場合，仕事と家庭の役割の調整が難しく，葛藤やストレスが生じることもある。

d-ク スピルオーバーはある役割の経験が，別の役割の経験にも影響すること。
「仕事で予想以上の成果が出ると，家庭でも気分がいい」などのポジティブな影響を**ポジティブ・スピルオーバー**という。一方「職場でイヤなことがあると，家庭でもイライラする」などのネガティブな影響を**ネガティブ・スピルオーバー**という。

問20 巡回相談　難易度★★　頻出度★　正答2

A ○ 巡回相談は子育て支援施設に「巡回支援専門員」が直接訪問し，支援する。
アウトリーチは手を伸ばすことを意味する。従来のように来所を待つのでなく，福祉関係者などが直接出向き心理的なケアや必要な支援に取り組むことである。

B ○ コンサルテーションは，異なる専門性をもつ複数の者が関わる。
保育における**コンサルテーション**は，保育士からの相談に他の専門分野の相談員が応じ，子どもの発達支援についての助言を行うことなどをいう。

C × 支援対象に直接的に働きかけをする者はコンサルティという。
保育所では保育士や保護者が**コンサルティ**になる。自らの専門性に基づき他の専門家などを間接的に援助するものを**コンサルタント**と呼ぶ。

D ○ 知識の提供や精神的支えを担う巡回相談は，保育現場では重要なものである。
巡回相談では「子どもの発達支援・相談」「保護者支援・相談」「支援者支援・施設へのコンサルテーション」「機関連携・つなぎ」などが行われる。

本試験解説

2 保育原理

問1 保育所保育指針
難易度★★★　頻出度★★★　正答5

Ⓐ ✕ 指針には，「食育の推進」ではなく「健康及び安全」の章がある。

保育所保育指針は，平成29年改訂より「**総則**」「**保育の内容**」「健康及び安全」「**子育て支援**」「**職員の資質向上**」の全5章から構成されている。

Ⓑ ✕ 職員の研修等は幼稚園・幼保連携認定こども園の要領に記載なし。

職員の研修等について，**指針5章**に示されているが，幼稚園教育要領や幼保連携型認定こども園教育・保育要領には特に記載がない。

Ⓒ ○ 指針2章の「保育の内容」では，「家庭及び地域社会との連携」が記載。

指針2章「保育の内容」では，子どもの生活の**連続性**を踏まえ，家庭及び**地域社会**と連携して保育が展開されるよう配慮することが示されている。

Ⓓ ○ 地域の保護者等に対して専門性を生かした子育て支援の努力義務が記載。

保育所は，その行う保育に**支障がない限り**において，地域の保護者等に対して，保育所保育の**専門性**を生かした子育て支援を積極的に行うよう努めることが，指針4章に記載されている。

問2 保育所保育指針1章
難易度★★　頻出度★★★　正答4

A-養護，B-人権，C-生命，自然及び社会の事象，D-生活，E-感性や表現力が入る。

保育において，養護と教育は一体的に展開されるものである。

保育における**養護**と**教育**に関わる目標の一部である。

この**養護**と**教育**に関わる目標は，子どもたちが人間として豊かに育っていくうえで必要となる力の基礎となるものを，保育という営みに即して明確にしようとするものである。これらの目標を，一人一人の保育士等が自分自身の**保育観**，**子ども観**と照らし合わせながら深く理解するとともに，保育所全体で**共有**しながら，保育に取り組んでいくことが求められる。

問3 保育所保育指針2章
難易度★★　頻出度★★★　正答2

Ⓐ ○ 子どもの関心が戸外に向き，楽しさや気持ちよさを味わえるようにする。

子どもの興味や関心が自然な形で**戸外**に向けられるようにし，子どもが進んで**戸外**の生活を楽しむようにしていくことが大切である。

Ⓑ ○ 公園や野原などに出かけ，戸外で過ごす心地よさを味わうことも大切。

園庭のみならず，**公園**や広場，**野原**や川原などの外に出かけることも含めて，戸外で過ごすことの心地よさや楽しさを十分に味わうことが大切。

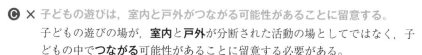

C ✕ 子どもの遊びは，室内と戸外がつながる可能性があることに留意する。

子どもの遊びの場が，**室内**と**戸外**が分断された活動の場としてではなく，子どもの中で**つながる**可能性があることに留意する必要がある。

D ○ 子どもの活動に合わせて，園庭の使い方や遊具の配置を見直す。

園庭で**異年齢**の子どもがそれぞれ安定して自分たちの活動を展開できるように，園庭の使い方や**遊具**の配置の仕方を見直すことが必要である。

問4 保育所保育指針2章 　　　　難易度★★ 　頻出度★★★ 　正答1

A ○ 子どもの発達過程や活動の個人差，気持ちに配慮しながら援助をする。

子どもの**発達過程**や活動における**個人差**，子どものその時々の気持ちに配慮しながら，一人一人の子どもの状態を受け止め，援助することが大切。

B ○ 子どもの主体性や試行錯誤を見守りながら，適切に援助すること。

保育士等は子どもの気持ちを受け止めながら，自分で行うことの**充実感**が味わえるように，行動を見守り，適切に援助することが必要である。

C ○ 保育士等は子の国籍や文化の多様性を尊重し，保育を進めることが大切。

保育所では，**外国籍**の子どもやさまざまな文化を背景にもつ子どもが生活を共にするため，保育士等はそれぞれの文化の**多様性**を尊重し，多文化共生の保育を進めていくことが求められる。

D ○ 保育士等は，新たに入所した子と既に入所している子の双方に配慮する。

保育所等は，入所時の子どもの不安な思いを理解してその気持ちや欲求に応えるよう努める。

E ✕ 小学校以降の生活に向けて，主体的な生活態度などの基礎を培う。

保育所保育が，小学校以降の生活や学習の基盤の育成につながることに配慮し，幼児期にふさわしい生活を通じて，**創造的**な思考や**主体的**な生活態度などの基礎を培うようにする。

問5 保育所保育指針2章 　　　　難易度★★★ 　頻出度★★★ 　正答5

A-自我，B-情緒，C-自発が入る。

保育士等は子の自我の成長を見守りつつ子の気持ちを十分に受容する。

1歳以上3歳未満は，**自我**が育って自己主張をすることが多くなってくるが，言葉で十分に自分の気持ちを相手に伝えることが困難なことも多く，行動や感情のコントロールが難しい時期である。だからこそ，子どもにとって，保育所が安心して自分の気持ちを表すことができる場であることは重要である。保育士等は子どもの気持ちを十分に受け止め，触れ合いや語りかけを多くし，情緒の安定を図ることが必要である。そして，子どもが適切な方法で自己主張することができるように，子どもの主体性を尊重しつつ，言葉を補いなが

ら対応することが大切である。

問6 子ども・子育て支援新制度 　　難易度★★　頻出度★★★　正答5

❶ ✕ 新制度の3法には，「認定こども園法の一部改正法」等が含まれる。
子ども・子育て支援新制度の関連3法とは，「子ども・子育て支援法」「**認定こども園法の一部改正法**」「**子ども・子育て支援法及び認定こども園法の一部改正法の施行に伴う関係法律の整備等に関する法律**」である。

❷ ✕ 保護者が子育ての第一義的責任を有する基本的認識の下で実施する。
子ども・子育て支援は，**父母その他の保護者**が子育てについての**第一義的責任**を有するという基本的認識の下に，幼児期の学校教育・保育，地域の子ども・子育て支援を総合的に進める。

❸ ✕ 都道府県及び市町村には子ども・子育て支援計画等の策定義務がある。
新制度では，市町村に「**子ども・子育て支援事業計画**」，都道府県に「**子ども・子育て支援事業支援計画**」の策定（義務）を求めている。

❹ ✕ 1号の認定の対象は，満3歳以上の小学校就学前の子どもである。
1号の認定区分は，**満3歳以上の小学校就学前**の子どもである。保育を必要とする事由に該当する0〜2歳児は，3号の認定区分である。

❺ 〇 地域子ども・子育て支援事業は子ども・子育て支援法59条に基づく事業。
地域子ども・子育て支援事業とは，**市町村**が地域の実情に応じ，**市町村子ども・子育て支援事業計画**に従って実施する事業である。

問7 5歳児クラスの水遊びに関する事例 　　難易度★★　頻出度★★★　正答4

Ⓐ ✕ 共同の遊具や用具を皆で使い，協調性を育てることが大切である。
遊具を自分も使いたいが，友達も使いたいということで起こる**衝突**やいざこざ，**葛藤**などを体験することを通して，子どもが個人の物と皆の物があることに気付いていくことが大切である。

Ⓑ ✕ 保育士が一方的に厳密なルールを設定することは適切ではない。
保育士等が一方的に順番を指示したり決めたりするような安易なやり方ではなく，子ども自身が**自分の要求**と**友達の要求**に折り合いを付けたり，**自分の要求**を修正したりする必要があると理解することが大切。

Ⓒ 〇 共同の遊具を共有して使いながら遊ぶことは，協調性を養ううえでも大切。
子どもは共同の**遊具**で一緒に遊ぶことを通じて，相手の使いたい気持ちにも気付き，交替で譲り合って使う必要があると**学ぶ**ことができる。

Ⓓ 〇 遊びを通して子どもは自分の思いを相手に伝え，相手の気持ちに気付く。
保育士等は，子どもが自分の思っていることを相手に伝えることができるように，また，徐々に相手にも思っていることや言いたいことがあると**気付い**

● 382 ●

ていくこともできるように支援する。

E ✕ 遊びの場では，状況に応じた適切な保育士等の関わりが求められる。

子どもたち同士の関わりの中で，状況によっては**保育士が介入し**，必要な対応を図ることが必要である。

問8 **保育所，幼稚園，認定こども園**　　　難易度★★★　頻出度★★★　正答5

A ✕ 認定こども園は，認定こども園法に基づく施設である。

認定こども園は**認定こども園法**に基づき教育・保育を一体的に行う施設である。また幼稚園，保育所，認定こども園の教育内容について整合性が確保され共通部分もある。

B ✕ 保育所は，保育を必要とする乳幼児が対象である。

保育所は，日々保護者の委託を受けて，**保育を必要とする**乳児又は幼児を保育することを目的とする施設である。

C ✕ 保育士登録簿は，都道府県に備えられている。

保育士となる資格を有する者が保育士となるには，現住所のある**都道府県**にあらかじめ保育士の**登録**をしておかなければならない。

D ◯ 保育士の配置基準は，2024（令和6）年4月1日から変更された。

乳児おおむね**3人**につき1人以上，満1歳以上満3歳未満の幼児おおむね**6人**につき1人以上，満3歳以上満4歳未満の幼児おおむね**15人**につき1人以上，満4歳以上の幼児おおむね**25人**につき1人以上とされている。

E ◯ 満2歳未満の乳幼児入所の保育所には，乳児室やほふく室などを設ける。

満2歳未満の乳幼児入所の保育所は，**乳児室**，**ほふく室**，医務室，調理室，便所を設置することが設備運営基準32条に規定されている。

問9 **保育所保育指針5章**　　　難易度★★★　頻出度★★★　正答3

bとcは正しい。aはキャリアパス，dは知識及び技能が正しい記述である。
職員のキャリアパスを見据えた計画作成や外部研修の活用等が大切である。

保育所においては，保育の課題や各職員の**キャリアパス**等も見据えて，保育士等の自己評価や**ライフステージ**に合わせた一人一人の研修計画や，保育所全体としての質の向上を見据えた研修計画を作成する。その際，研修の成果と課題に基づいて，それらを次の研修計画に反映させることが重要である。また，**外部研修**での学びは，参加した職員個人の専門性を向上させるだけでなく，保育所全体の保育実践の質及び専門性の向上につなげていくために，研修で得た**知識及び技能**を他の職員と共有したうえで，保育所内で組織として活用することが重要である。

問10 1歳児の登園時の対応に関する事例　　難易度★★　頻出度★★★　正答3

Ⓐ ✕ **母親に対し，1歳児が泣かずに登園することを強要するのは不適切。**
1歳児が泣き続けることを心配する母親に対して，泣かずに登園できるように伝えることは，母親の**不安や焦りを増長**させてしまうため**不適切**。

Ⓑ ◯ **1歳児の元気な園での様子を母親に伝えることは，適切な対応。**
1歳児を心配する母親に，保育園で元気に過ごす**1歳児の様子**を丁寧に伝えることは，母親の安心にもつながり適切な対応といえる。

Ⓒ ◯ **1歳児の育ちの見通しを話すことは母親が抱える不安感の軽減につながる。**
1歳児の**育ちの見通し**を母親に伝えることは，母親が「今」のつらい状況を乗り越えるきっかけにもつながるといえる。

Ⓓ ◯ **母親の気持ちを受け止め共感することは，信頼関係の構築につながる。**
保育士が母親の1歳児を心配する気持ちに寄り添い，受け止め，共感することは，母親が安心できることとあわせて，**信頼関係**の構築につながる。

問11 世界の保育の歴史　　難易度★★★　頻出度★★★　正答1

Ⓐ ◯ **ルソーは『エミール』や『社会契約論』を著した人物である。**
ルソーは自然主義に基づく**消極的**教育を提唱し，「**子どもの発見者**」と呼ばれた。

Ⓑ ◯ **ペスタロッチは，幼児教育における母親の役割と母性愛について説いた。**
ペスタロッチはスイスの教育思想家で，著書『幼児教育の書簡』の中で幼児教育における**母親の役割**と**母性愛**の重要性について説いた。またノイホーフに**貧民学校**を創設した。

Ⓒ ✕ **フレーベルは，世界で最初の幼稚園を創設した人物である。**
世界で最初の幼稚園を創設したフレーベルはドイツの教育者で，子どもたちのための教育玩具である**恩物**を考案した。

問12 日本の保育の歴史　　難易度★★　頻出度★★★　正答3

Ⓐ ✕ **保姆資格は，1947（昭和22）年児童福祉法制定から規定された。**
保姆資格は児童福祉法に規定後，**1999（平成11）**年の児童福祉法改正で保育士に名称変更。その後，**2001（平成13）**年の同法改正で国家資格となった。

Ⓑ ◯ **赤沢鍾美は，日本初の託児所の「新潟静修学校付設託児所」を創設。**
赤沢鍾美が創設した**新潟静修学校付設託児所**は，その後**守孤扶独幼稚児保護会**と改称した。

Ⓒ ◯ **野口幽香と森島峰は，貧困家庭の子どもたちのために「二葉幼稚園」を創設。**
野口幽香と森島峰は，1900（明治33）年に，貧しい家庭の子どもたちのため

に，**二葉幼稚園**を創設した。

D ✕ 幼稚園令は1926（大正15）年に制定された幼稚園に関する最初の独立法。

幼児教育への期待が高まり，幼稚園に関する最初の独立法として**幼稚園令**が制定されたのは，1926（大正15）年である。

（問13）**幼児期の終わりまでに育ってほしい姿**　　難易度★★　頻出度★★★　正答3

❶ ✕ 2017年改定にて「幼児期の終わりまでに育ってほしい姿」10項目が規定。

2017（平成29）年の指針改定によって，「**幼児期の終わりまでに育ってほしい姿**」（以下「育ってほしい姿」）の10項目が新たに設けられた。

❷ ✕ 「育ってほしい姿」は必ず身につけるべき資質や能力ではない。

「**育ってほしい姿**」は，小学校入学までに**育ってほしい姿や能力の目安**を示したものである。

❸ ◯ 「育ってほしい姿」は，保育所保育により育みたい資質や能力の目安。

「**育ってほしい姿**」は到達するべき目標ではなく，保育活動全体を通して**育まれてほしい子どもの小学校就学時の具体的な姿**である。

❹ ✕ 「育ってほしい姿」の年齢，発達段階ごとの到達目安は示されていない。

「**育ってほしい姿**」は，**小学校までに育まれてほしい子どもの姿**を，5領域をもとに10個の具体的な視点から捉えて明確化したもの。

❺ ✕ 「育ってほしい姿」の10項目に「やり遂げる心」は含まれていない。

10項目は「**健康な心と体**」「**自立心**」「**協同性**」「**道徳性・規範意識の芽生え**」「**社会生活との関わり**」「**思考力の芽生え**」「**自然との関わり・生命尊重**」「**数量や図形，標識や文字などへの関心・感覚**」「**言葉による伝え合い**」「**豊かな感性と表現**」である。

（問14）**保育所保育指針　保育の計画**　　難易度★★　頻出度★★★　正答3

A ✕ 保育所の長短期計画や保健計画，食育計画は全体的な計画に基づき作成。

保育所の長期・短期の指導計画，保健計画，食育計画等は，**全体的な計画**に基づき，作成されなければならない。

B ◯ 全体的な計画は子や家庭の状況，地域の実態，保育時間等を考慮し作成。

全体的な計画の作成に当たって，保育所での生活と家庭生活の**連続性**を視野に入れて，家庭での過ごし方や**保護者**の意向についても把握する。

C ✕ 異年齢クラスなどは，各子どもの生活や経験，発達過程に配慮する。

異年齢で構成される組やグループでの保育では，各子どもの生活や**経験**，**発達過程**などを把握し，適切な援助や環境構成ができるよう配慮する。

D ◯ 3歳未満児には一人一人の子どもの状態に即した個別の指導計画を作成。

3歳未満児は，発達が顕著で**個人差**も大きいため，一人一人の子どもの状態

本試験解説

に即した保育が展開できるよう**個別**の指導計画を作成することが必要。

A-聴覚，B-はう，C-特定の大人，D-応答的，E-絆が入る。

乳児期は著しい発育・発達があり，特定の大人との応答的な関わりが大切。

乳児期は，心身両面において，**短期間**に著しい発育・発達がみられる時期である。生後早い時期から，子どもは周囲の人やものをじっと見つめたり，声や音がする方に顔を向けたりするなど，感覚を通して外界を認知し始める。生後**4か月**頃には首がすわり，その後寝返りがうてるようになり，さらに座る，はう，つたい歩きをするなど自分の意思で体を動かし，移動したり自由に手が使えるようになったりしていくことで，身近なものに興味をもって関わり，**探索活動**が活発になる。

人との関わりの面では，表情や体の動き，泣き，喃語などで自分の欲求を表現し，これに**応答的**に関わる**特定**の大人との間に情緒的な**絆**が形成されるとともに，人に対する基本的信頼感を育んでいく。

A-資質・能力，B-小学校教育，C-研究，D-接続が入る。

保育所保育と小学校教育の接続のために保育所と小学校の意見交換等が必要。

子どもの保育所保育における発達と小学校における学びの**連続性**を確保するためには，「**幼児期の終わりまでに育ってほしい姿**」を手がかりに，保育所の保育士等と小学校の教師が共に子どもの成長を**共有**することを通して，幼児期から児童期への発達の流れを理解することが大切である。すなわち，子どもの発達を**長期的**な視点で捉え，保育所保育の内容と小学校教育の内容，互いの指導方法の違いや共通点について理解を深めることが大切である。

また，保育所保育と小学校教育の円滑な接続を図るため，小学校の教師との**意見交換**や合同の研究会や研修会，保育参観や授業参観などを通じて**連携**を図るようにすることが大切である。

❶ ✕ 発達障害者支援法の発達障害の定義に，過敏性障害は含まれない。

発達障害は，**自閉症，アスペルガー症候群，広汎性発達障害，学習障害，注意欠陥多動性障害**等の脳機能の障害で，**低年齢**において発現する。

❷ ◯ 発達障害児が早期支援を受けられるよう市町村の措置について規定。

発達障害者支援法では，発達障害児が早期の発達支援を受けられるように，その保護者に対し**市町村**が適切な措置を講じることについての義務が規定さ

れている。

❸ ✕ 発達障害児の健全な発達が共同生活を通じて図られるように配慮する。
保育所等で発達障害児の保育をするに当たっては，発達障害児の健全な発達が他の児童との**共同生活**を通じて図られるよう適切な配慮をする。

❹ ✕ 発達障害児のパニックに対して大勢で対応を行うことは逆効果である。
パニックを起こした発達障害児に対して，大勢で対応したり，無理に制止をしようとすると状態が増長されてしまう。まずは本人が落ち着くまで**刺激を与えず**待つことが重要である。

❺ ✕ 発達障害では，学習障害と注意欠陥多動性障害が重複することもある。
注意欠如多動症（ADHD）と**学習障害**（LD）は発達障害の一部であるが，単独で発症する場合もあれば，**重複して発症**することもある。

(問18) 保育所保育指針１章　　　難易度★★★　頻出度★★★　**正答2**

Ⓐ ○ 障害児の保育は他の子と共に成長できるよう指導計画の中に位置付ける。
障害児の保育は，障害児が適切な環境のもとで他の子どもとの生活を通して共に成長できるよう，**指導計画**の中に位置付ける。

Ⓑ ○ 障害児には個に応じた関わりと集団の中の一員としての関わりが大切。
障害児との関わりにおいては，**個**に応じた関わりと**集団**の中の一員としての関わりの両面を大事にしながら，**組織的**かつ**計画的**に保育を展開する。

Ⓒ ✕ 障害児の個別の指導計画を作成し，クラス等指導計画と関連付ける。
障害児については，必要に応じて**個別**の指導計画を作成し，クラス等の指導計画と**関連**付けておくことが大切である。

Ⓓ ✕ 個別の指導計画は１～２週間程度を目安に少しずつ達成を目指して設定。
障害児の個別の指導計画は，その子どもの特性や能力に応じて，**１週間から２週間程度**を目安に少しずつ達成していけるよう細やかに設定する。

Ⓔ ○ 障害児やその他の子達が落ち着いた雰囲気の中で育ち合える工夫が必要。
個別の指導計画を作成する際に，障害児等が，他の子と共に**成功**する体験を重ね，子同士が落ち着いた雰囲気の中で育ち合える工夫が必要である。

(問19) 保育所保育指針４章　　　難易度★★　頻出度★★★　**正答1**

Ⓐ ○ 保護者に育児不安等がみられる場合は，個別の支援を行うよう努める。
保護者に育児不安等がみられる場合は，保育士等が有する**専門性**を生かした**個別**の支援を行うよう努める。

Ⓑ ○ 不適切な養育等が疑われる場合には関係機関と連携し必要な対応を図る。
保護者に不適切な養育等が疑われる場合は，**市町村**等と連携をし，**要保護児童対策地域協議会**で検討するなど**子どもの最善の利益**を重視して支援を行う

ことが大切である。

ⓒ ✕ **虐待が疑われる場合には市町村または児童相談所に通告し，対応を図る。**
虐待が疑われる場合には，速やかに市町村または**児童相談所**に通告し，適切な対応を図る。

ⓓ ✕ **虐待に対しては，施設長や他の保育士等と連携し，組織的な対応を図る。**
虐待等保護者の養育上の問題がみられる場合は，施設長や主任保育士，他の保育士等と役割分担を行うなど，**組織的**な対応が必要である。

問20 **保育所等利用児童数及び待機児童** 難易度★★ 頻出度★★★ 正答3

❶ ○ **利用児童数は，3歳以上児のほうが3歳未満児よりも多い。**
3歳以上児の利用児童数は約162万人でその割合は約**6割**，3歳未満児が約110万人でその割合は約**4割**であり，3歳以上児のほうが多い。

❷ ○ **待機児童数は，1・2歳児が最も多く，全体の7割以上を占めている。**
待機児童数について，3歳未満児が全体の87.5％を占めるが，**1・2歳児**が最も多く，全体の77.2％を占めている。

❸ ✕ **3歳未満児の待機児童数は全体の約87％で，9割は超えていない。**
待機児童数は2,944人で，そのうち**3歳未満児**の待機児童数は2,576人である。

❹ ○ **利用児童数の割合については，3歳未満児が4割以上である。**
利用児童数の割合については，**3歳未満児**が40.3％で4割を超えている。

❺ ○ **待機児童数については，3歳以上児は3歳未満児の7分の1である。**
待機児童数は**3歳以上児**が368人，**3歳未満児**が2,576人で，3歳以上児の待機児童数のほうが少ない。

3 子ども家庭福祉

問1 **児童福祉法における定義** 難易度★ 頻出度★★★ 正答2

ⓐ ○ **児童福祉法に基づく乳児は満1歳に満たない者をいう。**
乳児は，**満1歳に満たない者**をいう。乳児の定義については，児童福祉法と母子保健法で同じである。

ⓑ ○ **児童福祉法に基づく幼児は満1歳～小学校就学始期に達するまで。**
幼児は，**満1歳から小学校就学の始期に達するまでの者**をいう。幼児の定義も，児童福祉法と母子保健法で同じである。

ⓒ ✕ **少年とは，小学校就学の始期から満18歳に達するまでの者をいう。**
児童福祉法に基づく児童は18歳に満たない者をいう。児童の内訳として**少年**は，**小学校始期から満18歳に達するまでの者**（18歳に満たない者）をいう。

Ⓓ ✕ 妊産婦とは，妊娠中または出産後1年以内の女子をいう。

妊産婦とは，**妊娠中または出産後1年以内の女子**をいい，妊産婦の定義についても，児童福祉法と母子保健法で同じである。

問2 児童の権利に関する歴史的事項　　難易度★★　　頻出度★★★　正答2

以下のとおり，A→C→E→B→Dの順である。

Ⓐ ジュネーブ宣言は，1924（大正13）年に国際連盟で採択された。

ジュネーブ宣言は，第二次世界大戦より前の宣言であり，**児童の権利を初めて明記した宣言**である。

Ⓑ ユネスコが，1979（昭和54）年，国際児童年を宣言した。

国際児童年は，**児童の権利に関する宣言**（選択肢E）**採択の20周年**を記念とする年として宣言された。

Ⓒ 世界人権宣言は，1948（昭和23）年に国際連合で採択された。

世界人権宣言は，第二次世界大戦後に「**すべての人間**が生まれながらに**基本的人権**をもっている」ということを公式に認めた宣言である。

Ⓓ 児童の権利に関する条約は，1989（平成元）年に国際連合で採択された。

児童の権利に関する条約は1989（平成元）年の国連採択後，日本は1994（平成6）年に批准した。**児童の能動的権利**を初めて保障した条約である。

Ⓔ 児童の権利に関する宣言は，1959（昭和34）年に国際連合で採択された。

児童の権利に関する宣言は，ジュネーブ宣言に続く児童の権利宣言であり，より広汎な**保護的権利**が規定された。

問3 放課後児童健全育成事業　　難易度★★　　頻出度★★★　正答3

❶ ○ 放課後児童健全育成事業には自己評価と結果公表の努力義務がある。

放課後児童健全育成事業は放課後児童健全育成事業の設備及び運営に関する基準に基づき**自己評価及び結果を公表**するよう**努めなければならない**。

❷ ○ 放課後児童健全育成事業の職員には守秘義務がある。

放課後児童健全育成事業の職員は，**正当な理由がなく利用者等の秘密を外部に漏らしてはならない**旨が設備運営基準に規定されている。

❸ ✕ 放課後児童支援員の任用要件には，社会福祉士資格保有者等も含まれる。

放課後児童支援員は**任用要件**として，**社会福祉士資格**保有者や一定の職務経験者などがあり，保育士資格を保有していることが絶対条件ではない。

❹ ○ 放課後児童健全育成事業の登録児童数は約139万人で過去最高である。

放課後児童健全育成事業の**登録児童数**は139万人で，前年より約4.4万人増加し，**過去最高**となった。

❺ ○ 放課後児童健全育成事業の待機児童数は，前年比で増加している。

放課後児童健全育成事業の**待機児童数**は，約1.5万人で，前年よりも**増加**している。待機児童数増加の要因として，登録者数の増加が挙げられる。

Ⓐ × バーナードはイギリスでバーナードホームという孤児院を創設した。

バーナードは1866年にイギリスに**バーナードホーム**という孤児院を創設した。**ハル・ハウス**を創設したのは，アメリカの**アダムス**である。

Ⓑ ○ 石井十次は，岡山孤児院を創設した人物である。

岡山孤児院は現在の**児童養護施設**の原型となった孤児施設の一つである。**石井十次**はわが国の社会的養護の発展に貢献した人物の一人である。

Ⓒ × 留岡幸助は，家庭学校を創設した人物である。

留岡幸助は感化院（現在の児童自立支援施設の原型）となる**家庭学校**を創設した。**池上感化院**は，**池上雪枝**が創設したわが国初の感化院である。

Ⓓ ○ エレン・ケイは『児童の世紀』の著者である。

エレン・ケイはスウェーデンの思想家である。自身の著書である『**児童の世紀**』の中で，「20世紀は児童の世紀になる」と記し，児童中心主義教育に影響を与えた。

A-搾取，B-国際的，C-心身が入る。

児童ポルノ禁止法は児童に対する性的搾取・虐待から保護することが目的。

「**児童買春，児童ポルノに係る行為等の規制及び処罰並びに児童の保護等に関する法律**」（児童ポルノ禁止法）は，児童に対する**性的搾取**や**性的虐待**が児童の権利を著しく侵害することの重大性に鑑み，児童買春，児童ポルノに係る行為を規制し，処罰するとともに，これらの行為等により**心身**に有害な影響を受けた児童の保護のための措置等を定めることによって，**児童の権利**を擁護することを目的とし，**1999（平成11）**年に制定された。

なお，同法における**児童**の定義は，児童福祉法と同じく「**満18歳に満たない者**」である。

Ⓐ ○ 家庭相談員は，福祉事務所の家庭児童相談室に配置される職員である。

家庭相談員は，福祉事務所の**家庭児童相談室**に配置される**法定外**の職員である。

Ⓑ ○ 母子・父子自立支援員は，福祉事務所に配置される職員である。

母子・父子自立支援員は，ひとり親家庭の母または父，寡婦に対して，相談

対応等を行う職員で**母子及び父子並びに**寡婦**福祉法**に基づく職員である。

ⓒ ✕ 児童委員は児童福祉法に基づく民間人で，児童相談所の職員ではない。

児童委員は児童福祉法に基づく**民間人**であり，民生委員と兼任する。**児童相談所**に配置される職員は**児童福祉司**である。

ⓓ ◯ 児童福祉司の任用要件には，精神保健福祉士や公認心理師等が含まれる。

児童福祉司の任用要件として，**精神保健福祉士**や**公認心理師**のほか，**社会福祉士**や一定の実経経験を経た者等がある。

問7 児童虐待防止等に関する法律14条　　難易度★★★　頻出度★★　　正答3

A-親権，B-人格，C-体罰が入る。

親権を行う者は児童への体罰を禁じることが児童虐待防止法に規定。

親権を行う者は，児童のしつけに際して**体罰**を加えてはならないこととすることが，2019（令和元）年の**児童虐待防止等に関する法律**の改正で明文化された。また，**児童福祉法**に基づき，**児童福祉施設の長やファミリーホームの養育者**，**里親**についても同様に，**体罰禁止**の規定が新たに設けられた。

問8 若者のための支援　　難易度★★★　頻出度★★　　正答3

ⓐ ✕ 地域若者サポートステーションの対象年齢は，15歳～49歳である。

地域若者サポートステーションとは，働くことに悩みを抱えている者を対象として就労に向けた支援を行う機関で，対象年齢は**15歳～49歳**である。

ⓑ ◯ ヤングケアラーは大人が担う家事や家族の世話等を日常的に担う子ども。

ヤングケアラーは日常生活上の**家事や家族の世話**等を過度に行っている子ども。責任や負担の重さにより学業や友人関係等に影響が出てしまう。

ⓒ ◯ ひきこもり地域支援センターは，ひきこもりに特化した相談窓口である。

ひきこもり地域支援センターは，すべての**都道府県・指定都市**にある，行政が運営する**ひきこもりに特化**した相談窓口であり，NPO法人などに委託しているケースもある。

ⓓ ◯ 社会的養護自立支援事業は，措置解除後に必要な支援提供を行う事業。

社会的養護自立支援事業は，児童養護施設等への入所措置を受けていた者について，引き続き施設等に居住して必要な支援を提供する。なお，2024（令和6）年4月1日には**廃止**され，その後は**児童自立生活援助事業**に引き継がれている。

問9 児童養護施設入所児童等調査の概要　　難易度★★★　頻出度★★★　　正答5

ⓐ ✕ 児童養護施設の入所児童の入所時の最多年齢は，2歳である。

児童養護施設における，入所時の**最多年齢は2歳**である。また，**里親**の委託児童も**入所時の最多年齢は2歳**である。

Ⓑ ✕ 入所（措置）児童数については，児童養護施設の次に里親委託児が多い。
調査時において，**入所（措置）児童数**については，**児童養護施設の入所児童数が23,043人，次に多いのが里親委託児**であり，6,057人，次いで母子生活支援施設の児童で，4,538人である。

Ⓒ 〇 被虐待経験がある入所児童の割合が最も高いのは児童心理治療施設。
被虐待経験がある入所児童の割合が最も高いのは児童心理治療施設で，その割合は，83.5%である。

Ⓓ ✕ 入所時の保護者の状況について，乳児院のみが「実父母有」が最多。
児童養護施設，児童心理治療施設，児童自立支援施設，自立援助ホームの入所児童については「実母のみ」が最多である。

(問10) **児童館ガイドライン**　　　　難易度★★　　頻出度★★　　正答2

A-遊び，B-調整，C-心理と状況が入る。
児童館は，子どもの「遊び」の拠点と居場所となることを通して支援をする。
児童館は児童厚生施設の一つで「児童に健全な**遊び**を与えて，その**健康**を増進し又は**情操**をゆたかにすることを目的とする施設とする。」と規定されている。また，ガイドライン3章では児童館の機能・役割として，子どもの**遊び**の拠点と居場所となることを通して，子どもの安定した日常の生活を支援することが挙げられている。
さらに，子どもにとって日常の安定した生活の場になるために，子どもの**心理と状況**に気付き，子どもと**信頼関係**を築く必要があることがガイドラインで明記されている。

(問11) **令和3年度雇用均等基本調査**　　　難易度★★　　頻出度★★★　　正答5

Ⓐ ✕ 2021（令和3）年の女性の育児休業率は85.1%である。
女性育児休業率は，2020（令和2）年度と比べ上昇しているものの，**90%は超えていない**。

Ⓑ ✕ 男性の育児休業の取得期間は，5日〜2週間未満が26.5%と最多。
男性の育児休業の取得期間は，**5日〜2週間未満**が26.5%で約4分の1を占める。**女性は12か月〜18か月未満**が34.0%と最多である。

Ⓒ ✕ 女性の有期契約労働者の育児休業取得率は68.6%である。
女性の有期契約労働者の**育児休業取得率**は**68.6%**で，2020（令和2）年度と比べ上昇している。

Ⓓ 〇 育児休業を終了し復職予定であった女性で復職した者の割合は9割以上。

2020（令和2）年4月1日から1年間に**育児休業を終了**し，復職予定であった女性のうち，実際に**復職した者の割合は93.1%**であった。

問12　産前・産後サポート事業ガイドライン等　　難易度★★★　頻出度★★　　正答3

A ○ 産前・産後サポート事業の実施主体は，市町村で他団体に委託が可能。
産前・産後サポート事業の実施主体は，**市町村**で，本事業の趣旨を理解し，適切な事業の実施ができる団体等に**委託が可能**である。

B × 事業の対象は，当該自治体に住民票がない産婦も含まれる。
事業の対象は，里帰り出産など当該自治体に**住民票がない産婦**も含まれる。その場合，住民票のある自治体と当該産婦が現在滞在している自治体間で協議し連携することが必要である。

C × 産後ケア事業は，原則助産師を中心とした実施体制での対応とする。
事業の実施に当たり，**助産師，保健師，看護師**を1名以上置く。特に，出産後4か月頃までの時期は，褥婦や新生児に対する専門的ケアを行うことから，原則，**助産師**を中心とした実施体制での対応とする。

D ○ 事業の種類は，短期入所型，通所型，居宅訪問型の3種類である。
当該事業は，**短期入所（ショートステイ）**型，**通所（デイサービス）**型，居宅訪問（アウトリーチ）型の3種類の実施方法がある。

問13　放課後等デイサービス（放課後等デイ）　　難易度★★★　頻出度★★　　正答5

A × 放課後等デイは障害児に対し放課後や休業日に支援を実施する。
就学している障害児に，**放課後または休業日**に，必要な訓練，社会との交流の促進等に向けた支援を行う。記述は放課後児童健全育成事業である。

B × 放課後等デイの事業数は，2012（平成24）年以降増加している。
放課後等デイ事業数は，2012（平成24）年以降**増加し続けており**，2021（令和3）年現在は，17,372か所である。

C ○ 放課後等デイで機能訓練を行う場合は機能訓練担当職員の配置義務がある。
放課後等デイは機能訓練を行う場合は機能訓練担当職員の配置義務があることが，指定通所支援設備運営基準に規定されている。

D ○ 放課後等デイは，必要な支援を行ううえで学校との役割分担を明確にする。
放課後等デイは，子どもに必要な支援を行ううえで，**学校との役割分担を明確**にし，教育支援計画等と放課後等デイサービス計画を連携させる等により，**学校と連携を積極的に図る**ことが求められる。

(問14) ヤングケアラー児への対応に関する事例　　難易度★★　頻出度★★★　正答4

Ⓐ ×　兄をきつく注意するのではなく，兄の気持ちを受容することが大切。

兄が弟のお迎えをせざるを得ない状況であるうえ，夜遅くまで弟と2人で留守番を強いられている状態に対し，兄の気持ちを**受容**し理解することが必要。

Ⓑ ×　兄の通う学校に通告要請するのではなく学校と連携して状況確認をする。

兄の通う学校に通告を要請するのではなく，学校と連携して**状況の確認**と必要な対応など，行政機関も含めて**連携してサポート**することが必要。

Ⓒ ○　兄の気持ちに寄り添うべく声をかけることは，適切な対応である。

兄が大きなストレスを抱えている可能性があるため，まずは弟をつねるという行為に至った気持ちに**寄り添い**，**受容・傾聴**することが大切である。

Ⓓ ○　所長に相談したうえで要保護児童対策地域協議会と連携をとることは適切。

男児とその兄の状況を所長に相談し，共有したうえで，**要保護児童対策地域協議会**に連絡し，必要な対応を図ることは適切である。

Ⓔ ×　兄が弟を虐待していると決めつけて，父親に指導を求めるのは不適切。

兄が弟を虐待していると伝え，**父親に兄への指導を求めること**は**不適切**である。ただし，兄がストレスを抱えている可能性がある旨は伝えたうえで，父親から家庭での兄弟の様子を聞くことは適切といえる。

(問15) 子ども虐待による死亡事例等の検証結果等　　難易度★★★　頻出度★　正答4

Ⓐ ×　「心中以外の虐待死」が「心中による虐待死」よりも多い。

虐待による死亡事例66例（77人）を対象とした調査によると，心中以外の虐待死が47例（49人）で，心中による虐待死が19例（28人）となっており，**心中以外の虐待死が心中による虐待死**よりも多い。

Ⓑ ○　「心中以外の虐待死」の加害者は，「実母」が最多で約6割である。

心中以外の虐待死の加害者で最多は**実母**で59.2%を占め，実父が8.2%という結果が出ている。

Ⓒ ×　「心中以外の虐待死」で，最も多い子どもの年齢は「0歳」である。

心中以外の虐待死で，**最も多い子どもの年齢は0歳**で，65%を占めている。

Ⓓ ○　「心中による虐待死」の動機は「保護者自身の精神疾患，精神不安」が最多。

心中による虐待死における加害の動機で最も多いのは**保護者自身の精神疾患，精神不安**で，約4割を占める。

(問16) 保育所等の施設・事業数　　難易度★★★　頻出度★　正答1

A-特定地域型保育事業，B-幼保連携型認定こども園，C-幼稚園型認定こども園等が入る。

Ⓐ **特定地域型保育事業**は，2022（令和４）年４月１日現在で7,474か所である。

　特定地域型保育事業とは市町村が認める基準を満たした地域型保育を実施する事業。地域型保育は**家庭的保育**，**小規模保育**，**居宅訪問型保育**及び**事業所内保育**の４つがある。

Ⓑ **幼保連携型認定こども園**は，2022（令和４）年４月１日現在で6,475か所である。

　幼保連携型認定こども園は，**幼稚園**と**保育所**の機能を持ち合わせた認定こども園である。また児童福祉法に基づく**児童福祉施設**であり，教育基本法に基づく**学校**でもある。

Ⓒ **幼稚園型認定こども園**は，2022（令和４）年４月１日現在で1,396か所である。

　幼稚園型認定こども園は，**認可幼稚園**に**保育所的な機能を付加**した施設である。

（問17）**子育て支援**　　　　　　　難易度★★　　頻出度★★★　正答2

Ⓐ ○ **保護者に対する子育て支援は，保育と密接に関連して展開される。**

　保育所における保護者に対する子育て支援は，**子どもの最善の利益**を考慮したうえで，保育と密接に関連して展開されることを理解して行う。

Ⓑ ○ **保護者に対する子育て支援では，保護者の主体性や自己決定を尊重する。**

　保護者に対する子育て支援を行う際には，保護者の気持ちを受け止め，相互の**信頼関係**を基本に，**保護者の自己決定**を尊重する。

Ⓒ × 子育て支援に当たり，保護者に対する共感的態度が求められる。

　保育士は，**専門性**を活かしたうえで，保護者が子どもの成長に気付き，子育ての喜びを感じられるように努めることが大切である。

Ⓓ ○ **子育て支援においてはプライバシーに関して口外しない守秘義務がある。**

　子育て支援においては，**子どもの利益**に反しない限りにおいて，保護者や子どものプライバシーを保護し，知り得た事柄の**秘密を保持**する。

（問18）**令和３年度全国ひとり親世帯等調査結果報告**　難易度★★　頻出度★★★　正答3

Ⓐ ○ **母子世帯になった理由について，離婚などの「生別」が９割以上である。**

　母子世帯になった理由は，**離婚などの生別**が**93.5%**，死別が5.3%となっている。

Ⓑ × 父子世帯の父は正規の職員等が69.9%，パート・アルバイト等が4.9%。

　父子世帯の父は**88.1%就業**しており，**正規の職員等**は**69.9%**，**パート・アルバイト等**は**4.9%**である。

Ⓒ ○ **ひとり親世帯となったときの末子平均年齢は，母子4.6歳，父子7.2歳。**

　末子の平均年齢をみると，**母子世帯では4.6歳**，**父子世帯では7.2歳**となっており，母子世帯と比べ**父子世帯**のほうが2.6歳**高い**。

ⓓ ✕ 母子世帯の母の平均年間収入は約270万円，平均年間就労収入は約240万円。

母子世帯の母自身の平均年間収入（就労以外の収入，例えば手当等を含む）は約272万円，平均年間就労収入は約236万円である。記述の数値は，父子世帯の父の内容である。

ⓔ ◯ ひとり親経過年数が短いほうが，「取り決めをしている」が多い。

養育費の取り決めについて，ひとり親世帯になってからの年数が短いほうが，「取り決めをしている」と回答した世帯の割合が高く，**母子世帯の母，父子世帯の父ともに０〜２年未満が４割以上**であった。

（問19）　**養育支援訪問事業**　　　　　難易度★★★　　頻出度★★　　　正答5

養育支援訪問事業に，障害児に対する養育・栄養指導は含まれない。

養育支援訪問事業とは，育児ストレス，産後うつ病，育児ノイローゼ等の問題によって，子育てに対して不安や孤立感等を抱える家庭や，さまざまな原因で**養育支援が必要となっている家庭**に対して，子育て経験者等による育児・家事の援助または保健師等による具体的な養育に関する指導助言等を**訪問**により実施することにより，個々の家庭の抱える養育上の諸問題の解決，軽減を図る取組みである。

その事業内容としては以下のとおり。

・産褥期の母子に対する育児支援や簡単な家事等の援助
・未熟児や多胎児等に対する育児支援・栄養指導
・養育者に対する身体的・精神的不調状態に対する相談・指導
・若年の養育者に対する育児相談・指導
・児童が児童養護施設等を退所後にアフターケアを必要とする家庭等に対する養育相談・支援

以上から，選択肢**1〜4**は適切。選択肢**5**の「障害児に対する療育・栄養指導」は保健所等が行う。

（問20）　**わが子の発達を気にする母親への対応に関する事例**　難易度★　　頻出度★★★　　正答2

❶ ✕ 保育士が発達障害の可能性を伝えたり療育手帳取得を勧めることは不適切。

保育士が**自分の判断**で，発達障害の可能性を伝えたり療育手帳の取得を勧めることは，**不適切な対応**である。

❷ ◯ 発達の遅れに関する母親の不安な気持ちを受容する対応は，適切である。

保育士が母親の話を**傾聴**し，わが子の発達の遅れに関する悩みを**受け止める**ことは，母親の不安軽減にもつながり適切な対応である。

❸ ✕ 他の子に馴染めない子どもを，無理やり集団の中に入れる対応は不適切。

K君の様子から，明らかに他の子と関わることができないのに，集団の中に

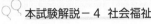

連れていく対応は，K君の**ストレスと不安感を増長**させてしまう。

❹ ✕ **不安感を打ち明ける母親の話を保育士が遮ってしまうことは不適切。**

わが子の発達の遅れを気にする母親に対して，「わからない」と相談を遮ってしまうことは，**受容の原則に反する対応**であり，不適切である。

❺ ✕ **保育士が「心配ない」と励ますことは母親の不安を軽んじた対応である。**

保育士が，母親に対して「心配ない」と励ますことで，母親が「理解してくれない」と不信感をもつ可能性もある。まずは母親の話を**傾聴**し，**受け止め**たうえで，**寄り添う**ことが大切である。

4　社会福祉

(問1)　社会福祉法　　　　　　　　　　難易度★★　頻出度★★★　正答1

Ⓐ ◯ **社会福祉法は，社会福祉の全分野の共通的基本事項等を定めた法律。**

社会福祉法は社会福祉の全分野における共通的基本事項や**社会福祉事業**，**社会福祉法人**，**地域福祉の推進**等を定めた法律で1951（昭和26）年に制定。

Ⓑ ◯ **社会福祉法3条では，福祉サービスの基本的理念が規定。**

社会福祉法3条では，社会福祉サービスの基本理念として「福祉サービスは，**個人の尊厳**の保持を旨とし，（中略）その内容は**良質かつ適切**なものでなければならない」と規定されている。

Ⓒ ◯ **社会福祉法4条では，「地域福祉の推進」について規定。**

地域住民等が相互に協力し，福祉サービスを必要とする地域住民が社会，経済，文化その他あらゆる分野の活動に参加する機会が確保されるように，**地域福祉の推進**に努めなければならない旨が規定されている。

Ⓓ ◯ **社会福祉法では福祉サービスの情報提供，利用援助等に関して規定。**

社会福祉法では，福祉サービスに関する**情報提供**や利用援助，**苦情解決**の対応や**運営適正化委員会**について規定されている。

(問2)　社会福祉の歴史　　　　　　　　　難易度★★★　頻出度★★★　正答5

❶ ◯ **ベヴァリッジ報告を契機に，イギリスは福祉国家体制を目指した。**

1942年に提出されたベヴァリッジ報告は「**ゆりかごから墓場まで**」を理念とし，福祉充実の実現を目指すものであった。

❷ ◯ **憲法25条の生存権は，日本の社会福祉制度の発展に寄与した。**

日本国憲法25条の規定は，国民には**生存権**があり，国家には生活保障の義務があることを明らかにしている。

❸ ◯ **近代以前の相互扶助や宗教的な慈善事業は，重要な役割をもっていた。**

本試験解説

近代以前においても宗教的，博愛主義による**慈善活動**や地域・家族等による**相互扶助**が行われ，社会福祉の発展につながった。

❹ ○ 慈善組織協会は，友愛訪問員による個別対応により，問題解決を図った

慈善の濫救，漏救を防ぎ，効率的に慈善活動を行うことを目的とした**慈善組織協会**は，**友愛訪問員**による家庭訪問により個別対応を図った。

❺ ✕ ブースらの貧困調査は，貧困の原因を社会にあることを示した。

ブースの調査では，貧困の原因を社会にあるとし，社会の責任を明らかにしたうえで，社会改良運動などを通して問題解決を目指した。

(問3) 児童福祉法　　　　難易度★★　　頻出度★★★　　正答1

Ⓐ ○ 児童福祉法2条1項では，国民の児童に対する責務が規定。

すべての国民は，児童がその**年齢及び発達**の程度に応じて意見が尊重され，**最善の利益**が優先して考慮されたうえで育成されるよう努めることが規定。

Ⓑ ○ 児童福祉法2条3項では，国及び地方公共団体の責務について規定。

国及び地方公共団体は，**児童の保護者とともに**，児童を心身ともに健やかに**育成する責任を負う**ことが規定されている。

Ⓒ ✕ 児童の育成に関する責任は，保護者とともに国や地方公共団体にもある。

児童の第一義的責任者は保護者にあるが，**国や地方公共団体**は，**保護者とともに児童の育成に関して責任を負う**ことが，児童福祉法2条3項に規定されている。

Ⓓ ○ 保育士は，児童の保育及び児童の保護者に対する指導を業とする。

保育士は**名称独占**の資格であり，専門知識及び技術をもって児童の**保育**や保護者の**指導**を行うことを業とする旨が児童福祉法18条の4に規定されている。

(問4) 地域福祉に関わる専門職や団体　　難易度★★　　頻出度★★　　正答1

Ⓐ ○ 町内会や自治会が地域の支え合いの仕組みをつくることは適切。

問題を抱えた住民に対し，**支え合い**の仕組みをつくることは適切である。**コミュニティワーク**には住民同士の支え合いを支援することが含まれる。

Ⓑ ○ 民生委員が住民に対し，必要な情報提供や援助等を行うことは適切。

民生委員が問題を抱える住民に対し，必要な**情報提供**や援助等を行うことは適切である。**コミュニティワーク**には，福祉サービスに関する**情報提供**等を含めた住民への支援が含まれる。

Ⓒ ○ 住民に対し，問題解決に関連するボランティアを紹介することは適切。

ボランティア・コーディネーターによって，生活問題の解決に関係したボランティアを紹介するという対応は適切である。支援を必要とする**人と福祉サービスをつなげて調整を図る技術**を**ケアマネジメント**という。

Ｄ ○ 社会福祉制度の改善を求める住民の行動を支えることは適切。

社会福祉制度の改善を目指して，住民の行動を支えることは，地域福祉の推進において大切である。制度の改善を目指して**行政等に働きかける**技術を**ソーシャル・アクション**という。

（問5）**社会福祉制度等**　　　難易度★★★　頻出度★★　正答2

Ａ ○ 社会福祉法人は社会福祉法に基づく社会福祉事業を目的とする法人。

社会福祉法人は，**社会福祉事業**を行うことを目的とする法人として，民間福祉サービスにおいて中心的な役割を果たしてきた。

Ｂ ○ 生活困窮者自立支援制度では，複雑な課題をもつ生活困窮者を支援する。

生活困窮者自立支援制度は，複雑かつ多様な課題をもつ生活困窮者に対し，地域のネットワークを構築し，**早期発見**や**包括的**な支援につなげる。

Ｃ × 2020年度の介護費用は，2000年度の介護費用の約3倍である。

介護保険制度開始当時の**2000（平成12）年度**は約3.6兆円だった介護費用は，**2020（令和2）年度**には11.1兆円で**約3倍**となった。

Ｄ ○ 成年後見制度は民法に基づき判断能力が低い者を支える権利擁護制度。

成年後見制度は，認知症や知的障害者，精神障害者などを対象とし，財産の管理等をサポートする**民法**上の制度である

（問6）**機関とその業務内容**　　　難易度★★★　頻出度★★　正答1

Ａ ○ 市町村の福祉事務所では，知的障害者の援護を行う。

市町村の福祉事務所は，知的障害者の福祉に関し，情報提供，相談対応，必要な調査及び指導を行う等の業務を担う。なお**市町村福祉事務所**は，知的障害者福祉法を含む**福祉六法**の業務を担うこととされている。

Ｂ ○ 児童相談所では，児童福祉施設への入所措置を行う。

児童相談所は，児童に関する**都道府県の業務**を担う行政機関で，その権限の一つとして，児童に対して**措置決定**を行うことがある。

Ｃ × 身体障害者更生相談所は，判定や専門的相談指導に関する助言等を行う。

身体障害者更生相談所は，身体障害者に関する業務のうち，医学的，心理学的及び職能的判定業務など**専門的かつ高度な技術を必要とする支援**等を行う。

Ｄ ○ 精神保健福祉センターは，都道府県・政令都市に設置義務がある。

精神保健福祉センターは，**精神保健及び精神障害者福祉に関する法律**に基づき，精神保健の向上及び精神障害者の福祉の増進を図ることを目的とする機関である。

本試験解説

Ⓐ ○ 国民年金の種類には，老齢基礎年金，障害基礎年金，遺族基礎年金がある。
　　国民年金（基礎年金）の種類には，**老齢基礎年金，障害基礎年金，遺族基礎年金**がある。厚生年金も同様である。

Ⓑ ○ 健康保険の保険給付は療養の給付，訪問看護療養費，出産育児一時金等。
　　健康保険の保険給付は，健康保険法52条に基づき，**療養の給付，訪問看護療養費，出産育児一時金**等がある。

Ⓒ ○ 労災保険の保険給付は療養補償給付，休業補償給付，障害補償給付等がある。
　　労災保険の業務災害に関する保険給付は，労災補償保険法12条の8に基づき，**療養補償給付，休業補償給付，障害補償給付**等がある。

Ⓓ ○ 介護保険の介護給付には，居宅介護サービスや施設介護サービスがある。
　　介護保険の介護給付における**居宅介護サービス**には，**訪問介護，訪問入浴介護，訪問看護，訪問リハビリテーション**等がある。

　　以下のとおり，A→D→B→Cの順である。

Ⓐ 老人福祉法は，1963（昭和38）年に制定された。
　　老人福祉法は，高度経済成長において，核家族化が進むことで，高齢者の生活支援が大きな課題となり**1963（昭和38）年**に制定された。

Ⓑ 介護保険法は，1997（平成9）年に制定された。
　　介護保険法は，急速な高齢化に伴い介護をする家族の状況変化や介護ニーズに対応するため**1997（平成9）年に制定**され，**2000（平成12）年に施行**された。

Ⓒ 高齢者虐待防止・養護者支援法は，2005（平成17）年に制定された。
　　高齢者虐待防止・養護者支援法は，高齢者に対する身体的・心理的虐待，世話の放任等が，家庭内や施設等で表面化し，社会的問題となったことから，高齢者の権利擁護，虐待の早期発見等を目指して**2005（平成17）年**に制定された。

Ⓓ 高齢社会対策基本法は，1995（平成7）年に制定された。
　　高齢社会対策基本法は，高齢社会対策にかかわる基本理念とその基本となる事項を定め，経済社会の健全な発展及び国民生活の安定と向上を図ることを目的とする法律で，**1995（平成7）年**に制定された。

❶ ○ アセスメントでは利用者の心身の状況や環境等の情報を収集し分析する。
　　アセスメント（事前評価）では，利用者の状況を包括的に評価するために，

利用者の心身の状況や利用者を取り巻く環境，利用可能な社会資源に関する**情報を収集**し**分析**することが大切である。

❷ ○ **アセスメントでは，ジェノグラムやエコマップなどが活用される。**

ジェノグラムとは利用者の**家族関係図**で，家族構成や家族間の関係性を示した図。**エコマップ**は**社会資源の関係図**で支援者や支援機関の関係を図にしたもの。ともにアセスメントを行ううえで有効な資料となる。

❸ × **アセスメントでは，利用者の持っているストレングスにも注目する。**

アセスメントは，利用者の抱える問題や課題を分析するうえで，利用者の持っている**ストレングス**（**強み**）に注目し，その特性を生かし支援を考えていくことが大切である。

❹ ○ **アセスメントの問題が複数ある場合，取り組むうえでの優先順位をつける。**

アセスメントで，利用者の抱える問題が複数ある場合，問題の重要性，利用者の状況や能力などを考慮したうえで，実施に当たっての**優先順位**をつけることが重要である。

❺ ○ **アセスメントはケースによってはモニタリング等を通して繰り返し行う。**

アセスメントの後，**プランニング（計画）→インターベンション（援助）→モニタリング（中間評価・経過観察）**と行われるが，モニタリングの時点で気づきがあった場合はアセスメントに戻り，再考することがある。

（問10） **相談援助の原理・原則**　　難易度★★　頻出度★　　正答 1

Ⓐ ○ **一人一人の人権を尊重し擁護することは，相談援助における重要な原理。**

「**人権を尊重し擁護する**」ということは，自分とは違う他人を受け入れ，その人の権利を大切に扱うことであり，相談援助における重要な原理である。

Ⓑ ○ **相談援助は，自由，平等，共生に基づく社会正義の実現を目指す。**

「差別，貧困，抑圧，排除，無関心，暴力，環境破壊などの無い，自由，平等，**共生**に基づく**社会正義**の実現をめざす」という原則は，社会福祉士倫理綱領に記載されている。

Ⓒ ○ **相談援助では，利用者の多様性を尊重し，違いを尊重することが大切。**

相談援助では，「個人，家族，集団，地域社会に存在する**多様性**を認識し，それらを尊重する社会の実現をめざす」ことが社会福祉士倫理綱領に記載。

Ⓓ ○ **相談援助において，バイスティックの7原則をふまえて行うことが大切。**

バイスティックの7つの原則の「**個別化**」「**意図的な感情表出**」「**統制された情緒関与**」「**受容**」「**非審判的態度**」「**自己決定**」「**秘密保持**」は，相談援助を行ううえで欠かせない原則である。

Ⓐ ✕ エバリュエーションは，支援終了後に効果を検証する「事後評価」。

すべての**支援終了後**に，問題の改善状況や利用者の満足度を評価する**エバリュエーション**を行い，問題なければ**ターミネーション（終結）**となる。

Ⓑ ✕ 信頼関係の構築が重視される段階は，インテークである。

インテークでは，最初の段階で，利用者のニーズや問題の趣旨を聞き取る面接過程。利用者と**信頼関係**（ラポール）を築くことが大切とされる。

Ⓒ ✕ 援助に向けたプログラムを作成する段階は，プランニングである。

アセスメントに基づき，問題解決に向けた支援計画を**立案する**段階は，**プランニング**である。

Ⓓ ◯ エバリュエーションは，支援が適切だったか効果があったかを評価をする。

エバリュエーションは，支援の後に問題が解決したか，支援効果があったかどうか，**事後評価**をする段階である。

Ⓐ ◯ アウトリーチは，援助者が地域等に出向き，ニーズを発見する手法。

アウトリーチとは，援助者が自ら**利用者のいる場所や地域に行き**，積極的な支援や潜在的ニーズの発見を図るものである。

Ⓑ ◯ アセスメントは利用者の抱える問題や課題を分析する事前評価である。

アセスメントにおいて，利用者ニーズや**ストレングス**等を評価することは，その後の支援計画を立てる（プランニング）うえで有効である。

Ⓒ ◯ プランニングは，援助を行うための支援計画を立てる段階である。

利用者が参加し，合意を得ながら**援助計画の作成**を立てる段階である。

Ⓓ ◯ モニタリングは，中間評価・経過観察といわれ，援助の途中の評価段階。

モニタリングは，**中間評価・経過評価**といわれる援助の途中で実施される評価である。

Ⓐ ✕ 保育所は，第三者評価の受審について，努力義務とされている。

保育所は，評価の実施について，**自己評価は義務**，**第三者評価は努力義務**であることが，設備運営基準に規定されている。

Ⓑ ◯ 児童養護施設は自己評価及び第三者評価の受審が義務づけられている。

児童養護施設は**第三者評価の受審**について**義務**づけられている。なお，**3年に1回以上実施**することが求められている。

Ⓒ ✕ 乳児院は自己評価及び第三者評価の受審が義務づけられている。

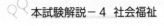

児童福祉施設のうち，**第三者評価が義務**づけられているのは，**乳児院，児童養護施設，母子生活支援施設，児童心理治療施設，児童自立支援施設**である。

Ⓓ ✕ 福祉サービスの第三者評価の所轄庁は，厚生労働省である。
福祉サービスの第三者評価の所轄庁は，**厚生労働省**であり，「福祉サービス第三者評価事業に関する指針について」等の通知が示されている。

問14 成年後見制度　　　　　　　　難易度★★　　頻出度★★★　　正答2

Ⓐ ◯ 成年後見制度は，2000（平成12）年にスタートした権利擁護制度である。
成年後見制度は，従来の「禁治産・準禁治産制度」から本人の保護と，自己決定権の尊重との調和を重視した制度として**2000（平成12）年**に新設。

Ⓑ ✕ 成年後見制度の所轄庁は，法務省である。
成年後見制度の所轄庁は**法務省**で，その支援の対象は，認知症の高齢者や知的障害者，精神障害者などの**意思決定能力が低い者**である。

Ⓒ ✕ 成年後見制度の申し立ては，ほかに市区町村長，検察官もできる。
成年後見制度の申し立ては，**本人と配偶者等以外に４親等内の親族，成年後見人等，任意後見人，成年後見監督人等，市区町村長，検察官**ができる。

Ⓓ ◯ 家庭裁判所の選任によって，成年後見人，保佐人，補助人が決まる。
成年後見制度は**法定後見制度**（家裁の選任による）と**任意後見制度**（本人との契約による）があり，そのうち法定後見制度については，判断能力によって代理人となる**成年後見人，保佐人，補助人**を決定する。

問15 福祉サービス利用援助事業（日常生活自立支援事業）　難易度★★　　頻出度★★★　　正答5

Ⓐ ✕ 福祉サービス利用援助事業の実施主体は，都道府県社会福祉協議会等。
福祉サービス利用援助事業は，日常生活自立支援事業といわれ，認知症の高齢者や知的障害者，精神障害者など**判断能力が不足している者を対象**とし，日常生活における支援を行う権利擁護制度である。

Ⓑ ✕ 福祉サービス利用援助事業の支援内容に，日常生活の金銭管理は含まれる。
福祉サービス利用援助事業の支援内容として，**福祉サービスの情報提供，助言や日常生活の金銭管理，書類等の預かり等**を行うこととされている。

Ⓒ ✕ 福祉サービス利用援助事業は，生活保護受給世帯も利用が可能である。
福祉サービス利用援助事業は，**生活保護受給世帯も利用対象**である。なお，生活保護受給者の利用料は原則無料である。

Ⓓ ◯ 福祉サービス利用援助事業の利用料は，実施主体によって異なる。
福祉サービス利用援助事業の利用料は，サービスの**内容や地域によっても異**なる。

本試験解説

問16 苦情解決　難易度★★★　頻出度★★★　正答4

Ⓐ ○ 社会福祉事業経営者に対し，福祉サービスの苦情解決の努力義務が規定。

社会福祉法82条では，**社会福祉事業経営者**に対して，**福祉サービスの苦情解決に関する努力義務**が規定されている。

Ⓑ ✕ 苦情の申し出は利用者本人等が運営適正化委員会等に直接行うことが可能。

苦情の申し出は，利用者本人やその家族が，都道府県や**運営適正化委員会**に直接行うことができる。

Ⓒ ○ 保育所保育指針では，保護者の苦情対応を行う努力義務が記載されている。

保育所保育指針1章では，**保護者の苦情に対して，その解決を図るよう努める**ことが，記載されている。

Ⓓ ✕ 第三者委員は，法令等に規定されておらず，設置義務はない。

第三者委員は利用者ではなく事業者でもない**第三者の立場**から，苦情や意見の対応を図ることを目的として，厚生労働省通知に基づき事業所単位に設置される。

問17 令和4年版男女共同参画白書　難易度★★★　頻出度★★★　正答3

Ⓐ ○ 専業主婦世帯（妻が64歳以下）は，夫婦のいる世帯全体の23.1%。

2021（令和3）年における**専業主婦世帯**（妻が64歳以下）は，夫婦のいる**世帯**全体の**23.1%**となっている。

Ⓑ ✕ 2020（令和2）年の民間企業における男性の育児休業取得率は12%台である。

男性の育児休業取得率は，年々上昇し，2020（令和2）年の民間企業における**男性の育児休業率**は，**12.65%**である。

Ⓒ ○ フルタイム労働者の男性の賃金を100とすると女性の賃金は77.5である。

日本は，2020（令和2）年においてフルタイム労働者の男性賃金を100とすると，女性賃金は77.5であり，OECDの平均を下回ることから，**日本の男女間賃金格差は国際的に大きい**といえる。

Ⓓ ✕ 男女共同参画計画の令和3年の策定率は，市区町村全体で8割以上である。

男女共同参画計画の令和3（2021）年の策定率は，市区町村全体では**84.1%**となっている。

問18 市町村社会福祉協議会の活動や事業　難易度★★　頻出度★★★　正答5

Ⓐ ✕ 市町村社協に，ボランティアセンターの設置は義務づけられていない。

ボランティアセンターは市町村社会福祉協議会に設置されるが，特に法定上の規定がなく，その設置について**義務づけられていない。**

Ⓑ ○ 市町村社協は，社会福祉を目的とする事業に，調査，普及，宣伝等を行う。

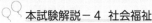

市町村社会福祉協議会は，社会福祉を目的とする事業に関する**調査，普及，宣伝，連絡，調整及び助成**を行うことが，社会福祉法109条に規定されている。

ⓒ ✕ 市町村社協は，生活困窮者に対する相談援助を行っている。

生活困窮者自立支援制度では，生活困窮者を対象に相談支援等を実施しているが，その**委託先**の多くが市町村社協を含めた**社会福祉協議会**である。

ⓓ ○ 市町村社協は，事業の企画や実施を通して地域福祉の推進を図る。

市町村社会福祉協議会は，社会福祉を目的とする**事業の企画や実施**を通して**地域福祉の推進を図る**ことが，社会福祉法109条に規定されている。

(問19) 共同募金　　　　　　　　　　　　　難易度★★　頻出度★★★　正答4

ⓐ ✕ 共同募金及び共同募金会については，社会福祉法に規定されている。

共同募金及び共同募金会については，社会福祉法113条等に規定されている。なお，**共同募金会**は，**第一種社会福祉事業の社会福祉法人**である。

ⓑ ○ 歳末たすけあい運動は，共同募金の一貫として行われている。

共同募金の活動期間について，厚生労働大臣の告示により，**10月1日から翌3月31日までの6か月間**とされており，12月については，「**歳末たすけあい運動**」もあわせて実施している。

ⓒ ○ 共同募金は地域福祉の推進を目的として行われている。

共同募金は**地域福祉の推進**を目的として行う旨が社会福祉法112条に規定されている。

ⓓ ○ 共同募金会の中に，公正な配分を行うために配分委員会が置かれている。

公正な配分を行うために，共同募金会の中に**配分委員会**が置かれている。なお，配分委員会による**寄付金の配分**について，**国及び地方公共団体は干渉してはならない**。

(問20) こども基本法3条　　　　　　　　難易度★★★　頻出度★★★　正答5

A-差別，　B-参画，　C-意見が入る。

こども基本法3条の一号～四号は，児童の権利の4原則に基づき規定。

こども基本法3条の一号から四号においては，**児童の権利に関する条約の4原則**である「**差別の禁止**」「**生命，生存及び発達に対する権利**」「**児童の意見の尊重**」「**児童の最善の利益**」の趣旨を踏まえ，規定されている。問題文は同法3条の一号から三号の内容である。

5 教育原理

問1 教育基本法　　　難易度★★　頻出度★★★　正答4

A ✕ 学問の自由は，日本国憲法23条に規定される。

学問の自由は自由権の一つであり，教育に関する活動において，人は他者からの干渉や制限を受けない自由があるという趣旨である。

B ○ 教育基本法1条では，教育の目的として人格の完成を目指すことが規定。

教育は，**人格の完成**を目指し，必要な資質を備えた心身ともに健康な国民の育成を期して行われる旨が教育基本法1条に規定されている。

C ✕ 学校教育法では，学校設置に当たり設置基準に従い設置することが規定。

学校教育法3条では，学校の設置に当たり，その種類に応じ，**文部科学大臣**の定める設備，編制等の設置基準に従い設置することが規定されている。

問2 児童憲章　　　難易度★★★　頻出度★★　正答5

A-愛情，B-環境が入る。

児童憲章は，すべての児童の幸福を図るために定められた権利宣言である。

前文と本文12項目で構成されている**児童憲章**は，**日本国憲法**の精神に基づいて児童に対する正しい観念を確立し，すべての児童の幸福を図るために定められた児童の権利宣言であり，主に**保護**される権利を中心に示されている。なお，法的な拘束力はない。

問題文は本文の一部であり，**家庭**における養育の重要性と，それができない場合に家庭に代わる養育を行うことが示されている。

問3 イギリスの学校系統図　　　難易度★★　頻出度★★　正答4

イギリスにおける義務教育は，5歳から16歳までの11年間である。

諸外国における義務教育の年数は国ごとに異なる。イギリスの義務教育は5歳から16歳までの11年間で，初等教育が6年，中等教育が5年となっている（オーストラリア10年，フィンランド9年，フランス10年，アメリカ9～12年（州によって異なる））。

また，国によって名称も異なり，イギリスの場合は，初等教育は**インファントスクール**，**ジュニアスクール**，プレ・プレパラトリー・スクールなどがある。

中等教育は，選抜試験のない中等学校で行われるのが一般的であるが，そのほかにファーストスクール，ミドルスクール，**アッパースクール**などがある。さらに義務教育である5年間の中等教育課程を修了した生徒が上級学校へ進

学するために学ぶ2年間の課程が**シックスフォーム**である。

問4　海外の人物　　　難易度★★　頻出度★★★　正答1

❶ ○ **フレーベル**は，「遊び」の重要性を唱え，恩物を考案した。

フレーベルは，子どものための教育玩具である**恩物**を考案した。また世界で最初の幼稚園**キンダーガルテン**を創設した。

❷ × **ルソー**は，性善説の立場から，消極的教育を提唱した。

ルソーは**性善説**の立場に立ち，人間はもともと善なる存在であるが，人間社会に入ると悪くなると考えた。また，自然に先立って教育してはならないとして，**消極的教育**を提唱した。

❸ × **ペスタロッチ**は，著書『隠者の夕暮れ』の中で平等主義を唱えた。

ペスタロッチは，『隠者の夕暮れ』の中で，人間は平等であり尊ばれる存在であることを唱えた。また，**シュタンツ**に孤児院を創設した。

❹ × **アリエス**は，中世には子ども期という観念は存在しないと述べた。

アリエスは，自身の著書の中で，ヨーロッパにおける中世芸術などの分析を通して，中世には**子ども期**という観念は**存在していなかった**と述べた。

❺ × **デューイ**は，児童中心主義の学習の重要性を説いた。

デューイは，『**学校と社会**』にて，「子どもが太陽となり，その周囲を教育のさまざまな営みが回転する」と述べ，**児童中心主義**に基づく新教育を提唱した。

問5　日本の人物の著書内容　　　難易度★★★　頻出度★★★　正答2

❶ × **荻生徂徠**は，江戸時代の儒学者で，私塾の護園塾の創設者である。

荻生徂徠は，江戸時代の儒学者で，私塾の**護園塾**を開いた。また『政談』等の著書がある。

❷ ○ 『**和俗童子訓**』の著者である貝原益軒は，早期教育を提唱した。

貝原益軒は，著書『**和俗童子訓**』において，年齢に応じた体系的な教育について提唱。「小児の教えは早くすべし」と**早期教育**を提唱したことから，「日本のロック」といわれていた。

❸ × **佐藤信淵**は，乳児保護施設の慈育館と託児施設の遊児館を構想した。

佐藤信淵は，『**垂統秘録**』の中で，乳幼児保護施設の慈育館と託児施設の遊児館を構想し，これらを公費で運営すべきと提示した。

❹ × **伊藤仁斎**は江戸時代前期に，私塾の古義堂を開いた人物である。

伊藤仁斎は江戸時代の前期に活躍した儒学者であり，私塾の**古義堂**を開いた人物である。

❺ × **太田道灌**は，室町時代後期に関東地方で活躍した武将である。

本試験解説

太田道灌は，室町時代後期に関東地方で活躍した武将で，**江戸城**を築城した人物でもある。

問6 日本における教育に貢献した人物（江戸時代以前）　難易度★★★　頻出度★★　正答5

Ⓐ-エ 世阿弥は，室町時代初期の頃の人物で，『風姿花伝』を著した。
　　世阿弥は，能の稽古の方法など7か条で構成された『**風姿花伝**』を著した。

Ⓑ-ウ 北条実時は鎌倉時代中期の武将で金沢文庫を設けた人物である。
　　金沢文庫は1275（建治元）年頃，北条実時が邸宅内に設けた蔵書の文庫で，
　　国内に現存する最古の武家文庫となっている。

Ⓒ-ア 広瀬淡窓は，私塾の咸宜園を開いた。
　　広瀬淡窓は，江戸時代に活躍した儒学者で私塾の**咸宜園**を開いた。

問7 日本における教育に貢献した人物（明治以降）　難易度★★★　頻出度★★★　正答4

❶ ✕ 澤柳政太郎は，成城小学校を創設した人物である。
　　澤柳政太郎は自由主義を実現し，自身が創設した**成城小学校**でドルトンプラン
　　ンを導入した。

❷ ✕ 羽仁もと子は，自由学園を創設した人物である。
　　羽仁もと子は**自由学園**を創設した人物で，婦人之友社の創立者でもある。

❸ ✕ 城戸幡太郎は社会中心主義の保育を提唱した。
　　城戸幡太郎は**保育問題研究会**を発足し，協同社会に建設しうる「生活力」の
　　ある子どもの育成を期した。

❹ ◯ 倉橋惣三は，児童中心主義に基づく誘導保育を提唱した。
　　倉橋惣三は自由中心主義の保育を実践し，**誘導保育**として「生活を生活で生
　　活へ」と導いていく**さながら保育**を提唱した。

❺ ✕ 小原國芳は，玉川学園を創設した人物である。
　　小原國芳は，**玉川学園**を創設し，**全人教育**（知識や技能に偏ることなく，感
　　性や特性等も重視し，調和的，全面的に発達させることを目的とする教育）
　　の理念を唱えた。

問8 カリキュラム　難易度★★　頻出度★★　正答3

❶ ✕ 経験カリキュラムは実際の経験に基づく生活中心カリキュラムである。
　　経験カリキュラムの長所は，**学習意欲を喚起しやすい**こと，短所は，成熟に
　　必要な知識や技能が網羅されるという保証がないということである。

❷ ✕ 潜在的カリキュラムは物事を解釈する際の前提を無意識に学習すること。
　　例えば男子は黒や青等が好き，女子は赤やピンク等が好きなど，知らず知ら

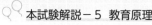

ずの間に性別分類について認識するように，ある物事の前提を日常生活の中で**無意識**に身につけていくことである。

❸ ○ **教科カリキュラムは，先生と教材が中心となるカリキュラムである。**

教科カリキュラムの長所は，大人が子どもに**学ばせたい内容を選択**できること，短所は内容が偏ったり，教科ごとの**関連性が無視**されてしまうことなどが挙げられる。

❹ ✕ **合科カリキュラムとは，複数の教科を統合しまとめて学習するスタイル。**

合科カリキュラムは，**複数の教科を統合**し，ひとまとまりのものとして学習させるスタイルである。

❺ ✕ **統合カリキュラムは複数資格の受験資格取得が可能となるよう構成される。**

統合カリキュラムは，**複数の資格**，例えば保健師，助産師，看護師等の国家試験受験資格が取得できるようにカリキュラム構成されたものをいう。

(問9) **保育所保育指針**　　　　難易度★★　頻出度★　　正答2

A-地域，B-環境，C-情報が入る。

子どもは，保育所の集団生活を通してさまざまな人と親しみをもち関わる。

子どもは，初めての集団生活の場である保育所の生活を通して，保育士等との**信頼関係**を基盤としながら保育所内の子どもや職員，他の子どもの保護者などいろいろな人と親しみをもって関わるようになる。**家族**を大切にしようとする気持ちをもつとともに，小学生や中学生，高齢者や働く人々など地域の身近な人と触れ合う体験を重ねていく。卒園を迎える年度の後半になると，こうした体験を重ねる中で人とのさまざまな関わり方に気付き，相手の気持ちを考えて関わり，自分が役に立つ喜びを感じ，**地域**に親しみをもつようになる。

(問10) **中央教育審議会資料**　　　　難易度★★★　頻出度★★　　正答5

A-つながっている，B-不登校が入る。

Ⓐ 発達や学びは幼児期と児童期ではっきりと分かれるものではなくつながっている。

子ども一人一人の発達や学びは**幼児期と児童期**ではっきりと分かれるものではなく，**つながっている**。

Ⓑ 子どもが不安等を抱え学習や生活に支障をきたすことが不登校の要因となりうる。

小学校入学当初の子どもが，不安や不満を自覚し大人に伝えることは難しく，そのため一人で戸惑いや悩みを抱えこんで**学習や生活**に支障をきたすおそれがある。それが**不登校**の要因にもなりかねない。

6 社会的養護

問1 児童養護施設運営指針　難易度★★　頻出度★★★　正答2

A-アフターケア，B-特定，C-連携が入る。

社会的養護は入所からアフターケアまで，一貫性のある支援が望まれる。

社会的養護は，インケア（入所支援）から**リービングケア**（退所前支援）を経て，**アフターケア**（退所後支援）まで継続して行われる。

施設における子どもは，できる限り**特定**の養育者による一貫性のある養育が望まれる。とはいえ，子どもの入所が長期間になった場合，その子どもを入所から退所まで同じ職員が担当することは困難であり，また措置変更により子どもが施設を移る場合もある。そうした場合，子どもたちに対して，それぞれの施設，里親，児童相談所等のさまざまな社会的養護の担い手が，専門性を発揮しながら，より**連携**しあって，一人ひとりの子どもの社会的自立や親子の支援を目指していく社会的養護の**連携**アプローチと，ネットワークが必要となる。

問2 親子関係再構築　難易度★★★　頻出度★★★　正答4

A-子ども，B-肯定的なつながりを主体的に回復，C-ともに暮らすが入る。

親子関係再構築支援は親子相互の肯定的つながりの主体的な構築を支援。

親子関係再構築支援とは，子どもと親がその相互の**肯定的**つながりを**主体的**に築いていけるよう，虐待をはじめとする養育上の問題や課題に直面している家庭の親子関係の修復や再構築に取り組むことである。親子関係再構築支援に当たっては，子どもの**最善の利益**の実現を目的として実施する必要がある。

親子関係再構築支援の種類として，**親子分離**等によって里親・ファミリーホーム・施設で生活している子どもとその親のみを対象とした**家庭復帰**を目的とするものだけではなく，**在宅でともに生活する親子**もその対象に含まれる。

問3 新しい社会的養育ビジョン　難易度★★　頻出度★★★　正答1

Ⓐ ○ 社会的養育の対象は，家庭で暮らす子や代替養育を受ける子等すべての子。

社会的養護は，すべての子どもの胎児期から自立までを対象としており，子どもの権利やニーズを優先に，家庭のニーズも考慮する。

Ⓑ ○ 新たな社会的養育では，子ども・家族の参加と支援者との協働を原則とする。

新たな社会的養育では，**子ども・家族の参加**（十分な情報が提供される，意見表明が尊重され，意見交換ができる）と**支援者との協働**を原則とする。

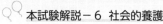
ⓒ ✕ 特別養子縁組等は，実父母の死亡などに限らず家庭復帰が困難な子も対象。

特別養子縁組や普通養子縁組は，実父母の死亡などに限らず，養育環境に問題があり，**家庭復帰が困難な子ども**も対象に含まれる。

ⓓ ◯ 地域支援事業やフォスタリング機関事業等を行う多様化を乳児院等で行う。

施設の抜本改革として，**地域支援事業**やフォスタリング機関事業等を行う**多様化**を，乳児院から始め，児童養護施設・児童心理治療施設，児童自立支援施設でも行うことが同ビジョンの中に示されている。フォスタリング事業とは，里親のリクルート及びアセスメント，里親に対する研修，子どもと里親家族のマッチング，里親養育など，一貫した支援を行う事業。

（問4）**児童養護施設ハンドブック**　　　難易度★★★　頻出度★★　正答1

A-福祉ニーズ，B-市町村，C-ソーシャルワークが入る。

地域支援では，施設や事業等の特色を生かして福祉ニーズに対応していく。

地域の子育て支援への取組みには，ショートステイ事業や児童家庭支援センター事業，**要保護児童対策地域協議会**への参加協力など，精力的に活動している資源が多く存在する。それぞれの特色や強みを生かしながら，地域の**福祉ニーズ**に応える支援のあり方を模索していく必要がある。

また，施設がもつ専門性を活かし地域支援，例えば，施設が地域の子育て相談・助言や**市町村**の子育て支援事業に協力したり，**ソーシャルワーク**機能を活用して地域の拠点となるような取組みを積極的に行うことが重要である。

（問5）**児童養護施設運営指針**　　　難易度★★　頻出度★★★　正答1

ⓐ ◯ 施設内に親子が一緒に過ごせる宿泊設備を設けて関係再構築を目指す。

入所中においても，親子が一時的に必要な期間を一緒に過ごせるような**宿泊設備を施設内に設けて**，**親子関係の再構築に向けて配慮**する。

ⓑ ◯ 子と家族の関係構築に向けて，面会，外出，一時帰宅等を積極的に行う。

家族に対して学校行事などへの参加を働きかけるなど**保護者と施設と児童相談所が協働**して子どもの養育に取り組むことが必要。

ⓒ ◯ 家族等との交流の乏しい子は，家庭生活を体験させるなどの配慮をする。

家族等との交流の乏しい子どもには，週末里親やボランティア家庭等での家庭生活を体験させるなどして**家庭的な体験**が味わえるように配慮する。

ⓓ ✕ 子どもの一時帰宅は，保護者の意向のみならず子どもの意向も尊重する。

一時帰宅については，保護者の状況を踏まえたうえで，児童相談所と協議し，**子どもの心情**に添った**対応**や**決定**が求められる。

Ⓐ ✕ 里親及びファミリーホームは18歳に至るまでの子どもを対象としている。

里親及びファミリーホームは，**18歳に至るまでの子どもを対象**としており，必要がある場合は**20歳に達するまでの措置延長**をとることができる。

Ⓑ ○ 養育者は，児童相談所が作成した自立支援計画に基づき養育を行う。

5施設（乳児院，母子生活支援施設，児童養護施設，児童心理治療施設，児童自立支援施設）の施設長に対して自立支援計画の作成が求められているが，**里親及びファミリーホームの委託児童の自立支援計画は児童相談所長**が作成する。

Ⓒ ✕ 里親の姓を通称として使用することもあるが，それは義務ではない。

里親の姓を通称として使用することがあるが，**子どもの利益**，子ども自身の意思，実親の意向の尊重といった観点から個別に慎重に検討する。

Ⓓ ○ 里親は，特定の養育者との生活基盤を共有することが，特徴である。

特定の養育者が共に生活を継続するという安心感が，養育者への信頼感につながり，信頼感に基づいた関係性が人間関係形成における土台となる。

❶ ○ 被措置児童等虐待を防ぐために，開かれた組織であることが大切である。

組織全体として，**活性化され風通しがよく**，地域に開かれた組織とすることによって，より質の高い子どもへの支援を行うことが可能となり，**被措置児童等虐待が予防**される。

❷ ○ 第三者委員の活用等を通じて開かれた組織運営を行うことが重要である。

第三者委員の活用や，**第三者評価**の積極的な受審・活用など，外部の目を取り入れ，開かれた組織運営としていくことが重要である。

❸ ✕ 虐待が発見された場合，他の被措置児童等に対しても説明が必要。

被措置児童等虐待が発見された場合には，被害を受けた被措置児童等のほかにも，当該施設等で生活を送っている**他の被措置児童等**に対しても，適切でわかりやすい**経過説明ときめ細かなケア**を実施することが必要である。

❹ ○ 自立支援計画策定や見直しの際，子どもの意見を聴き取り，反映させる。

自立支援計画の策定に当たっては**子どもの意見や意向等**を聴き取り，その内容を反映させることが重要である。

❺ ○ 経験の浅い職員等がスーパービジョンを受けられるような体制を作る。

スーパービジョンとは，経験の浅い者が経験豊かな熟練者から指導を受けスキルアップすることである。

問8　施設とその創設者

難易度★★★　頻出度★★★　正答2

❶ × 博愛社は，小橋勝之助が創設した現在の児童養護施設である。

小橋勝之助は，現在の児童養護施設である**博愛社**を創設した。

❷ ○ 岩永マキは，現在の児童養護施設となる浦上養育院を創設した。

岩永マキは，日本の福祉事業の礎を築いた女性であり，自身が創設した**浦上養育院**は，現在もなお長崎で児童養護施設として存在する。

❸ × 家庭学校は，留岡幸助が創設した現在の児童自立支援施設である。

家庭学校は留岡幸助が創設した感化院（現在の児童自立支援施設）である。

❹ × 松方正義は，現在の児童養護施設である日田養育館を創設した。

松方正義は，わが国初の児童養護施設（当時は孤児院）である**日田養育館**を創設したこととあわせて，内閣総理大臣も務めた。

❺ × 滝乃川学園は，石井亮一が創設したわが国初の知的障害児者施設である。

石井亮一は，わが国初の**知的障害児者施設**として，**滝乃川学園**を創設し，「**知的障害児者の父**」と呼ばれていた。**池上雪枝**は，わが国初の児童自立支援施設（当時は感化院）として，**池上感化院**を創設した人物である。

問9　グループホームにおける児童への対応に関する事例

難易度★★　頻出度★★★　正答4

Ⓐ × 男児に対して厳しく問いただし，叱責することは不適切な対応である。

保育士が厳しく叱責したりすることで，男児は心を閉ざしてしまうことになりかねない。嘘をつく男児の裏側にある**心情を理解**することが大切である。

Ⓑ ○ 男児の問題行動の解決を目指して自立支援計画を見直すことは有効である。

男児の問題行動に対し，心理療法担当職員なども含めて話し合いを行い，言動や成育歴など多面的に考察したうえで**計画の見直しを提案**することは有効。

Ⓒ × 男児に対して，反省を促したり突き放したりする対応は不適切である。

男児が保育士に対して心を許しているにもかかわらず，児童指導員と同じく**厳しい対応**をしてしまうと，男児の心のよりどころが失われ，かえって**逆効果**といえる。

Ⓓ ○ 男児に対し個別に関わる時間を増やし，寄り添う姿勢をみせることは適切。

保育士が男児のことを**受容**することで，男児が**安心**して，ありのままの自分を出すことができるため，適切な対応といえる。

問10　児童養護施設運営指針

難易度★★★　頻出度★★★　正答5

A-生きた，B-トータル，C-平凡が入る。

子の養育を担う専門性には，生きた過程と平凡な営みの追求が大事である。

子どもの養育を担う専門性は，養育の場で**生きた**過程を通して培われ続けな

ければならない。経験による知識や技能は，養育の場面やその過程で見直し
を行う必要があるからである。

例えば，規則正しい基本的生活習慣の確立にのみに注目すれば，子どもに強
いることが多くなり，子どもにとって施設の生活が苦痛になりかねない。

つまり，養育の一部を取り出して，それぞれについての援助技術を習得する
ことも必要だが，それ以上に，子どもの生活をトータルにとらえて，日常生
活に根差した**平凡**な養育の営みを追求することが大切である。

7 子どもの保健

問1　保育所保育指針1章　難易度★★　頻出度★★　正答4

A-健康，B-安全，C-習慣，D-態度が入る。

「健康」の目標として基本的な習慣や態度を養うことが挙げられている。

問題文は，教育に関わる内容（**5領域**）の中の「**健康**」の目標である。子ど
もが保育所で健やかに過ごせるために，「健康」「安全」に保育士が配慮する
とともに，子ども自身も**習慣**や態度を身につけられるように，保育の中に取
り入れ育んでいく必要がある。

問2　母子保健　難易度★★　頻出度★★★　正答3

❶ ✕ 母子保健の対象は，母親のみではなく，乳幼児も含まれる。

母子保健法1条には，**乳幼児**に対する保健指導，健康診査，医療等により，
国民保健の向上に寄与することを目的とするということが示されている。

❷ ✕ 現状の母子保健サービスの根拠法は，母子保健法である。

母子保健法に基づき実施されている母子保健サービスには，**母子健康手帳の
交付**，乳児家庭全戸訪問事業，乳幼児健診，**予防接種**などがある。

❸ 〇 乳幼児や妊産婦に向けた母子保健施策により乳児死亡率は減少している。

母子保健法，児童福祉法，予防接種法に基づき，母子保健に関する乳児や妊
産婦への施策が整備・充実され，わが国の乳児死亡率は**低く**なった。

❹ ✕ 母子保健法5条2項において「虐待」に関する内容が示されている。

国や地方公共団体が，母親や乳幼児の健康の保持増進に関する施策を講ずる
際は，**虐待の予防及び早期発見**を考慮すべきことが記載されている。

❺ ✕ 妊産婦登録制度の発端は，児童福祉法が制定される以前からある。

1942（昭和17）年制定の妊産婦手帳規程により，妊娠者の届け出の義務づけ
と妊産婦手帳の交付等が定められた。この手帳制度の導入で**妊産婦登録制度**
が実施されたことが，現在までの母子保健サービス拡充の基礎となった。

問3 児童虐待　　　　　　　難易度★★　　頻出度★★★　正答4

❶ ◯ **産後退院直後の母親への心身のケアは不安を軽減し虐待予防につながる。**
産後ケア事業は，**退院直後の母子への心身のケアや育児サポート**を実施。種類として宿泊型，デイサービス型（来所），アウトリーチ型（訪問）がある。

❷ ◯ **訪問により母親の孤立化を防ぎ，不安や悩みの相談に応じることができる。**
乳児家庭全戸訪問事業は**生後4か月**までの乳児がいる家庭を訪問し，相談に応じ，支援が必要な家庭に**適切なサービス提供の結びつけ**を目的とする。

❸ ◯ **関係機関等の連携による取組みが要保護児童への対応には効果的である。**
要保護児童対策地域協議会は，子どもを守る**地域ネットワーク**である。被虐待児を含む要保護児童の**早期発見**や適切な保護のために，関係機関がその子どもに関する**情報等の共有**や適切な連携の下で対応していくことが重要。

❹ ✕ **新生児スクリーニング検査のねらいは，先天性疾患を早期に見つけること。**
新生児に検査をし，**先天性代謝異常**等の先天性の病気を**早期に発見**し，発症を防ぐことを目的とする取組みであり，虐待予防や防止がねらいではない。

❺ ◯ **地域に設けた交流や不安・悩みを相談できる場は，子育ての孤立化を防ぐ。**
地域子育て支援拠点事業の内容は，①子育て親子の**交流の促進と場の提供**，②子育て等に関する相談・援助の実施，③地域の**子育て関連情報の提供**である。

問4 身体的発育　　　　　　　難易度★★　　頻出度★★　正答3

Ⓐ ✕ **神経細胞の軸索の髄鞘化により，情報を速く伝達できるようになる。**
脳の神経細胞の**軸索**は，成長とともに**髄鞘化**（髄鞘という膜で覆われること）が進む。髄鞘化が進むほど情報の伝達は速くなる。

Ⓑ ◯ **運動機能の発達は，一般的に一定の方向や順序で進んでいく。**
運動機能の発達には，**頭尾方向**（頭から足へ），**近遠方向**（中心から末梢へ）などの**方向性**や，首座り→お座り→一人立ち→歩行という**順序性**がみられる。

Ⓒ ✕ **発育をうながすホルモンとして副腎皮質ホルモンは不適切である。**
副腎皮質ホルモンは，副腎から分泌され，血糖・血圧・水分等の調節や**炎症を抑える**働きがあり，生きるために必要不可欠なホルモンである。

Ⓓ ◯ **原始反射は大脳の発達にともない，次第に消失する。**
未熟な状態の**新生児**には，外からの刺激に**無意識的に反応**する**原始反射**がみられるが，大脳が発達し意識的に体を動かせるようになると**消失**する。

Ⓔ ◯ **頭蓋骨の頭頂部前方に「大泉門」，後方に「小泉門」という隙間がある。**
新生児期は頭蓋骨のつなぎ目に**大泉門**と**小泉門**という隙間がある。成長とともに大泉門は**2歳**くらいまでに，小泉門は**3か月**くらいまでに**閉鎖**する。

本試験解説

(問5) 脳の構造と機能　　　難易度★★　頻出度★★　**正答1**

Ⓐ-ア 前頭葉は大脳の前方にあり思考，意思，情動など人間らしい機能を司る。
大脳を**4つ**に分けた領域の一つであり，**思考**や**創造性**，判断力，**随意運動**などを司っており，**人間らしく生きるための高次な機能**を担っている。

Ⓑ-ウ 側頭葉は大脳の左右の側面にあり，聴覚，嗅覚，記憶などの機能を司る。
大脳を**4つ**に分けた領域の一つであり，聴覚，嗅覚，記憶，言語の処理を行う。他者が発する言葉を理解する機能を司る**ウェルニッケ野**がある。

Ⓒ-イ 延髄には，心臓中枢，呼吸中枢など生命維持に重要な中枢がある。
脳の最下部で脊髄の上に位置する。嚥下，嘔吐，呼吸，循環，消化などの**生命維持に不可欠**な中枢があるため，延髄が損傷すると生命維持が困難になる。

Ⓓ-エ 小脳は，体幹や四肢の平衡の保持，姿勢の維持，運動の円滑化などを司る。
大脳の下に位置する。筋肉や関節からの情報をもとに，身体の**バランス**をとって円滑に動かし，**姿勢を保持**するように調節する**運動調節機能**を担う。

(問6) 乳幼児の排尿・排便の自立　　　難易度★★★　頻出度★★　**正答5**

Ⓐ ✕ 一般的に新生児期の排尿回数は1日に多くて20回程度である。
排泄機能が**未熟**な新生児期の1日の排尿回数は，他の時期に比べて**多い**。1回の排尿量は**5〜10**mLであり，1日の排尿量は**100〜200**mLである。

Ⓑ ✕ 尿がたまった感覚がある程度わかるようになるのは1歳半頃である。
1歳半頃には，尿がたまった感覚がわかるようになり，おむつに出てから教えるようになる。**2歳頃**になると，尿意を感じ大人に伝える姿がみられる。

Ⓒ ○ 生後6か月未満児において，1日の排便回数は2回以上が多い。
母乳栄養児と**人工栄養児**で1日の排便回数に違いがある。母乳栄養児では，新生児期は**7〜10回**程度，3か月頃までは**3〜5回**程度でそれ以降は2回程度となる。人工栄養児では，新生児期から6か月頃まで**2〜3回**程度である。

Ⓓ ○ 多くの幼児に排便の自立がみられるのは，4歳以降である。
個人差はあるが，3歳頃からトイレで排便できることが少しずつ増え，**4歳以降**では自立する。ただし，**後始末**はまだ大人の介助が必要な場合もある。

(問7) 乳幼児の健康診査　　　難易度★★　頻出度★★　**正答3**

❶ ✕ すべての乳幼児健康診査が法律に基づき実施されているわけではない。
母子保健法にて実施が義務づけられているのは，**1歳6か月健診**，**3歳児健診**である。その他，**必要に応じて乳幼児への健診**が実施される場合がある。

❷ ✕ 乳幼児健康診査の受診率は，年月齢を問わず80％を超えている。
乳幼児期に実施される全健診の受診率は**80％**を超えており，特に3〜5か月

（95.4％），1歳6か月（95.2％），3歳（94.6％）は**90%**を超えている。

❸ ○ 乳幼児健診は，保護者の悩みへの対応など子育て支援対策も兼ねている。

乳幼児健診は，乳幼児の栄養状態・養状態・生活習慣の確認，疾病の早期発見などに加え，保護者の悩みに対応するなど**子育て支援**も目的としている。

❹ × 保育所の健康診断については「設備運営基準」に規定されている。

児童福祉施設の設備及び運営に関する基準（設備運営基準）12条において，児童福祉施設の長は，入所した者に対し，**入所時**の健康診断，少なくとも**1年に2回**の定期健康診断を行わなければならないことが示されている。

❺ × 保育所での健康診断については定型的な業務であっても評価を行う。

通常の保育と同様に，健康診断であっても**保育所の評価**を行い，記録に残し，安全で健康な保育所生活の管理をしていく必要がある。

問8 **保育所における感染症対策ガイドライン**　　難易度★★　　頻出度★★　　正答3

Ⓐ ○ 生後6か月未満の乳児が感染した場合，重症な呼吸器症状を生じる。

RSウイルス感染症は，呼吸器感染症で，乳幼児期に**初感染**した場合の症状が重く，特に**6か月未満児**が感染すると重症化することがある。

Ⓑ × 一度かかっても免疫が得られないため，繰り返し感染する可能性がある。

一度かかっても十分な**免疫が得られない**ため，何度も罹患する可能性があるが，再感染・再々感染した場合には，**徐々に症状が軽くなる**。

Ⓒ × 大人が感染した場合は，軽症のことが多い。

通常，大人が感染した場合は，鼻炎程度の軽い感冒症状がみられる。

Ⓓ ○ 流行期は罹患したら重症化しやすい0歳児と他年齢児の交流を制限する。

流行期には，0歳児クラスとその他のクラスは互いに接触しないよう**交流を制限**する。特に**呼吸器症状がある年長児**が乳児に接触することを避ける。

問9 **感染症**　　難易度★★　　頻出度★★★　　正答3

❶ ○ 水痘は，紅斑，水疱，痂皮など各段階の発疹が混在するのが特徴である。

発疹が**顔や頭部**に出現し，やがて**全身**へと拡大する。感染力は非常に強いが，すべての発疹が**痂皮（かさぶた）化**すれば感染性がないものと考えられている。

❷ ○ インフルエンザは，肺炎や急性脳症等の合併症が起こることがある。

毎年冬になると流行する。突然の高熱が出現し，3〜4日続く。**倦怠感**，食欲不振，**関節痛**，**筋肉痛**等の全身症状や，咽頭痛，鼻汁，咳等の気道症状を伴う。

❸ × 咽頭結膜熱の病原体は，アデノウイルスである。

プールの水を介して感染することがあるため「プール熱」とも呼ばれるが，接触感染で感染することのほうが多い。症状は高熱，**扁桃腺炎**，結膜炎であ

る。

④ ○ 手足口病は，口腔粘膜と手足の末端に水疱性発疹が生じる。
症状として，発熱とのどの痛みを伴う水疱が**口腔内**にでき，**手足の末端**，おしり等にも水疱が生じる。ワクチンは**開発されていない**。

⑤ ○ 伝染性紅斑は，両側頬部に蝶翼状の紅斑がみられることが特徴。
りんご病とも呼ばれる。頬の紅斑以外の症状は発熱，倦怠感，頭痛，四肢に**レース様**等の発疹が出る。大人が罹患した場合は**重症化**することがある。

⚡**(問10) 学校において予防すべき感染症**　　難易度★★　　頻出度★★　　正答1

Ⓐ ○ 出席停止期間は，人に感染する病原体が排出される期間を基準としている。
感染症の出席停止期間は，**感染様式**，**疾患の特性**，人から人への感染力を有する程度に**病原体**が排出されている期間を基準としている。

Ⓑ ○ 感染拡大防止のため，感染者は集団の場を避ける。
感染症の拡大を防ぐために，感染者が他者に容易に感染させる状態の期間は，学校等の**集団の場**を避け，感染させないように注意する。

Ⓒ ○ 感染者は，体の状態が回復するまで治療や休養の時間を確保する。
感染症の**出席停止期間**に合わせて治療や休養の時間をとり，健康の回復を待つことが，感染拡大を防ぐためには必要である。

Ⓓ ○ 学校保健安全法施行規則には，罹患時の出席停止期間等が定められている。
学校保健安全法施行規則18条には，**感染症の種類**が１種〜３種に分けて規定され，同施行規則19条には，１種〜３種における**出席停止期間**が示されている。

⚡**(問11) 保育所における防災**　　難易度★★　　頻出度★★　　正答2

Ⓐ ○ 災害等が発生した場合に備え，最低３日分の必需品の備蓄をしておく。
発災後，保育所で避難が続く場合に備え，食料や水等の必需品の備蓄を**最低３日分**はしておくようにする。

Ⓑ ○ 保育所の避難と消火の訓練は毎月１回実施することが義務づけられている。
設備運営基準により，**避難および消火に対する訓練**，消火器などの消火用具，非常口その他**非常災害に必要な設備**を設けることが規定されている。

Ⓒ ○ 保育所のカーテンは，火災防止のため防炎加工されたものを使用する。
保育所のカーテン，敷物，建具等で可燃性のものについては，**防炎処理**が施されているものを使用することが，設備運営基準にて定められている。

Ⓓ ✕ 災害時の保護者への連絡手段は，複数用意しておく。
災害発生時の保護者への**情報伝達**や，安全な子どもの**引き渡し**のためには，複数の連絡手段があることを事前に保護者に知らせておく必要がある。

Ｅ × 緊急時に乳幼児を速やかに避難させる際には，手押し車を使用する。

保育所での災害時において，園外の避難場所へ移動する際に，特に歩くことができない**乳幼児**や**必需品**を乗せて移動できるため，手押し車を使用する。

(問12) 保育所等における防災・防犯訓練　　難易度★★　頻出度★★　正答3

❶ × 防災の知識を深めるために防災訓練の事前指導を行うことがある。

訓練計画の内容によっては，事前に子どもたちへの年齢に合わせた防災の指導を行い，心構えをもって訓練に臨めるようにすることがある。

❷ × 防災訓練は，あらゆる場面での発災を想定して実施する。

災害はいつ起こるかわからないため，**さまざまな時間帯や状況**で訓練を行う必要がある。**訓練の積み重ね**は，災害発生時の適切な行動につながる。

❸ ○ 指導計画に基づく防災訓練の計画を立案し，訓練を実施していく。

年間を通した**指導計画**に防災訓練の計画を含めて立案していく。日々の訓練の積み重ねにより，実際の場面で**的確な行動**ができるようになる。

❹ × さまざまな場面での発災を想定して，保護者にも訓練に参加してもらう。

災害は送迎時に起こることも想定して，保護者に訓練について**周知や協力**を図り，**災害発生時の行動**を日頃から共有しておく必要がある。

❺ × 不審者侵入を想定した防犯訓練は必要である。

訓練は災害を想定したものだけでなく，**不審者**の侵入を想定した日々の実践的な**防犯訓練**も，子どもを守るために必要である。

(問13) 小児のけいれん　　難易度★★　頻出度★★★　正答2

Ａ ○ 子どものけいれんは脳炎などの重病が原因で起こることがある。

子どもにみられるけいれんは，さまざまな原因により起こり，軽症で症状がすぐに治まる場合もあるが，**髄膜炎や脳炎**などが原因の重症の場合もある。

Ｂ ○ 発作の状況だけでは原因がわからないため治まった後でも受診が必要。

けいれんは，原因によりその後の治療が異なるため，**原因を明確**にするため受診が必要である。診断により脳波の検査等を行う場合がある。

Ｃ × けいれん発作時は，口腔内に何も入れてはいけない。

発作時に舌を噛むことを心配して口腔内にスプーン等を入れる処置は，気道（空気の通り道）を塞ぎ，窒息につながる可能性があるため不適切である。

Ｄ × 熱性けいれんであっても安易に解熱剤を飲ませることは不適切である。

熱性けいれんの場合，比較的短時間で発作が治まることが多いが，子どもの**顔色や呼吸の状態**などを**意識が回復するまで**はよく観察する必要がある。

Ｅ ○ 発作時に身体を押さえたり，強くゆすったりして刺激を与えてはならない。

本試験解説

発作が起こったら周囲の危険物を移動し，安全な場所に横向きに寝かせる。頭を守るために柔らかいものを下に敷くか，手で支えながら静かに様子を見る。

問14 体調不良や事故など　　　難易度★★★　頻出度★★　　正答1

Ⓐ ○ 感電事故の処置は，救助者が感電しないようゴム手袋を使用して対応する。
処置を行う際，まずは電源を切ったり，コンセントを外したりして**電気を止める**。次に**電気を通しにくい**ゴム手袋やゴム製の靴を着用して負傷者に触れる。

Ⓑ ○ 呼吸がない場合は，人工呼吸や心臓マッサージなどの一時救命処置を行う。
一次救命処置とは，心臓や呼吸が停止した傷病者への**気道確保**，**人工呼吸**，**心臓マッサージ**，**AED**使用等により自発的な血液循環を**回復**させる試みをいう。

Ⓒ × 肘内障は，肘関節にある輪状靭帯が骨の一部からはずれかかっている状態。
肘内障は，**幼児期に多くみられ，急に手を引いたとき**などに起こる。子どもが急に腕や肩を下げたまま**動かさなくなる**様子から気付くことが多い。

Ⓓ × 暑さ指数28〜31℃で激しい運動をする際は10〜20分おきに休憩する。
この環境では**熱中症**の危険が高いため，持久走などの**体温が上昇しやすい**運動は避ける。休憩時に涼しいところで**水分**や**塩分**を補給する。

問15 嘔吐物の処理と事後の対応　　　難易度★★★　頻出度★★　　正答2

Ⓐ ○ うがいのできる子どもの場合，うがいをさせる。
うがいのできない子どもの場合は，**嘔吐を誘発させない**よう口腔内に残っている嘔吐物を丁寧に取り除く。

Ⓑ × 子どもの状態を考慮せず，嘔吐後に200ml飲ませるのは不適切である。
嘔吐して**30〜60分程度後**に吐き気がなければ，様子を見ながら，経口補水液などの水分を**少量ずつ**摂らせるようにする。

Ⓒ ○ 寝かせる場合には，嘔吐物が気管に入らないように体を横向きに寝かせる。
個別に対応しながら様子をみるが，元気がなく機嫌，顔色が悪いときや**腹痛や下痢を伴う嘔吐**がみられる場合は，**保護者への連絡**が望ましい。

Ⓓ × 嘔吐した床を消毒する場合は，次亜塩素酸ナトリウムを0.1%に希釈する。
嘔吐物や排泄物が付着した床や物を，次亜塩素酸ナトリウム（製品濃度が約6％）で消毒する場合は，0.1％（水１Lに対して約20mL）に希釈して使用する。

Ⓔ × 嘔吐物が付着した子どもの衣服は，保育所では洗わない。
汚染された子どもの衣服は**保育所では洗濯せず**，二重のビニール袋に密閉して**家庭に返却**する。その際**家庭での消毒方法**等について保護者に伝える。

問16 感染の疑いのある乳児への保育所の対応　　難易度★　頻出度★★　正答 1

Ⓐ ○ 高熱と複数回の下痢の症状から，保護者への連絡は適切である。
38℃以上の**発熱**があり，元気がなく**機嫌が悪い**。さらに**水様便の下痢**が複数回みられるため，早めに保護者に連絡をする必要がある。

Ⓑ × 症状から感染症の可能性がある場合は，他児とは別室で過ごす。
高熱があり水様便の下痢も繰り返しているため**感染症**の疑いがある。そのため他児とは距離をおき，**別室**で過ごすようにする。

Ⓒ ○ 症状の急変に注意しながら別室で安静に過ごす対応は適切である。
脱水にならないよう経口補水液，湯ざまし等の水分補給をし，嫌がらなければ**首のつけ根やわきの下**等を冷やすなどの処置をしながらお迎えを待つ。

Ⓓ × 感染の可能性があるため，保育室でのおむつ交換は避ける。
激しい下痢のときは，**保育室での**おむつ交換を避ける。下痢便の処理者は必ず**手袋**をし，使い捨て**おむつ交換専用シート**を敷き，1回ずつ取り替える。

Ⓔ × 脱水症になる可能性があるため，水分補給をさせず様子をみるのは不適切。
発熱時の**脱水**を防ぐためにも水分補給は必要である。乳児が嫌がる場合は，無理に飲ませるのではなく，口唇を湿らせるなど，少しずつでも摂取できるようにする。また吸収のよい**経口補水液**や**乳児用電解水**を与えてもよい。

問17 病児保育事業　　難易度★★★　頻出度★　正答 3

Ⓐ ○ 病児保育事業の実施については，子ども・子育て支援法に定められている。
子ども・子育て支援法には，**市町村**により，地域子ども・子育て支援事業として病児保育事業が実施されることが規定されている。

Ⓑ × 小学校に就学している児童も対象に含まれる。
病気のため**集団生活が困難**だが，保護者の勤務などの都合により家庭で保育を行うことができず，**市町村**が必要と認めた**乳幼児と小学生**が対象となる。

Ⓒ × 医師の配置は義務づけられていない。
看護師等を利用児童おおむね**10人につき**1名以上配置し，**保育士**を利用児童おおむね**3人につき**1名以上配置することが規定されている。

Ⓓ ○ 体調不良児対応型病児保育は，通所している保育所内で実施する。
看護師等を常時配置し，**保育所の医務室等**で，体調不良となった通所している児童を保護者が迎えに来るまでの間**一時的に預かる**取組みである。

問18 保育所におけるアレルギー対応ガイドライン　　難易度★★★　頻出度★　正答 2

Ⓐ ○ 体重が15kg未満の子どもには，エピペン®は処方されない。
エピペン®は，**アナフィラキシー**を起こす危険が高く，万一の場合に直ちに

受診できない者に対し，事前に医師が処方する**自己注射薬**である。

Ⓑ ✕ エピペン®は，冷蔵庫などの冷所や高温になる環境を避けて保管する。

エピペン®の成分は，**光**により分解されやすいため，携帯用ケースに収められた状態で，**15〜30℃**で保存することが望ましい。

Ⓒ ◯ エピペン®を使用した後は速やかに救急搬送し診察を受ける。

エピペン®（アドレナリン）を投与しても，**再び血圧低下**など重篤な症状に陥ることがあるため，使用した後は速やかに**救急搬送**し，医療機関を**受診**する必要がある。

Ⓓ ✕ エピペン®を保育所で預かる場合は緊急時個別対応票を作成する。

保育所でエピペン®を預かる場合は，保護者と協議のうえ，緊急時の対応の原則や連絡先などを記入する**緊急時個別対応票**を作成する。

問19 **保育所におけるアレルギー対応ガイドライン**　　難易度★★　　頻出度★★　　正答2

Ⓐ ◯ 食物アレルギーは，特定の食物摂取後にアレルギー反応が生じる症状。

特定の食物摂取後にアレルギー反応を介して**皮膚・呼吸器・消化器・全身**に生じる症状である。そのほとんどは食物に含まれる**タンパク質**が原因である。

Ⓑ ✕ 食物アレルギーのある幼児の割合は，年齢が上がるにつれて低下する。

食物アレルギーを有する子どもの割合は**4.0%**であり，年齢別では，0歳6.4%，**1歳7.1%**，2歳5.1%，3歳3.6%，4歳2.8%，5歳2.3%，**6歳0.8%**である（ガイドライン作成時の2019年のデータ）。

Ⓒ ◯ 食物アレルギーで最も多くみられる症状は，皮膚・粘膜症状である。

症状は多岐にわたり，皮膚・粘膜，呼吸器，消化器，さらに全身に認められる。特に呼吸器症状は，**アナフィラキシーショック**へ進展するリスクが高い。

Ⓓ ✕ 「原因となる食物を摂取しないこと」が治療の基本である。

アレルギーの症状が出現した場合には，医師の指示のもと，速やかにその症状に合わせた適切な対処を行う。

問20 **血友病児を保育所で受け入れる際の対応**　　難易度★★★　　頻出度★　　正答4

Ⓐ ✕ 父親が血友病の保因者になることはない。

血友病は，出血を止める**凝固因子**の働きが**生まれつき**よくないために，**出血が止まりにくくなる**疾患。染色体の遺伝により**母親**が保因者になることがある。

Ⓑ ◯ 血友病は小児慢性特定疾病医療費助成制度の対象である。

本制度は，対象の慢性疾病児家庭の**医療費の負担軽減**を図るため，その医療費の自己負担分の一部を助成する取組みである。

Ⓒ ✕ 血友病児のすべての運動を伴う活動や遊びを制限することは不適切である。

子どもの成長の場である保育所において，血友病児が**他の子どもたちと同じ**

ように過ごせるよう配慮することは必要である。また血友病児を**過剰に保護**するのではなく，出血の際はどう**対処**すればよいかを理解して対応する。

D ✕ 血友病児に対する注射での予防接種は，禁止されていない。

予防注射は基本的に**皮下注射**であるため，血友病児の場合でも**接種は可能**である。ただし筋肉注射の場合は，筋肉内出血を起こすことがあるため要注意。

E ◯ 出血の際の応急処置として「安静」「冷却」「圧迫」「挙上」を行う。

出血の際は，応急処置の基本として，R（rest：**安静**），I（ice：**冷却**），C（compression：**圧迫**），E（elevation：**挙上**）を実施する。

8 子どもの食と栄養

(問1) 炭水化物　　　　　　　難易度★　頻出度★★★　正答1

A-糖質，B-食物繊維，C-4，D-グリコーゲンが入る。

炭水化物とは，消化できる糖質と，消化できない食物繊維の総称。

炭水化物は，ヒトの消化酵素で消化，吸収され，エネルギー源となる**糖質**と，ヒトの消化酵素で消化，吸収されず，エネルギー源にならない**食物繊維**に分類される。糖質は，1ｇ当たり**4kcal**を供給する。たんぱく質や脂質に比べて早くエネルギーに変換されるので，即効性のある栄養素である。

(問2) ビタミンの働き　　　　　難易度★★　頻出度★★★　正答5

A ✕ ビタミンCには，抗酸化作用やコラーゲンの生成を助ける働きがある。

ビタミンCには，**抗酸化作用**や鉄の吸収を促進，**コラーゲンの生成**に関与する働きなどがある。糖質代謝に関与するのは，ビタミンB₁である。

B ✕ ビタミンB₁は，糖質の代謝に欠かせないビタミン。

ビタミンB₁は，**糖質をエネルギーに変換**する過程で必要なビタミン。不足すると糖質がエネルギーに変換されにくくなり，疲労などの症状が出る。

C ◯ ビタミンKは，血液の凝固に関与する。

ビタミンKは，**血液凝固因子の生成**に関与するビタミンで，ビタミンKが不足すると，血液凝固に時間がかかり，出血が止まりにくくなる。

D ◯ ビタミンDは，カルシウムの吸収を促進する。

ビタミンDは，腸管からの**カルシウムの吸収を促進**する。カルシウムは吸収されにくいので，ビタミンDと一緒に摂るとよい。

本試験解説

(問3) 日本人の食事摂取基準（2020年版）　　難易度★　　頻出度★★　　正答4

Ⓐ-ウ 推定平均必要量，推奨量は，摂取不足の回避を目的とする指標。

推定平均必要量は，母集団の50%の人が必要量を満たすとされる1日の摂取量。推奨量は，母集団のほとんどの人が満たすと推定される1日の量。

Ⓑ-ア 目標量は，生活習慣病の発症予防を目的とする指標。

目標量は，生活習慣病発症予防のために，現在の日本人が当面の目標とすべき摂取量。

Ⓒ-イ 耐容上限量は，過剰摂取による健康障害の回避のための指標。

耐容上限量は，健康障害をもたらすリスクがないとみなされる習慣的な摂取量の上限の量。

(問4) 食品表示法　　難易度★★★　　頻出度★　　正答1

容器包装に入れられた加工食品，添加物は表示が義務づけられている。

食品関連事業者は，原則として**食品表示法**に基づき，加工食品と添加物に，「**熱量（エネルギー）**」「**たんぱく質**」「**脂質**」「**炭水化物**」「**ナトリウム（食塩相当量で表示）**」の5つの栄養成分を表示することが**義務**づけられている（この順番で表示されている）。カルシウムは任意表示。

(問5) 調乳方法　　難易度★★　　頻出度★★★　　正答2

Ⓐ ○ 調乳に使用する湯は，沸騰させた後30分以上放置しない。

調乳の際に使用する湯は，70℃以上を保つために沸騰させた後**30分以上放置しない**。一度沸騰させて冷ました湯は，塩素などを含む不純物が除かれているため，雑菌が繁殖しやすくなる。

Ⓑ ○ 調製粉乳の調整用として推奨されている水は，沸騰させてから使用する。

調乳する際には，調製粉乳の調整用として推奨された水の場合でも，雑菌が繁殖している可能性があるため，沸騰させてから使用する。

Ⓒ × 調乳の際には，一度沸騰させた後70℃以上に保った湯を使用する。

調乳の際には，殺菌のために一度沸騰させた後**70℃以上**に保った湯を使用する。

Ⓓ ○ 調乳後2時間以内に使用しなかったミルクは廃棄する。

調乳後のミルクは細菌が増殖する可能性があるため，**2時間以内**に使用しなかったミルクは廃棄する。

(問6) 母乳　　難易度★★　　頻出度★★　　正答3

Ⓐ ○ 分娩後，最初に分泌される母乳を初乳という。

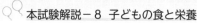

　初乳は分娩後，5日目くらいまでの母乳。その後，移行乳を経て10日目くらいから成乳になる。

Ⓑ ✕ 初乳は成乳に比べてたんぱく質，ミネラルが多く，乳糖が少ない。

　初乳は，トロっとしていて黄色味がかった乳で，成乳に比べてたんぱく質，ミネラルが多く，乳糖が少ない。含まれる免疫物質の濃度も成乳に比べ高い。一方，成乳はさらっとした白色の乳で，脂肪と乳糖が多い。

Ⓒ ✕ 母乳分泌時には，プロラクチンが分泌され，排卵が抑制される。

　プロラクチンは乳汁を合成するホルモンであるが，排卵を抑制する作用もある。

Ⓓ ◯ 母乳栄養児は乳幼児突然死症候群（SIDS）の発症率が低いとされている。

　理由はまだ不明だが，研究により，母乳栄養児は人工栄養児に比べ，乳幼児突然死症候群（SIDS）の発症率が低いことがわかっている。

（問7）授乳・離乳の支援ガイド　　　難易度★　　頻出度★★★　正答4

　A-なめらかにすりつぶした状態，B-首，C-舌で押し出す，D-5〜6か月が入る。

Ⓐ 離乳の開始は，なめらかにすりつぶした状態の食物を初めて与えたときをいう。

　離乳の開始の頃は，食べ物をごっくんと飲み込めるよう，なめらかにすりつぶした状態（ポタージュぐらい）の食物を与える。

Ⓑ 離乳を始める目安の一つに首のすわりがしっかりしていることが挙げられる。

　離乳開始の目安には，首がすわり寝返りができる，5秒以上座れる，スプーンなどを舌で押し出すことが少なくなる，食べ物に興味を示すなどがある。

Ⓒ 離乳を始める目安の一つに哺乳反射の減弱が挙げられる。

　哺乳反射の一つに，口の中に異物が入ると舌で押し出す反射がある。その反射が強いうちは，スプーンなどを口に入れても受けつけないため，反射が減弱してから離乳をはじめる。

Ⓓ 離乳の開始時期は，生後5〜6か月頃が適当である。

　離乳食の開始時期は，生後5〜6か月頃が適当とされるが，月齢はあくまでも目安であり，子どもの発育及び発達に合わせて離乳を進めることが大切。

（問8）幼児の食生活　　　難易度★★★　頻出度★★　正答2

Ⓐ ◯ 乳歯は，一般的に3歳頃までに生え揃う。

　乳歯は上下20本。一般的に，下の前歯から生え始め，3歳頃までに生え揃う。

Ⓑ ✕ スプーン等の握り方は，手のひら握り，指握り，鉛筆握りの順で発達。

　スプーンやフォークの握り方は，手のひら全体で持つ手のひら握り，親指や人差し指が伸びた状態で持つ指握り，鉛筆握りの順で発達する。

本試験解説

ⓒ ○ 唾液には，でんぷん分解酵素であるプチアリンが含まれる。

プチアリンは，唾液に含まれる消化酵素で，でんぷんをデキストリンや麦芽糖に分解する。**唾液アミラーゼ**ともいう。

Ⓓ ○ 幼児期は，家族や仲間と一緒に食べる楽しさを味わう時期。

家族や仲間と一緒に食べる楽しさを味わうことは，身近な人との**基本的信頼感**を確認し，安心感をもって生活していくことにつながる。

(問9) 学校給食法　　　難易度★★　　頻出度★★　　正答5

Ⓐ ✕ 学校給食の目標は，学校給食法2条に定められている。

「日本の食料自給率を向上させること」は，学校給食の目標に定められていない。学校給食の目標は，**学校給食法2条**に**7つ**掲げられている。

Ⓑ ✕ 適切な栄養の摂取による健康の保持増進を図ること。

学校給食法2条には，「適切な栄養の摂取による健康の保持増進を図ること」と記載されている。

ⓒ ○ 生命及び自然を尊重する精神並びに環境の保全に寄与する態度を養う。

学校給食法2条には，「食生活が自然の恩恵の上に成り立つものであるということについての理解を深め，生命及び自然を尊重する精神並びに環境の保全に寄与する態度を養うこと」と記載されている。

Ⓓ ○ 食料の生産，流通及び消費について，正しい理解に導くこと。

例えば，給食に**地場産物**を活用し，食に関する指導の教材として用いることにより，子どもが興味をもって地域の食や食文化，食料の生産，流通について理解を深めることにつながる。

(問10) 学童期・思春期の肥満とやせ　　　難易度★★　　頻出度★★　　正答5

Ⓐ ✕ 小学校の肥満傾向児の割合は，5〜12%程度である。

令和3年（2021）度**学校保健統計調査**における小学校（6〜11歳）の肥満傾向児の割合は，男子は6歳（5.25%）〜11歳（12.48%）の範囲，女子は6歳（5.15%）〜11歳（9.42%）の範囲で男女ともに2％未満ではない。

Ⓑ ✕ 神経性やせ症の発症頻度は，思春期女子のほうが思春期男子より高い。

神経性やせ症は，**思春期女子**に圧倒的に**多く**みられる病態だが，最近では小学生や思春期男子も増加傾向にある。

ⓒ ○ 小児期のメタボリックシンドロームの腹囲の診断基準は，男女とも同じ。

小児期のメタボリックシンドロームの腹囲の診断基準は，男女ともに「**80センチ以上**」，もしくは「**腹囲が身長の2分の1以上**」となっている。

Ⓓ ○ 学童期・思春期の体格の判定方法として，肥満度の算出が挙げられる。

肥満度は，（体重〔kg〕−身長別標準体重〔kg〕）÷身長別標準体重〔kg〕×100

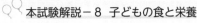

＝肥満度〔％〕の式で算出する。**20％以上**は**肥満傾向**，－20％以下はやせ傾向。

(問11) 妊娠期の栄養と食生活　　難易度★★　頻出度★★　正答3

Ⓐ ○ 日本人の食事摂取基準では，妊婦のカルシウム付加量の設定はない。

妊娠中は，**カルシウム**の体内の**吸収率が上がる**ため，日本人の食事摂取基準（2020年版）では，妊婦のカルシウム付加量は**設定されていない**。

Ⓑ ✕ 妊産婦のための食事バランスガイドには，妊娠中期は3区分に付加量がある。

妊産婦のための食事バランスガイドは，食事バランスガイドにおける非妊娠時の1日分を基本として，妊娠各時期の付加量が示されている。妊娠中期の付加量は，**副菜，主菜，果物**の3区分に**＋1SV**である。

Ⓒ ○ 妊娠期間中の推奨体重増加量は妊娠前の体格により区分して設定されている。

妊娠全期間を通しての推奨体重増加量は，妊娠前の体格別に設定され，「**低体重（やせ）**」の場合は**9～12kg**，「**ふつう**」の場合は**7～12kg**とし，「**肥満**」の場合は，個別に対応していく。

Ⓓ ✕ 妊娠中は，無理なくからだを動かすようにする。

妊娠中の運動は，病気の予防や体重管理，筋力の低下を防ぐためにも推奨されている。主治医と相談しながら**無理なく行う**ようにする。

(問12) 食育基本法　　難易度★★★　頻出度★　正答3

A-健全な心と身体，B-豊かな人間性が入る。

食育基本法は，「食育」の基本的な理念を提示した法律。

食育基本法は，「食」を通じて国民が生涯にわたって健全な心と体を培い，豊かな人間性をはぐくむことができるよう，「食育」を総合的，計画的に推進するために**平成17（2005）**年に施行された。食育基本法では，食育を「生きるうえでの基本であって，**知育・徳育・体育の基礎**となるべきもの」と位置付けている。

(問13) 第4次食育推進基本計画　　難易度★★★　頻出度★★　正答3

食育推進基本計画は，食育の推進に関する基本的な方針や目標を定めたもの。

食育推進基本計画は，5年ごとに作成され，第4次食育推進基本計画の期間は令和3年度から令和7年度の5年間。**第4次食育推進基本計画**では，**3つの重点事項**を柱に，SDGsの考え方を踏まえ，行政，教育関係者，食品関連関係者など多様な主体と連携・協働し，取組みと施策を推進している。

（SDGsとは，「Sustainable Development Goals（持続可能な開発目標）」の略称）

〈「第4次食育推進基本計画」の3つの重点事項〉

　1．生涯を通じた心身の健康を支える食育の推進（**E**）

2．持続可能な食を支える食育の推進（**A**）

3．「新たな日常」やデジタル化に対応した食育の推進（**C**）

Bは，第2次食育推進基本計画の重点課題，**D**は，第3次食育推進基本計画の重点課題。

問14　食育の推進　　　　　難易度★　　頻出度★★　　正答1

Ⓐ ○ 保育所における食育は，人的及び物的な保育環境の構成に配慮する。

例えば，調理室における調理を手伝ったり，調理員等と一緒に食べたりする経験をするなど，**人的及び物的な保育環境の構成**に配慮する。

Ⓑ ○ 栄養士は，その専門性を生かした対応を図る。

栄養士が配置されている場合には，その**専門性を生かし**，献立の作成，食材料の選定，調理方法，摂取方法，摂取量の指導に当たることが大切。

Ⓒ ○ 食育計画を全体的な計画に基づいて作成し，その評価及び改善に努める。

食事の提供を含む**食育計画**を全体的な計画に基づいて作成し，保育実践を行う。その結果を**評価，改善**し，次の食育の実践へとつなげていく。

Ⓓ ✕ 保育所における食育は，「食を営む力」の基礎を培うことを目標とする。

各保育所は，健康な生活の基本として，**食を営む力**の育成に向けて，創意工夫を行いながら食育を推進していくことが求められる。

問15　大豆からできる食べ物　　　　難易度★★　　頻出度★★　　正答2

❶ ○ しょうゆは，大豆や小麦を原料とする液体発酵調味料。

しょうゆは，大豆や小麦などの穀物を主原料として，麹（こうじ）と食塩を加えて，発酵，熟成させて絞った液体調味料。

❷ ✕ 豆苗は，エンドウ豆を発芽させて若い葉と茎を食べる緑黄色野菜。

豆苗は，エンドウ豆を発芽させて，ある程度の大きさになった若葉と茎を食べる緑黄色野菜。豆と根の部分は食用ではない。

❸ ○ きな粉は，大豆を煎ったあと，粉砕して粉状にしたもの。

きな粉は，大豆を煎ったあと，粉砕して粉状にしたもので，大豆を加熱することで大豆特有の臭いが抜け，香ばしく食べやすくなる。

❹ ○ 油揚げは，薄切りにした豆腐の水分を抜いて油で揚げたもの。

油揚げは，大豆を加工して作られる豆腐を薄く切って水分を抜いて油で揚げたもの。

❺ ○ 豆乳は，大豆をゆでて絞った液体。

豆乳は，水に浸けた大豆をすりつぶし，水を加えて煮た汁を絞った液体。豆乳を絞ったあとにできる残りかすが，おからである。

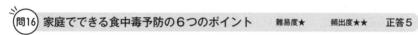

(問16) 家庭でできる食中毒予防の6つのポイント　　難易度★　　頻出度★★　　正答5

❶ ○ 表示のある食品は，消費期限などを確認し，購入する。
消費期限は安全に食べられる期限のこと。食品は，消費期限などをチェックして購入し，期限内に使いきれるよう，献立などを考える。

❷ ○ 食中毒予防の三原則は食中毒菌を「付けない，増やさない，やっつける」。
料理は清潔な食器に盛り付ける（**付けない**），料理は，温かいものは温かいうちに，冷たいものは冷たいうちに食べる（**増やさない**），料理は中心部まで十分に加熱する（**やっつける**）の食中毒予防の三原則を心がける。

❸ ○ 購入した肉・魚は，水分がもれないように，ビニール袋などに分けて包む。
生の肉や魚に付着している食中毒菌が，その水分（汁）を介してほかの食品に移る可能性があるため，ビニール袋などを使い，分けて包む。

❹ ○ 残った食品は早く冷えるように浅い容器に小分けして保存する。
残った食品は，食中毒菌が増殖しないよう，清潔な浅い容器に小分けして保存する。

❺ × 冷蔵庫は，10℃以下，冷凍庫は，−15℃以下に維持することが目安。
食中毒菌は，一般的に**10℃以下**では増殖がゆっくりとなり，**−15℃以下**では，増殖が停止する。しかし，細菌が死滅するわけではないので注意。

(問17) 窒息・誤嚥事故防止　　難易度★★　　頻出度★★　　正答3

Ⓐ × 豆やナッツ類などは，5歳以下の子どもには食べさせない。
喉頭や気管に詰まると窒息する危険があるため，硬くてかみ砕く必要のある**豆やナッツ類**などは，**5歳以下の子ども**には食べさせないようにする。小さく砕いても，気管に入り詰まる可能性がある。

Ⓑ ○ 食べているときは，姿勢をよくし，食べることに集中させる。
物を口に入れて走ったり，笑ったりすると，誤って吸引し，**窒息・誤嚥**するおそれがある。食事中は，**姿勢をよくして**，**食べることに集中**させる。

Ⓒ ○ 節分の豆は，口に入れないよう，個包装のものを使うなど工夫する。
節分の豆まきの際には，子どもが誤って口に入れないよう，**個包装**されたものを使用するなど工夫して行い，**後片付け**を徹底する。

Ⓓ ○ ミニトマトやブドウなどは，4等分したり，調理して軟らかくする。
ミニトマトやブドウなどの食品を丸ごと食べさせると，窒息する危険がある。**4等分**したり，調理して軟らかくして，**よくかんで**食べさせる。

(問18) 食品ロス及び食料自給率　　難易度★★　　頻出度★　　正答2

Ⓐ ○ 食品ロスとは，本来食べられるのに捨てられてしまう食品のこと。

食品ロスとは，売れ残りや食べ残し，期限切れ食品など，本来は食べることができたはずなのに捨てられてしまう食品のことをいう。

Ⓑ ○ 食品ロスを減らすため，陳列されている商品は手前から取るようにする。

食品ロスを減らすための例として，陳列されている商品を奥から取らずに，賞味期限が切れるのが早い，**手前の商品から取る**ことが挙げられる。

Ⓒ ✕ 令和3年度の日本の食料自給率は，38%である。

令和3年度食料需給表によると，令和3年度の総合**食料自給率は38%**。日本の食料自給率は約30年近く，40％を前後している。

Ⓓ ✕ 令和2年度の食品ロス量は，家庭系より事業系のほうが多い。

令和2年度の食品ロス量推計値によると，事業者系食品ロス量は275万トン，家庭系食品ロス量は247万トンであり，事業系のほうが多い。

(問19) 乳児ボツリヌス症の原因となる食品　　難易度★　頻出度★★★　正答4

はちみつは乳児ボツリヌス症予防のため，1歳を過ぎるまで与えない。

　1歳未満の乳児は，腸内環境が未熟なため，**はちみつ**を食べることにより**乳児ボツリヌス症**にかかることがある。1歳以上になると離乳食等により腸内環境が整うため，はちみつを食べてもこの病気を発症することはなくなる。ボツリヌス菌は熱に強く，通常の加熱や調理では死滅しないので，はちみつを使ったお菓子などの商品にも注意が必要である。

(問20) 食物アレルギー　　難易度★★★　頻出度★★★　正答4

Ⓐ ✕ アレルギー表示が義務づけられている原材料は，8品目である。

食品表示法により，容器包装された加工食品において，アレルギー表示が義務づけられている原材料は，**えび，かに，くるみ，小麦，そば，卵，乳，落花生（ピーナッツ）の8品目**である。

Ⓑ ○ 鶏肉は鶏卵と成分が異なるため，基本的に除去する必要はない。

鶏卵の成分と，鶏肉の成分は異なるので，鶏卵アレルギーであることを理由に**鶏肉を除去する必要はない**。

Ⓒ ○ 食物アレルギーであっても，離乳食の開始や進行を遅らせる必要はない。

最近の研究では，食物アレルギーの子どもの離乳食の開始を遅らせても，食物アレルギーの予防にはならないことがわかってきている。

Ⓓ ✕ アレルギーを引き起こす原因物質をアレルゲンまたは抗原という。

アレルギーの原因となる物質を**アレルゲン**または**抗原**という。**アナフィラキシー**とは，重篤なアレルギー反応が複数の臓器に急激に起こること。

9 保育実習理論

問1 伴奏付け（たなばたさま）　難易度★★★　頻出度★★★　正答3

「たなばたさま」のメロデイに適した伴奏部分を選択する問題である。

出題は**ヘ長調**であるので，**伴奏に使用される和音のコード名は，F，B♭，C₇の3つである。**

和音の選択は，メロデイの音と伴奏の構成音が同じものを選ぶとよい。

例えば，「ファ，ラ」という音がメロデイに多ければ，伴奏は，ファ，ラで構成されているFコードを選ぶ。

F＝ファ，ラ，（ド）　　　※第5音ドを省略して出題されている。
B♭＝シ♭，レ，ファ
C₇＝ド，ミ，（ソ），シ♭　※第5音ソを省略して出題されている。

ア～エの伴奏の和音は以下のとおりである。
ア「ミ，シ♭」「ファ，ラ」　C₇，F
イ「ファ，ラ」「ファ，ラ」　F，F
ウ「ファ，ラ」「ミ，シ♭」　F，C₇
エ「シ♭，ファ」「シ，ファ」B♭，B♭

Ⓐ-イ Fコード（ファ，ラ）を選択する。
メロデイが「**ド，ド**」「**ファ，ソ**」であるので，Fの構成音である。ソは経過音と考える。

Ⓑ-ウ Fコード（ファ，ラ）とC₇（ソ）を選択する。
メロデイが，「**ファ，ラ**」「**ソ**」であるので，F，C₇を選択する。

Ⓒ-エ B♭（シ♭，レ，ファ）を選択する。
メロデイが，「**ソ，ファファ**」「**レ**」であるので，B♭を選択する。ソは経過と考える。

Ⓓ-ア C₇（ド，ミ，シ♭）とF（ファ，ラ）を選択する。
メロデイが，「**ソ，ラ**」「**ファ**」あるので，C₇，Fを選択する。ラは経過音と考える。

問2 音楽用語　難易度★　頻出度★★★　正答4

音楽用語の意味を問う問題である。

Ⓐ-カ「デイミヌエンド」と読む。強弱を表す記号である。

「dim.」の意味は，「だんだん弱く」である。

B-オ 「アンダンテ」と読む。速度を表す記号である。

「andante」の意味は，「ゆっくり歩くような速さで」である。

C-キ 「ダルセーニョ」と読む。演奏の順序を表す記号である。

「D.S.」の意味は，「セーニョに戻る」である。

D-エ 「リタルダンド」と読む。速度の変化を表す記号である。

「rit.」の意味は，「だんだん遅く」である。

問3 メジャーコード　　　　　　　　難易度★★★　頻出度★★★　**正答4**

まず，ア～カの和音を，**基本形に戻して，長三和音（メジャーコード）**を探す。**長三和音（メジャーコード）の判別**ができれば，答えにつながる。
【基本形】とは，3つの音を3度ずつ重ねたもので，下から根音，第3音，第5音と呼ぶ。**【転回形】**とは，基本形を転回させて，根音以外の第3音，第5音が下になった和音の形をいう。
根音から第3音までの音程が長3度であれば長三和音（メジャーコード），根音から第3音までの音程が短3度であれば短三和音（マイナーコード）である。

※**長3度**…下の音から上の音までの鍵盤の枚数が白鍵黒鍵合わせて**5枚**である。
　短3度…下の音から上の音までの鍵盤の枚数が白鍵黒鍵合わせて**4枚**である。

㋐ 短三和音F♯m…ファ♯，ラ，ド♯（基本形）で出題されている。

根音ファ♯と第3音ラの音程が**短3度**であるので，**マイナーコード**である。

㋑ 長三和音D…下のラを1オクターブ上に上げると，基本形レファ♯ラになる。

根音レと第3音ファ♯の音程が**長3度**であるので，**メジャーコード**である。

㋒ 短三和音Am…上のラを1オクターブ下に下げると，基本形ラドミになる。

根音ラと第3音ドの音程が**短3度**であるので，**マイナーコード**である。

㋓ 長三和音B♭…上のシ♭を1オクターブ下に下げると，基本形シ♭レファになる。

根音シ♭と第3音レの音程が**長3度**であるので，**メジャーコード**である。

㋔ 増三和音Gaug…ソ，シ，レ♯（基本形）で出題されている。

根音ソと第3音シの音程が**長3度**，根音から第5音までの音程が増5であるので，オーギュメントコード※である。

※メジャーコードの第5音を半音上げた状態を**オーギュメントコード**という。

㋕ 長三和音E…上のミを1オクターブ下に下げると，基本形ミソ♯シになる。

根音ミと第3音ソ♯までの音程が長3度であるので，**メジャーコード**である。

問4　移調　　　　　　　　　　　難易度★★　頻出度★★★　正答4

移調とは楽曲そのもの（メロディと伴奏）を他の調に移すことである。

童謡の伴奏部分のコードを移調する問題である。

移調は，原調と移調後の調の**主音の音程**を考えるとわかりやすい。

童謡「あめふりくまのこ」のヘ長調の伴奏部分を**短3度下**に移調するということは，**主音がファ（ヘ）**から，**レ（二）**に変わるので，**移調後は，主音がレ（二）の二長調**になる。

音程の短3度とは，鍵盤の枚数で考えると，下の音から上の音まで**鍵盤4枚分**ある。

移調後は，伴奏部分のコードも**短3度下のコード**に変わる。

すなわち，**コードの根音を鍵盤4枚分下に移す**だけで**コードの移調**ができる。

	ファ ヘ F	ソ ト G	ラ イ A	シ ロ B	ド ハ C	レ 二 D	ミ ホ E	ファ ヘ F	ソ ト G	ラ イ A	シ ロ B	ド ハ C	レ 二 D	ミ ホ E
日本音名 英語音名														

F ➡ D

Fコードの根音はファ，短3度下（鍵盤4枚分下）に下に移すと根音はレ。

移調後はDコードになる。

Am ➡ F♯m

Amコードの根音はラ，短3度下（鍵盤4枚分下）に移すと根音はファ♯。

移調後はF♯mコードになる。

B♭₆ ➡ G₆

B♭₆コードの根音はシ♭，短3度下（鍵盤4枚分下）移すと根音はソ。

移調後はG₆コードになる。

問5　リズム譜から曲をイメージする　　　　難易度★　頻出度★★　正答3

リズム譜から童謡の曲名を推測する問題である。音符があるところに歌詞を当てはめて，歌いながらリズム譜と照合する。

❶ ✕「春の小川」は四拍子の曲であるが，リズムと歌詞が一致しない。
「はーるの」「おがわは」「さらさら」「いくよ　♪　」
すべて四分音符が使われている。

❷ ✕「かたつむり」は，二拍子の曲で，リズムと歌詞が一致しない。
付点八分音符と十六分音符でスキップのリズムなどが使われている。

❸ ◯「春がきた」は四拍子の曲で，拍子，リズム譜と歌詞がすべて一致する。

本試験解説

「はーるがきた」「はーるがきた」「どこに一き」「たーー♪」

❹ ✕ 「虫のこえ」は二拍子の曲で，リズムと歌詞が一致しない
「あれまつ」「むしが♪」八分音符が使われている。

❺ ✕ 「茶つみ」は四拍子の曲であるが，リズムと歌詞が一致しない。
「♪　なつも」「ちーかづく」１小節目の１拍目に四分休符が使われている。

Ⓐ ⭕ 『赤い鳥』は，鈴木三重吉が創刊した童話と童謡の児童雑誌である。
大正時代，鈴木三重吉，北原白秋らによって創刊された子ども向けの雑誌で，
童謡や歌を世に広める運動につながった。

Ⓑ ⭕ イギリスの伝承童話やわらべ歌の総称を「マザーグース」という。
マザーグースはイギリスで古くから口誦によって伝承されてきた童謡の通称
で，「メリーさんの羊」「ロンドン橋」など日本でも知られている。

Ⓒ ⭕ 大太鼓・小太鼓は，膜をたたいて音を出すので膜鳴楽器である。
太鼓は，薄い膜を中空に枠（胴）に張り，それを手やばちでたたいて音を出
す打楽器の一種であり，楽器分類では**膜鳴楽器**に含まれる。

Ⓓ ⭕ 「むすんでひらいて」の作曲者はフランスのルソーである。
「むすんでひらいて」は，童謡・文部省唱歌であり，作詞者は不詳である。
作曲者はフランスのジャン＝ジャック・ルソーである。

Ⓔ ✕ 曲の途中で調が変化するのは「転調」である。
曲全体の高さを変えて，他の調に移して演奏することは**移調**という。

A-環境，B-感動，C-風が入る。
身近な自然などの環境から得られる感動の体験により豊かな感性を育む。
保育所保育指針では，３歳以上児の「表現」の**内容の取り扱い**として，自然，
絵本，物語，絵や音楽がある生活環境などは，子どもの心を動かし感動を与
える。子どもは，感じていることを**そのまま表わそうとする**。感じたことを
さまざまに表現することによって**感性**は一層磨かれていく。そのため保育士
等は，子どもが興味や関心を抱き，**主体的**に関われるような環境を整えてい
くとともに，その子どもの**表現**を受け止め，認めるよう留意するということ
が示されている。

問8　幼児期の描画表現　　　難易度★★　　頻出度★★　　正答2

幼児期の描画の発達の特徴を問う問題である。

Ⓐ ○ 5歳～8歳頃の図式期に，空や地面を表す基底線を描くようになる。
基底線は，ものの位置関係や場所を示したいという**空間の意識**が獲得されたことを意味する。

Ⓑ ○ 3歳～5歳頃の前図式期に，「頭足人」と呼ばれる人物画がよくみられる。
頭足人は，頭や顔から直接手や足が出ている絵のことで，世界中の幼児の絵に見られ，欧米では「オタマジャクシ」と呼ばれている。

Ⓒ ✕ 描画表現の発達段階には個人差があるので技術指導の指標とならない。
各段階における絵の変化は，あそびや探索行動，心身の成長と深く関連しながら総合的に発達していくものである。

Ⓓ ✕ 描画表現の発達は万国共通のものであり，海外の幼児にも共通性がある。
描画の発達区分は，個人差はあるが，その表現において，どの国の子もほぼ同じように一定の段階に沿って発達の道筋をたどる。

問9　色の混合に関する事例　　　難易度★　　頻出度★★★　　正答1

色の混合，色相環について問う問題である。
A-赤，B-類似，C-紫，D-補色が入る。

Ⓐ「黄色」に「赤」混ぜると「橙色」になる。
絵の具**「黄色」**に**「赤」**を混ぜると，黄みの赤➡橙➡黄みの橙と順に変化していく。

Ⓑ「黄色」と「橙色」のように近い色相の組み合わせを類似色という.
類似色を組み合わせるとおだやかな調和が得られる。「黄色と橙色」，「黄緑と緑」，「赤と赤紫」などは類似色の組み合わせである。

Ⓒ 補色の関係にある「黄色」と「紫」を混ぜると，黒ずんだ色になる。
色を混合して黒ずむ現象を**減算混合（減法混合）**という。補色の関係にある2色や，色の3原色（赤・黄・青）を混合すると黒ずんだ色になる。

Ⓓ 補色とは，色相環の中で，互いに反対に位置する色同士をいう。
色相環の中で，反対に位置する「黄色と青紫」，「赤と青緑」，「青と黄みの橙」はお互いに**補色の関係**である。

問10　でんぷんのりの特性　　　難易度★　　頻出度★　　正答3

Ⓐ ○ でんぷんのりは，主に紙同士を接着する際に用いられる。
でんぷんのりは，最も一般的な**水溶性**の接着剤の一つである。

Ⓑ ✕ でんぷんのりは，でんぷん質（糖質）からできている。

本試験解説

カゼインは，牛乳やチーズなどに含まれる**たんぱく質の一種**である。

Ⓒ ○ でんぷんのりは，穀物や芋類などからとれるでんぷん質からつくられる。
古来は平安時代になると紙が普及し始め，日本は，稲作などを行う農耕民族なので，穀物を利用したでんぷんのりが使われてきた。

Ⓓ ✕ でんぷんのりは，水を混ぜると粘性の高いゲル状になり，硬化はしない。
でんぷんのりは，**水分が蒸発**するとでんぷん質が**硬化**して固着する。

(問11) 保育教材に関する事例　　　難易度★★　頻出度★★★　正答3

A-パネルシアター，B-エプロンシアター，C-ポケット，D-パペットが入る。
パネルシアターやエプロンシアターは，代表的な保育教材である。
問題文にある保育教材は，保育の場で大変よく使用され，子ども達に喜ばれる。

・パネルシアター…**毛羽立ちのよい布**を貼りつけたパネルの舞台に，**不織布**でつくった絵人形等をつけたり外したり動かしたりしながらお話を展開するもの。

・エプロンシアター…**エプロン**を舞台として，マジックテープのついた人形や小物を**ポケット**から取り出し，エプロンにつけたり，外したりしながらお話をするもの。

・パペット…**手や指**にはめて動かす動物や人等の人形である。人形が話しているかのように，演じ手の語りに合わせて人形を動かす。

(問12) 切り紙遊び　　　難易度★★　頻出度★★　正答2

折り紙を折ったものにハサミで切込みを入れ，開いたときにできる模様をイメージする問題である。
折った後の折り紙の切込みから穴の開く場所を推測する。

①図2の右上の切込みは，4つ折りの角にあるので，中央に穴が開くことになる。中央に穴がない**3と4は✕になる。**

②右側の半円の切込みは，縦の中央ラインの上下あるので，**1は✕で，2が○である。**

③左上の切り込みは折り紙の両端のライン上の真ん中にあるので，**2が○，4も○だが，4と5は四隅に切り込みがあるので✕になる。**

(問13) 保育士の研修に関する事例　　　難易度★　頻出度★★　正答3

Ⓐ ○ 研修内容を他の保育士に情報提供し，園全体で共有することは重要。
研修で得た知識や技能を他の職員と共有することにより，**保育所全体**の保育実践の**質**や**専門性**の向上につなげていくようにする。

Ⓑ ✕ 業務上必要なことを園内で共有することは，守秘義務に反しない。

子どもやその家庭の問題については，担当保育士のみではなく，**園全体**で対応を検討し，実施していく必要があるため，**情報共有**は必要である。

⊙ ✕ 研修会の案内は，すべての保育士に情報共有すべきである。

施設長等は，保育所全体の保育実践の質や専門性の向上のために，研修の受講が**特定の職員に偏ることなく**行われるよう，配慮する必要がある。

(問14) 気になる子どもへの対応に関する事例　　難易度★　頻出度★★　正答1

Ⓐ ◯ 絵本に集中できる環境を整えることは適切である。

絵本を読む環境として，子どもが絵本に集中できる**場所**を選ぶことは重要である。その際，**照明**や**日光**などにも注意する。

Ⓑ ◯ 保育士の近くにて見守るなどの個別配慮をすることは適切である。

全体に向けて絵本を読みながらも，近くでT君の様子を見つつ，必要な際は声掛けがすぐにできるような**個別の配慮**は必要な対応である。

Ⓒ ✕ 子どもの気持ちを考えず，厳しく注意をすることは不適切である。

T君の気持ちを考えず，強制的に絵本を見せようと注意をする行為は，T君に寄り添った対応とは言えず，不適切である。

Ⓓ ✕ 対応を頼まれた子が，絵本を楽しめなくなるため不適切である。

T君の対応を頼まれた子は，絵本を見ることができなくなってしまう。**本来保育士が対応すべきこと**を他の子どもに任せることは不適切である。

(問15) 保育所保育指針2章　　難易度★★　頻出度★★　正答2

問題文は，**保育所保育指針2章**からの出題である。

Ⓐ ◯ 大人との応答的な関わりや話しかけにより，自ら言葉を使おうとする。

子どもは保育士等の**声や言葉**をよく聞き，適切な発音への準備をしていく。そして**信頼できる相手**に伝えたい，わかってもらいたいという気持ちの下に，自分も言葉を使おうとするようになっていく。

Ⓑ ◯ 生活に必要な簡単な言葉に気付き，聞き分ける。

「はい」などの返事，「かして」「ちょうだい」などの要求語，「どうぞ」「ありがとう」など人と一緒に**気持ちよく生活する**ために必要な言葉に気付いていく。

Ⓒ ✕ 文字などの記号の果たす役割や意味を理解するのは3歳以上である。

問題文は，**3歳以上児**の「内容」である。1歳以上3歳未満児の段階では，文字を読むことや理解することが必要とされる段階ではない。

Ⓓ ✕ 当番の仕事という言葉を理解し行動できるようになるのは3歳以上。

問題文は，**3歳以上児**の「内容」である。1歳以上3歳未満児の段階では，**当番活動**の意味を知ることや活動自体がまだ難しい。

(問16) 休日保育に関する事例　　難易度★★　頻出度★★　正答4

Ⓐ ✕ 保育士は日頃から施設内外の遊具の点検をし，安全環境の整備に努める。

子どもたちが安全・安心な環境で過ごせるために，保育士は日々子どもが生活をする場の**安全点検**を行い，環境を整備する必要がある。

Ⓑ ○ 避難経路確保のため入退場門の撤去は安全対策として適切である。

安全を確保するために，施設内外の備品，遊具等の**配置**，**保管**を適切に行う必要がある。

Ⓒ ✕ 通常保育と異なる休日保育においても避難訓練の計画は必要である。

さまざまな状況の避難訓練に関する計画等を作成し，災害の発生に保育所の職員が協力して対応するための体制の整備を図る必要がある。

(問17) 保育所実習　　難易度★　頻出度★★★　正答5

Ⓐ ✕ 園児の個人情報を実習日誌に記載することは不適切である。

実習日誌に詳細に記録を残すことはよいことではあるが，子どもの**個人情報**は記載せず，個人が特定できないようにする。

Ⓑ ✕ 実習にて知り得た子どもやその家庭の情報は漏らしてはいけない。

たとえ他の園で実習をしている実習生であっても，**実習園で知った**子どもやその家族に関する情報は，決して漏らしてはならない。

Ⓒ ✕ SNSに保育所実習の内容や情報を書き込むことは不適切である。

不特定多数が利用するSNSへの書き込みは，場合によっては**個人が特定**されてしまうことがある。**個人情報**に関する内容を公開してはならない。

Ⓓ ✕ 実習生の立場で保護者への指導をすることは，不適切な行為である。

保護者と信頼関係を構築した保育士により，保護者への保育に関する指導は行われるべきであり，実習生の立場で勝手な自己判断で保護者に指導してはならない。

(問18) 紙芝居を演じる際の留意点等　　難易度★　頻出度★★　正答3

Ⓐ ○ 話の場面に合わせて絵を抜くタイミングやスピードを変える。

ストーリーの流れに合わせて，ゆったりしたテンポの場面ではゆっくり抜き，反対に急いだり盛り上がる場面ではさっと素早く抜くなど演出を工夫することで，聞き手の子どもたちが話に入り込みやすくなる。

Ⓑ ✕ 声の表現を変える演出は，聞き手を楽しませるために必要である。

登場人物やナレーションの声の大きさや強弱，トーンなどの表現を変えることで，よりストーリーが伝わりやすくなり，楽しめる。

Ⓒ ✕ 演じ手が一方的に読み進める表現は不適切である。

演じ手は，聞き手である子どもたちの反応や表情などを受け止めながら，子どもの様子に合わせて読み進めることが必要である。

D　○　舞台や幕の使用は，聞き手の視点や気持ちを集中しやすくする効果がある。
舞台や幕を使用することで，「お芝居を見る観客としての視点」と「これからお話を見るという心構え」がもて，話に集中しやすくなり，より楽しめる。

問19　児童養護施設実習中の児童への関わりに関する事例　難易度★　頻出度★★★　正答4

A　×　女児の行為を非難せず，その行為に至った心情を理解することが大切。
ぬいぐるみを投げた行為について女児が悪いと非難する対応は，不適切である。ぬいぐるみを投げてしまった女児の心情を**理解**することが大切。

B　×　女児に対し，良い子でいることを強要するのは不適切である。
他者から嫌われていると思い込んでいる女児に対し，周りの評価を引き合いに出して良い子でいることを**強要**することは**不適切な対応**である。

C　○　女児のありのままの状態を受け止めて見守る対応は適切である。
自分の気持ちをコントロールできない女児が落ち着くまで見守ることは，「**受容の原則**」や「**非審判的態度の原則**」に即した適切な対応といえる。

D　○　女児の対応について指導者に相談し，アドバイスを受けることは適切。
実習指導者に相談をしてアドバイスを受けることは，女児に対する支援の連携や**情報共有**につながるうえ，実習生Mさんの**スキル向上**にも資する。

問20　グループホーム実習中の相談対応に関する事例　難易度★★　頻出度★★★　正答4

A　×　進学希望の女児の気持ちを受け止めずに就職を勧めるのは不適切。
女児が進学希望であることを相談しているにもかかわらず，保育士の助言であることを理由に就職を勧めることは，女児の意向を無視した対応といえる。まずは女児の気持ちを**傾聴**することが大切である。

B　○　相談内容を指導者に伝えてよいか，女児本人に確認をしたことは適切。
女児からの相談内容について，実習指導者に伝えて情報共有することは適切であるが，まずは女児**本人**へ相談内容を実習指導者に伝えてよいか**確認**をとることが必要である。

C　○　実習生が女児の気持ちを理解しようと努めることは適切な対応である。
どうしたらよいかわからないという女児の不安な気持ちを受け止め，**理解**しようとする実習生の姿勢は，女児と**信頼関係**を構築するうえでも適切。

D　×　女児の親族について，批判的な態度を示すことは不適切である。
どのような理由があっても，女児の親類を批判したり咎めるような態度は女児の支援を行う立場として不適切である。

本試験解説

編著　保育士試験研究会

保育・教育関連の大学及び専門学校の講師などが集まるネットワーク。保育士養成のため，試験対策テキストの執筆や実務に向けた講習などを行い，保育士の輩出に尽力している。

執筆者と担当科目

内野由美子…子ども家庭福祉，社会福祉，教育原理，社会的養護，保育原理，保育実習理論
関谷万里以…保育原理，子どもの保健，保育実習理論
加藤千佳…子どもの食と栄養
小沢恵美子…保育の心理学
髙橋千草…保育実習理論

内野由美子「ふたば先生の保育士試験対策講座 ふくしの部屋」
https://www.youtube.com/@user-uc3so8ut2z

関谷万里以「Panda's breath（パンブレ）のブログ」
https://panbre.com

装丁／マツヤマ　チヒロ
本文デザイン・組版・イラスト／明昌堂
イラスト／有限会社熊アート
編集協力／櫻井啓示

●本書の内容に関するお問合せについて

本書の内容に誤りと思われるところがありましたら，まずは小社ブックスサイト（books.jitsumu.co.jp）で「**保育士**」を検索し，本書ページ内にある正誤表・訂正表をご確認ください。正誤表・訂正表がない場合や，正誤表・訂正表に該当箇所が掲載されていない場合は，書名，発行年月日，お客様のお名前・連絡先，該当箇所のページ番号と具体的な誤りの内容理由等をご記入のうえ，郵便，FAX，メールにてお問合せください。

〒163-8671 東京都新宿区新宿 1-1-12　**実務教育出版 第二編集部問合せ窓口**
FAX：03-5369-2237　　　E-mail：jitsumu_2hen@jitsumu.co.jp

〔ご注意〕
※電話でのお問合せは，一切受け付けておりません。
※内容の正誤以外のお問合せ（詳しい解説・受験指導のご要望等）には対応できません。

**2025年版　ほんとによく出る
保育士一問一答&ベスト過去問**

2024年9月25日　初版第1刷発行　　　　　　　　　　　〈検印省略〉

編　著　保育士試験研究会
発行者　淺井　亨
発行所　株式会社 実務教育出版
　　　　163-8671　東京都新宿区新宿 1-1-12
　　　　電話 03-3355-1812（編集）　03-3355-1951（販売）
　　　　振替 00160-0-78270

印刷／文化カラー印刷　　製本／東京美術紙工

© JITSUMUKYOIKU-SHUPPAN 2024　　　　　　　　　本書の無断転載・無断複製（コピー）を禁じます。
ISBN978-4-7889-2059-0 C3037 Printed in Japan
乱丁・落丁本は小社にておとりかえいたします。

保育士国家資格をとるために

『まんがでわかる
　保育士らくらく 要点マスター』

筆記9科目と実技試験、
さらに保育所保育指針まで、
ギュッと1冊に

保育士試験研究会編著

『ほんとによく出る 保育士
　一問一答＆ベスト過去問』

基本（キーワード・一問一答）→応用（重要過去問）
→仕上げ（本試験）の
3つのステップ♪で全科目合格

保育士試験研究会編著

保育士・幼稚園教諭の資格を生かして働くために

『保育士になるための
　早わかりブック』

資格取得の方法、
採用試験の対策、
仕事内容をまるごと1冊に

保育士試験研究会編

『2025年度版 保育士・幼稚園教諭
　採用試験問題集＆論作文・面接対策』

公立保育園などで公務員として
働きたい人のための対策本。
教養試験、専門試験、論作文、
面接の対策を1冊で！合格体験記付き

保育士試験研究会編

保育の実務スキルアップ講座

オンライン動画で学べる！
保育士の不安、保育園の
お悩みを解決します。

保育士実務研究会

ISBN978-4-7889-2059-0
C3037　¥2000E

定価 2200円
（本体2000円＋税10%）

実務教育出版

ココからはがして下さい

71

1／1

ＩＳＢＮ : 9784788920590

発注No : 102230

発注日付 : 241209

コメント : 3037

18　　187280

番店CD :

発注